elza

elza

ZECACAMARGO

COORDENAÇÃO DE CONTEÚDO
Pedro Loureiro
Juliano Almeida

LeYa

o início de zilhões de zumbidos 17

o louva-a-deus que trouxe mudança, vida e morte 37

um certo "seu Ary" e muitos alfinetes 61

seu nome numa estrela e uma rica cena teatral 75

na cidade do tango, muitas desilusões 89

um bar no Leme e o primeiro disco 109

triste fim do casamento, duro recomeço de vida 129

a madrinha da Seleção vive sua lua de mel 149

em tempos de Ditadura, aposta dupla no amor 177

festa de arromba, festivais e uma morte trágica 197

fora do Brasil, uma vida perfeita como um cenário de Cinecittà 223

um filho e a necessidade de recomeçar mais uma vez 247

um amigo, uma língua, renascimento... 271

diante do pior, tudo menos coitadinha 289

um tombo, uma saia rasgada e a resposta de quem é dura na queda 309

uma Elza, mil mulheres, do princípio ao fim do mundo 331

quem não tem idade tem o quê? 363

"Eu estou recordando o passado, não o reconstruindo. [...] Eu não estou tentando inventar uma história; estou tentando contar a verdade."

A única história
JULIAN BARNES

Para Luiz Nascimento, com quem aprendi o valor de uma vida bem contada.
ZECA CAMARGO

Elza em reportagem especial para *O Cruzeiro*, em julho de 1967.

1
o início de zilhões de zumbidos

ela precisava de um "Z" no destino e ganhou um logo quando nasceu: foi batizada *Elza*. Foi seu primeiro zumbido, de zilhões que viriam depois – e ainda vêm. Que outro nome poderia ser mais adequado para a mulher que transformou em som a sua fúria, fúria que em sua trajetória não é só sinônimo de ira, mas também de paixão? Esta é a história da Elza que zombou da ziquizira, chamou pra zoeira, tirou da zica e da dor, prazer e luz. Fez zunir até a letra "x": cobriu-se de êxitos, deslumbrou os palcos com exuberância, sobreviveu ao exílio... E mais: zelou por seus amores, zangou-se com o que não achava certo, ficou zonza com as tragédias pessoais. De cada uma delas, saía meio zen e retomava o caminho que percorre até hoje – nunca em linha reta, mas ziguezagueando como lhe convém.

O próprio caminho titubeante da letra que fez de um simples pronome um nome maior contém poucas reviravoltas, insuficientes para contar uma história como a desta mulher: Elza Gomes da Conceição, ou melhor, Elza Soares. Ou seria mais justo colocar tudo no plural? São muitas histórias, isso sim. Para alguém que sempre evitou a linha reta, aplicar uma só narrativa não parece bastar. E a primeira pergunta que devemos fazer é: de quantas Elzas vamos falar?

Daquela que morou refugiada na Itália, procurando um novo sentido para sua carreira e para seu amor? Daquela que achou que estava cega num culto religioso nos Estados Unidos? Daquela que perdeu dois filhos dos seis que gerou ainda adolescente? Daquela que hipnotiza, quase aos 90 anos, uma plateia – na sua maioria, com apenas uma fração da sua idade? Daquela que escondia da mãe que cantava nas boates da zona sul carioca? Daquela que encontra amor depois de sete décadas de vida num coração de vinte e poucos anos? Como você pode imaginar, são todas uma só – e aí está o desafio não apenas para quem decide contar sua vida como para quem está ávido para mergulhar nas suas histórias: toda vez que mirarmos num só ponto estaremos perdendo não apenas o foco, mas a essência de uma figura maior. Jamais plana – um poliedro.

Por isso, a vida de Elza pode começar a ser contada de qualquer ângulo, porque, como num universo quântico, todas as suas fases estão interligadas, comunicam-se entre si. Nesta narrativa – que é, acima de tudo, uma grande história oral –, o tempo e a cronologia se confundem e, finalmente, desistem de se impor sobre aquela senhora sentada no trono de um grande palco. Que é exatamente a mesma que um dia estava num terreno baldio nas redondezas de sua casa e foi lambida pela vaca mais brava da vizinhança.

Elza brincava sozinha no quintal – a mãe sempre ocupada em lavar roupas para fora, ajudando na renda da família. O pai trabalhava na fábrica têxtil de Bangu, na zona oeste do Rio de Janeiro, onde morou ainda pequena. Elza nasceu em Padre Miguel, mas o trabalho do pai na icônica Fábrica de Tecidos Bangu – hoje um shopping center que reflete e absorve o ritmo dinâmico desse bairro do subúrbio do Rio – fez com que sua família se mudasse para uma casa simples naquela região. E era ali que a menina de quatro anos brincava, quando uma vaca que andava solta aterrorizando a vizinhança se aproximou.

Entrada da Fábrica de Tecidos Bangu, década de 1950.

Não fosse pelo barulho feito por sua mãe – e mais estridentemente por sua severíssima avó Cristina, mãe da sua mãe –, o episódio talvez nem tivesse registro na memória de Elza. Para aquela garota que andava livre pelas ruas e casas dos vizinhos, a chegada do animal não pareceu nada espetacular. Tanto que nem se deu conta da vaca ao receber as primeiras lambidas no rosto – não se preocupou nem mesmo parou de brincar, mergulhada na sua imaginação infantil, provavelmente um pouco mais fértil que a da média das outras crianças.

Elza não se sentiu ameaçada, pelo contrário: era como se fosse acariciada (ungida?) por aquela língua, indiferente à fama daquela vaca, de ser um dos animais mais bravos da região. A gritaria começou já forte, num apelo para acudir aquela menina, sem assustar demais o animal. A situação era perigosa, mas só para quem olhava de longe. Elza continuava brincando desatenta e foi com certa surpresa que se viu nos braços da mãe, que se aproximou de repente, tirando sua filha dali.

Só muito mais tarde, Elza veria aquilo como uma benção. O episódio aconteceu antes que ela começasse a ter visões – "mensagens" que ela diz ter recebido durante toda sua vida, e continua recebendo até hoje. Mas este foi, sem dúvida, dentro da sua história pessoal, o primeiro de muitos "chamados", de inúmeros "sinais". Teria sido talvez um simples encontro entre uma criança e uma vaca, se, algum tempo depois, ela não experimentasse um encontro ainda mais inexplicável – a primeira conversa sobrenatural de uma série que Elza trata como eventos reais e faz questão de dizer que foi algo determinante na sua trajetória.

Ela já estava com cinco anos quando, também na sua casa em Bangu, diz ter sido acordada por São Jorge. Na sua visão, ele veio acompanhado de um caboclo, "bem fechado", na sua descrição, cada um em seu cavalo. Seu primeiro impulso foi querer conversar com ele, não com São Jorge, mas com o caboclo, que não estava a fim de papo. Sendo assim, ela se dirigiu ao santo com um pedido: "São Jorge, posso pedir pro senhor dizer para meu pai não me bater tanto assim? Eu prometo que vou ser uma menina boazinha, São Jorge, eu não vou ficar aprontando muito não..."

A resposta de São Jorge, como ela a teria ouvido, veio em forma de profecia. Elza se lembra de ter escutado ele dizer que ela ainda apanharia muito – e conta isso como quem já prepara uma frase de efeito: "Mal sabia eu que ele queria dizer que eu iria apanhar mais da vida do que do meu pai." Depois que eles partiram, Elza foi contar todo o episódio para sua mãe, que ouviu com a credulidade de uma fiel – dona Rosária, espírita desde criança, disse para a filha nunca se esquecer desse recado. Já sua avó Cristina, mãe de Rosária, ficou bravíssima quando ouviu a história toda, e saiu dizendo que "aquela menina" só inventava coisas...

Quadro de São Jorge, o santo guerreiro que apareceu para Elza.

A religião sempre esteve na família de Elza, sobretudo no espiritismo de seu pai, seu Avelino. Sua lembrança mais forte de fé nessa época eram as ladainhas puxadas dentro de sua casa, por um homem alto, que atendia pelo nome de João Magro. Elza tem até hoje uma memória prodigiosa, é capaz de gravar não apenas números de prédios onde morou décadas atrás, como trechos de músicas que cantou pouco mais de um par de vezes. Mas dessas ladainhas ela não tem nenhum registro sonoro – só olfativo: o cheiro de broa de milho, uma das especialidades da sua mãe, que saía quentinha do forno depois da reza. A igreja mesmo era menos frequentada pela família Soares do que a época e a vizinhança "exigiam". Para Elza, a igreja significava menos um caminho para a salvação espiritual que uma possibilidade de levar um dinheiro extra para casa.

Ainda menina, quando morava em Cavalcanti, zona norte do Rio, Elza viu entrar na sua casa – rua Laurindo Filho, 120 – dona Alzira, uma portuguesa muito piedosa e devota, para fazer um convite para sua mãe: "Dona Rosária, será que eu não podia levar a Elzinha pra me ajudar um pouco na igreja?" A resposta da mãe foi desconfiada: "Ajudar, dona Alzira? Por onde essa menina passa ela vai levando tudo, pelo amor de Deus, a senhora só vai arrumar confusão." Elza, que ouvia a conversa de longe, logo interferiu pedindo que a mãe a deixasse ir, identificando ali uma boa oportunidade de passar um tempo fora de casa. Com certa relutância, dona Rosária então liberou a filha para passar o dia limpando a igreja.

Para Elza, aquele cenário da sacristia era um novo mundo a ser explorado, com enfeites brilhantes, imagens de santos, mesas cobertas com toalhas rendadas – possibilidades infinitas. Mas dona Alzira, talvez percebendo o entusiasmo da menina, não a deixou tocar em nada: foi logo passando uma vassoura para as mãos da criança para que ela começasse a varrer cada canto da igreja. "Bendita vassoura!", solta Elza, quando se lembra do episódio. Ao tentar varrer a parte de baixo de um dos bancos meio afastados do altar, ela sentiu que cutucou um objeto maior. Puxou-o com o cabo da vassoura e descobriu então um saco cheio de dinheiro. "O que eu faço?", foi sua primeira reação. Dona Alzira estava longe da cena, mas Elza correu até ela, escondendo com as mãos o saco nas suas costas e pediu licença para dar uma passada em casa. "Vou só avisar minha mãe que vou ficar mais tempo aqui limpando tudo com a senhora", justificou.

Mas o destino de Elza era outro. Da igreja ela foi correndo ao armazém mais perto, comprou vários mantimentos e mandou que os entregassem em sua casa. Para si comprou apenas um saquinho de coco – pedaços da fruta cortados, com a carne branca bem saborosa e doce, que era para ela uma iguaria. O resto, pediu que chegasse até sua mãe: "O senhor leva lá", disse ao dono do armazém. "E diz que foi a Cabritinha que mandou entregar."

Cabritinha, claro, era um de seus apelidos – talvez o mais adequado, especialmente nessa época, para uma garota que não parava quieta em lugar nenhum, vivia saltitando por todos os lados, subindo e descendo os morros. Enquanto voltava para a igreja, para terminar sua faxina, as compras eram entregues na porta de dona Rosária, que, muito honesta, logo desconfiou e não quis receber nada daquilo. "Ela não pode ter comprado isso, está na igreja ajudando dona Alzira", foi sua resposta. O dono do armazém insistiu: "Foi a própria Cabritinha que pagou tudo, senhora." Ainda cismada, ela deixou que as caixas fossem colocadas num canto da cozinha e esperou a filha chegar para tomar satisfação.

Elza tinha voltado correndo para a igreja para terminar a limpeza, sem contar nada para dona Alzira das suas andanças. Antes de escurecer já estava se despedindo para retornar a sua casa, louca para ver a reação da mãe, com a surpresa que tinha feito. Mal podia imaginar que havia um interrogatório a esperando. "Onde você conseguiu dinheiro para comprar tudo isso, menina?", já foi logo perguntando a mãe. "Esse dinheiro caiu do céu? Você não pode ter achado isso assim por acaso. Ou então você pegou na igreja?!" Elza mostrou então o saco de dinheiro, que ainda tinha boa parte do que tinha achado – e optou por dizer logo a verdade: "Estava embaixo de um banco da igreja, mãe. Eu juro, eu encontrei sem querer; e ainda sobrou mais para a senhora pagar as dívidas da casa, pode guardar, mãe." Dona Rosária pegou aquilo ainda desconfiada. Era tanto dinheiro que ela nem sabia direito contar. "Eu vou guardar isso aqui por três dias", declarou. Se nesse espaço de tempo ninguém viesse reclamar, se não aparecesse ninguém dizendo que tinha perdido uma pequena fortuna na igreja, Elza estaria perdoada. Mas se uma pessoa viesse dizer que tinha sido roubada por uma menina, aí a surra ia ser inesquecível – prometeu dona Rosária. "Eu estava falando a verdade", lembra Elza. "Mas eu era uma menina tão mentirosa que nem minha mãe acreditava mais em mim." O jeito era esperar o prazo passar.

Foram três dias de tortura para Elza, que mal dormia tamanha era a ansiedade de alguém aparecer para reclamar o dinheiro sumido. Até o prazo se esgotar, sua mãe tinha proibido que ela ou qualquer pessoa da casa tocasse na comida. A goiabada cascão cheirando de longe, a carne-seca esperando para ir para a panela – essas tentações só pioravam a angústia da menina. Mas o terceiro dia chegou, e o dono daquele saquinho nem deu sinal. Elza correu para abrir os pacotes, mas antes que pudesse tocar em algo sua mãe a convocou para ir até a igreja ter uma conversinha com dona Alzira. "Foi tudo certo aquele dia com a minha filha por aqui?", perguntou logo ao chegar. A portuguesa só fez elogios à limpeza de Elza, mas não sem comentar que uma hora ela havia agido de maneira um pouco estranha, largando a vassoura e dizendo que já voltava. Fora isso, dona Alzira tinha ficado tão satisfeita com o serviço que renovou o convite para que ela voltasse. Satisfeita com a resposta, a mãe voltou com a filha para casa, para só então, e ainda assim, um pouco relutante, abrir os pacotes e encher a despensa. Se não trouxe consequências maiores, o acontecido não passou sem culpa. Talvez preocupada com a mãe, ela prometeu para si mesma que assim que tivesse dinheiro voltaria à igreja para devolver de alguma maneira aquilo – e assim fez: anos depois, quando já morava em Água Santa, e ganhava uns trocos cantando, foi a pé até Cavalcanti, uma distância considerável, e colocou em segredo um valor na caixa da sacristia. Elza não tinha certeza se estava pagando a mesma quantia de volta ao santo, mas para ela aquilo foi um acerto de contas.

Dessa vez ela havia escapado de um castigo divino – e até físico. Sua mãe, "muito abdicada", nas palavras de Elza, era brava, mas não era, sob nenhuma hipótese, injusta. Mas seu pai, que felizmente nunca soube dessa história (e nem reparou na sua despensa cheia), não perdoaria. Elza o temia, pois sabia que suas broncas eram mais duras e podiam até terminar com uma surra. Mas ela também adorava seu pai. Com sua mãe, a relação era a da rotina de um dia a dia simples: ajudando a lavar roupas, muitas vezes dando uma força também na hora da entrega. "Ela trabalhava o dia todo e nós, eu e minhas irmãs, acabávamos entrando na roda", diz com carinho. "E eu tinha muita pena dela." Mas com seu pai era uma verdadeira paixão. Uma de suas lembranças mais doces da infância era de ser despertada por ele logo cedo. "Ele vinha me buscar na esteira onde eu dormia." Só seus pais dormiam num quarto. Os filhos se espalhavam pela sala, arranjando-se como possível, todas as esteiras ficavam espalhadas pelo chão. Elza lembra-se de dormir agarrada sempre com Tidinha, uma de suas irmãs mais velhas, do primeiro casamento de sua mãe, e faz questão de esclarecer que aquilo que todo mundo chamava de esteira era, na verdade, uma costura de retalhos: "Sabe aqueles sacos de farinha de trigo? Então, você abria todos eles, emendava uns quatro retalhos e aquilo dava um lençol maravilhoso..."

Era desses lençóis que seu pai vinha resgatá-la cedinho. "Meu pai era severo, mas era um ótimo pai, extremamente carinhoso com as filhas e em especial comigo." Seu Avelino almoçava cedo – um reforço para o trabalhador que saía para a pedreira e só iria bater uma marmita fria várias horas depois – e no início da tarde comia um pão já meio murcho com um café... Vida dura, de muito trabalho, era a vida da família de Elza. E ligada a esta pedreira começaria uma rotina que faria parte da vida de Elza por anos – e que seria palco de eventos que mudaram sua vida definitivamente. Mas ali, na cozinha, pela manhã, enquanto a mãe preparava a refeição do pai, Elza ficava brincando no colo dele, tagarelando sem parar, enquanto ele comia. Depois, seu Avelino a levava de volta à esteira, fazia mais um carinho nela e saía para o seu dia.

Seu pai até que tocava bem um violão, e ainda era bom no trompete. Cantava um pouco também, e talvez por conta disso tinha, pelo menos enquanto ela era criança, o maior orgulho da filha que tinha a voz afinada. Elza morava numa casa musical: os sons chegavam pelo rádio e ninguém tinha um estilo favorito. Além das estrelas da época – aqueles grandes nomes que fizeram os anos de ouro do rádio, e eram a maior inspiração de Elza (sobretudo Dalva de Oliveira, mas ela idolatrava também Ângela Maria, Sílvio Caldas, Orlando Silva) – ela se lembra também de ouvir, quando passava perto de algum rádio ligado, as *big bands* e as orquestras americanas. Pode parecer estranho, mas ali, naquela vizinhança simples, era Glenn Miller que alegrava as noites e mexia com os sonhos da menina na hora de dormir. "Ela tem o meu sangue", seu pai costumava dizer todo orgulhoso se referindo à facilidade e proximidade que a filha tinha com a música. Mais tarde, essa vocação seria um problema – mais que isso, um motivo de vergonha: uma filha que passava a noite cantando sabe-se lá onde? Imperdoável.

Elza em reportagem especial para *O Cruzeiro*, em 1967.

Malvina, sua irmã um pouco mais velha, cantava maravilhosamente. Elza lembra que as pessoas a chamavam de "soprano" – algo que ela desconfiava que tinha a ver com ópera. Se tivesse tido a oportunidade de se aperfeiçoar, de um treinamento, poderia até se sair bem como uma cantora lírica de verdade. Mas ela nunca teve a vontade que Elza tinha de se apresentar – muito menos a vocação. Dentro de casa ninguém estimulava essa veia artística. Tidinha, a Matilde, mais velha ainda que Malvina, era uma ótima dançarina. Mas esses talentos ficavam confinados no espaço da casa. E teriam sido esquecidos, não fosse a força de vontade de Elza, que, para seu desespero, ainda ouvia constantemente da própria Malvina que sua voz era horrorosa. "Eu queria cantar e ela me mandava calar a boca, dizia que o que saía da minha garganta era uma aberração, que ia assustar as pessoas", completa Elza. Mas o sonho dela era mais forte que as pirraças da irmã. Ouvia aqueles deuses e deusas do rádio – e sabia que queria aquilo para seu futuro. Enquanto esse dia não chegava, só lhe restava cantar sob os protestos de Malvina e o carinho do pai. "Ele era meu ídolo", conta Elza, reforçando que, durante a infância, a música era mais um elo entre pai e filha. O que não impedia que ela apanhasse... se "merecesse", por conta de uma travessura!

Chegar em casa com uns trocados da rua era certamente pedir para tomar um castigo. Se o dinheiro era difícil para os adultos, como é

que aquela menina chegava com um dinheiro, por menor que fosse, em casa, como acontecia de vez em quando? Devia ser porque tinha feito alguma coisa errada – e a surra era inevitável. Mas tudo o que ela queria, quando arranjava um jeito de conseguir um troco, era encher a sua barriga e a de sua família. Elza garante que nunca passou fome enquanto crescia com os pais, nem ela nem suas irmãs. Mas havia sempre um apetite para mais comida, além de uma percepção, ainda que infantil, de que nem todo o trabalho dos pais poderia abastecer a casa suficientemente. Assim, cada oportunidade de conseguir um "dindim a mais" (como ela e suas irmãs brincavam) não era desperdiçada – como naquela tarde quente em que ela andava com Malvina, que a família apelidou carinhosamente de Bibina, e as duas se depararam com um homem muito bem-vestido, com um terno bem engomado, uma pasta "séria" debaixo do braço, no outro lado da calçada.

Preocupada com a situação em casa – sua mãe sempre lavando mais roupas do que dava conta e seu pai, naquela altura, de licença porque havia sofrido um acidente na pedreira onde trabalhava –, Elza já saiu pelo portão com um plano. "Vou arranjar um dinheiro para a gente", disse à irmã, que logo respondeu: "Vindo de você não pode ser coisa boa." E não era. Quando avistou o tal homem arrumado, Elza abriu um berreiro de mentira, mas chorando com lágrimas de verdade, de maneira bastante convincente. O engravatado foi na sua direção perguntar o que havia acontecido e ela lhe contou que tinha saído para fazer as compras de casa, mas que tinha perdido o dinheiro. "A gente está passando fome em casa", acrescentou de propósito para tornar a cena mais dramática. Ele não resistiu e tirou da carteira o que Elza se lembra ser algo como 20 mil-réis – e ainda perguntou: "Isso é o suficiente, menina?" "Acho que é, sim, senhor", respondeu ela sob os olhares acusadores de Bibina.

Quando ele se afastou, a irmã logo a chamou de bandida e ordinária. Elza nem ligou: foi mais uma vez ao armazém, encheu umas sacolas e pediu ajuda para levar tudo em casa. Sua mãe mais uma vez a recebeu em choque – e a desculpa era que ela havia simplesmente achado o dinheiro na rua. "Estava na calçada mãe, eu não ia deixar ele ali para outra pessoa pegar!", defendeu-se. Mas o olhar estatelado de Bibina entregou a mentira – e as duas foram dormir "de braço quente" com os beliscões que levaram.

Não havia, no entanto, bronca ou castigo que segurasse Elza. Como o truque do choro já havia dado certo, ela o aprimorou com perfeição. "Teve uma época que minha mãe lavava roupa de umas 20, 25 famílias, algumas delas bem longe de casa." Dona Rosária ia com as filhas até a Central do Brasil e de lá ia entregando as roupas limpas e recolhendo a leva suja para voltar para casa com mais trabalho. "Minha mãe deixava o dinheiro da passagem de volta comigo, e eu ia entregar algumas roupas e depois ficava lá esperando ela chegar nas escadarias da Central. Só que o cheiro do pastel que fritava ali mesmo era bom demais, eu não aguentava e usava aquele dinheiro pra comprar aquele quitute, que para mim era a coisa mais maravilhosa do mundo." E, depois de torrar o dinheiro da mãe, o que Elza fazia? Abria o berreiro, dizia que tinha perdido o trocado que sua mãe tinha deixado com ela, e as pessoas que iam passando ficavam com dó e... davam mais uns trocos para a menina. "Eu acabava com mais grana do que minha mãe tinha deixado comigo", conclui Elza, não sem disfarçar seu contentamento...

Para uma criança, ela já tinha uma ótima noção de quanto as coisas custavam – e o fato de ser boa em matemática no colégio ajudava. "Eu era uma ótima aluna, especialmente boa com os números. Comecei minhas aulas com cinco anos, numa escola particular simples, com uma professora que eu adorava, dona Maria Augusta." Elza lembra-se até do nome da diretora do colégio, dona Eulália, a quem ela surpreendeu, já nos tenros cinco anos, escrevendo corretamente o nome do pai. Ela gostava tanto de ir à escola que nem se importava de acordar uma hora mais cedo – por volta das cinco horas da manhã – para pegar lá no poço a água para a rotina diária de sua casa, antes de sair com seu uniforme limpinho e os cadernos na mão. Cada dia da semana era a vez de uma das irmãs que punha uma lata na cabeça e a trazia de volta cheia, em várias viagens, para dona Rosária poder lavar a roupa. "Acho que pesava uns 20 quilos na cabeça da gente. No começo parecia impossível carregar aquilo, mas a gente aprendeu logo que era só fazer um rodilho com o lenço no alto da cabeça, achar um ponto de equilíbrio e ir em frente."

E, quando era sua vez, Elza cumpria a tarefa rapidinho, e depois enfrentava a longa caminhada da Água Santa até o Engenho de Dentro, para ser a primeira a chegar na sala de aula. A cabeça para cálculos está boa até hoje – Elza soma sem precisar de uma maquininha. Já a coluna, que sustentava aquela lata d'água na cabeça, com os anos, está longe de ser o que já foi. Seu corpo sofreu muitos revezes com o passar do tempo – plásticas, tombos, surras, quedas, fraturas, fora as dores, que eram do coração, mas que se faziam sentir na carne. E ela foi aprendendo a se adaptar a tudo isso. Sem nunca perder o cuidado com a aparência – algo que, tão bem quanto fazer contas, aprendeu desde pequena. E Elza sabia que isso faria a diferença na hora em que ela tivesse de encarar o mundo.

Era uma criança arrumada. Lembra-se de se vestir com peças simples, mas nunca maltrapilha. Até por conta das roupas que lavava, sua mãe fazia questão que as filhas andassem impecáveis. "Éramos aquelas crianças direitinhas", explica, "muito simples, mas limpinhas. Minha mãe gostava de deixar a gente apresentável." Uma rara foto desse tempo de criança é um ótimo exemplo disso: a família estava lá, posando no banco de uma praça, olhando fixamente para a câmera. Seu Avelino parece cansado e ligeiramente atordoado, com um nó perfeito na gravata, um terno claro que, apesar de enrugado, descrevia elegância – a única coisa que entregava que aquele homem era um trabalhador braçal era o par de sapatos que usava, com os bicos quase brancos de tão desgastado que estava o couro. Tidinha, já desabrochando na adolescência, usava seus cabelos bem penteados em ondas que pareciam desenhadas e, se não chegava a sorrir, pelo menos, trazia um semblante relaxado. Elza está sentada à esquerda

A família de Elza Soares.

do pai, ao lado de Bibina — o olhar das duas ligeiramente desviado para fora do quadro, como que distraídas do foco que a câmera antiga tinha dificuldade de encontrar; quem olha rápido pode pensar que são gêmeas, com seus cabelos bem puxados para trás, revelando as testas longas e brilhantes. Georgina, mais nova, está entre as pernas do pai, de vestidinho curto e bem enfeitado, também branco como o de todas as irmãs (ou talvez uma tonalidade bem clara, já que a foto de época não tem cor), suas mãos em miniatura se escondendo no tecido à altura do peito. Avelino, o único filho do casal — que ganhou o nome do pai e o apelido de Ino — não está na foto, talvez estivesse doente, descansando em casa com a avó. Mas a caçula marca presença: Carmem aparece com o rosto esfumaçado – deve ter se mexido na hora do clique, um movimento fatal para a câmera antiga – e repousa como um enigma no colo da sua mãe, a figura mais alinhada do retrato. Os babados das mangas de seu vestido, que parece ter saído de uma vitrine, recortam os braços delicados e vigorosos da lavadeira, que na sensualidade relutante dos seus lábios dá pistas de um dos traços mais sedutores que a filha Elza usaria para anos depois conquistar o Brasil.

Apenas dona Rosária usava salto, não sem uma meia baixa, com as bordas rendadas, como mandava a moda de então. As meninas acompanhavam a mãe no acessório, mas dispensavam o salto: os sapatos, certamente reservados para missas (ou ladainhas) e outras ocasiões especiais (sim, era um tempo em que uma foto de família era uma dessas ocasiões). Para o momento da fotografia da família, as meninas daquela época se transformavam em bonecas faceiramente enfeitadas. A imagem de um comportamento exemplar, porém, não combinava muito com Elza: "Meu pai dizia, não bota vestido nela, que ela não tem modos; minha mãe acabava concordando com ele e por isso eu custei muito para usar outra coisa que não fosse short e suspensório." Com esse visual, Elza se confundia com os meninos na rua e ficava feliz quando alguém achava que ela era um moleque. Seu olhar fica um pouco perdido, quando recorda desse tempo: "Vivia com uma atiradeira no pescoço, saía matando passarinho – o Mané nunca soube disso..."

O Mané, claro, é Garrincha, um dos maiores ídolos do futebol brasileiro, um grande amor que Elza viveu por 17 anos e que permeia boa parte de suas lembranças. Anos se passariam até que ela encontrasse o jogador no início dos anos 1960. Até lá, Elza já teria se casado, tido seis filhos, perdido dois, ficado viúva e... antes que a história corra demais, é melhor voltar para aquela menina com sua atiradeira, que não perdoava nem o bichinho de estimação da sua avó Cristina – que era quem ela mais temia dentro de casa. "Eu matava passarinho para comer e um dia, com fome, nem lembrei que aquele na gaiola era o da minha avó." Por mais que Elza insista em dizer que sua infância não foi miserável, a fome era sempre uma questão para aquelas crianças – e uma preocupação para ela. "Desde cedo eu sentia essa necessidade de arrumar dinheiro para colocar comida em casa. Ninguém pedia, não, eu que percebia que meus pais trabalhavam tanto e mesmo assim não dava para pagar todas as contas. Não passamos por dificuldades sérias, mas também não tinha regalia nenhuma. Então, eu me virava."

Elza perdeu a conta de quantas vezes saiu às ruas com um saco na mão recolhendo cacos de vidro e catando ossos – coisas que vendia depois. "Eu tinha pena da minha mãe, que não saía do tanque, só trabalhava – e eu precisava ajudar. Mas eu era muito esperta e sabia me virar." Elza desafiava a irmã Bibina: "Quer ver como eu vou arranjar dinheiro?" E saía procurando essas coisas descartadas na rua, para depois vender por aí. Tinha que ser escondido: nem sua mãe nem seu pai podiam sonhar que uma menina daquela idade andava pelas ruas fazendo isso. "Eu tinha que ir longe às vezes, até sair do Cavalcanti", o bairro que ela morava na época, "para que ninguém me visse e contasse para eles." Incansável, o que importava era que ela voltaria para casa com um pacote de biscoitos ou mesmo com um pouco de manteiga, coisas que conseguia comprar com o que havia faturado naquele dia. Como era compra pequena, escondia no armário e, quando alguém percebia, se quisesse interrogá-la ia encontrar um sorriso levado, mas nenhuma confissão. Nem as irmãs, que sabiam do seu pequeno comércio de ossos e cacos de vidro – e

Elza beija Garrincha, na apresentação do atleta ao Corinthians, em 1966.

que certamente se deliciavam também com os quitutes –, ousavam abrir a boca para contar qualquer coisa que fosse.

Desde criança, Elza tinha esse instinto de querer proteger toda sua família e essa preocupação ia além da despensa – manifestava-se num carinho do dia a dia. A cantora Alaíde Costa, que era sua vizinha no bairro de Água Santa quando as duas ainda eram meninas, sentiu na pele o que era mexer com a família de Elza. Um dia dona Rosária deixou cair um balde de roupas que estava carregando e o balde raspou em sua perna. O metal fez um corte fundo, abrindo imediatamente uma ferida que, por falta de cuidados, infeccionou. Dona Rosária passou a andar com uma faixa amarrada bem forte acima do tornozelo. A ferida, em apenas alguns dias, se encheu de pus – situação que deixava mãe e filha envergonhadas. Mas, como lembra Elza, dona Rosária não podia parar de trabalhar – não existia a possibilidade de tirar uns dias para repousar. E a ferida só piorava. "Quando minha mãe passava na rua, Alaíde sempre ria dela por causa do pano na perna, e um dia eu prometi para mim mesma que Alaíde não riria mais da minha mãe." Numa manhã, Elza esperou Alaíde passar em frente a sua casa e acertou a perna dela com uma varinha que tinha escolhido especialmente para isso. "Era para doer mesmo e eu fiz isso pela minha mãe. Ela pode não lembrar por que eu dei essa varada nela, mas eu tenho certeza que ela nunca esqueceu do jeito que eu acertei ela."

Como esse comportamento era uma constante, não chega a ser surpresa o fato de Elza não ter nenhuma amiga de infância de que se lembre. "Eu era mais ligada aos meninos, saía com eles pra brigar na rua, apanhar frutas no quintal dos outros, mamar nas cabras…" Isso mesmo. Perto de sua casa morava Mário Vianna, um famoso juiz de futebol, polêmico e muito rigoroso, que depois da carreira nos campos se tornou um não menos polêmico comentarista esportivo. Ao sair para trabalhar, Vianna deixava seu pequeno rebanho de cabras com ela para que os animais pastassem nos matos das redondezas e, sobretudo, para que os filhotes mamassem. "Eu ganhava, acho, uma moeda de dez mil-réis", brinca Elza, "mas logo eu descobri que podia mamar nas cabras também, elas estavam com as tetas cheias de leite. Assim, eu estaria alimentada pelo resto do dia!" Ninguém desconfiava de nada, claro. Mas depois de um tempo, vendo os cabritinhos magros, Mário Vianna perguntou a Elza se as mães estavam rejeitando os filhotes. Não era possível que eles não estivessem crescendo! "Elas estão amamentando normalmente, sim, seu Mário", respondeu, "os bichinhos devem é estar com alguma doença."

A verdade era que Elza tomava todo o leite. E, de vez em quando, até chamava seus amigos para beber também. "Foi assim que eu quase matei o Paulinho", lembra ela. Esse era um de seus primos favoritos. Junto com Joãozinho, eles foram durante muito tempo um grupo inseparável. Elza sempre se considerando um deles, tomando a iniciativa nas brincadeiras e nas traquinagens. "Querem mamar na cabra comigo?", perguntou ela um dia aos primos. Eles, duvidando de que ela estivesse falando sério, queriam ver a prima fazer aquilo primeiro. Acostumada com Elza, a cabra ficou imóvel, quietinha, enquanto a menina aproveitava sua teta. Mas, quando Paulinho pôs a boca na teta da cabra, levou um coice daqueles que o jogou longe e o deixou desacordado. O coice foi bem no peito, mas na queda o menino acabou quebrando o nariz. Sangrava tanto que Elza chegou a sentir medo, sem saber se ela temia pela vida do primo ou pela possível revelação do seu segredo.

Os meninos nunca mais chegaram perto das cabras, mas Elza continuou a aproveitar daquele leite por um bom tempo. Há uma inexplicável conexão entre essa história e a da vaca que a lambeu, quando criancinha. De alguma maneira, os dois animais reconheceram intuitivamente que aquela garota era uma escolhida. Sem pensar sobre isso, Elza ia crescendo sem um rumo definido, mas com a confiança ainda apenas esboçada de que aquelas músicas que ela ouvia no rádio seriam um dia um passaporte para uma vida melhor.

o louva-a-deus que trouxe mudança, vida e morte

O vestido de tafetá rasgado pelo arame farpado. Uma roupa tão bonita, feita para uma ocasião tão especial – talvez apenas um pouco prematura –, de repente arruinada só porque a menina que a vestia resolveu se afastar um pouco da festa para brincar perto da cerca farpada. Uma noiva deveria se comportar no seu casamento, a não ser que ela fosse uma garota de 13 anos que respondia pelo apelido de Cabritinha.

Elza não tinha muita noção do que estava acontecendo. Forçada, aos 13 anos, a se casar com um homem – que também não era muito mais que um garoto –, ela não teve muita opção. Na certidão de casamento, ela tinha a idade legal para casar. Mas isso não passava de um arranjo: uma maioridade conseguida por meio de uma emancipação – que até hoje confunde repórteres (e biógrafos) na hora de cravar a idade de Elza Soares. Ficar solteira depois do que havia acontecido – ou melhor, do que seu pai achava que tinha acontecido – não era mesmo uma possibilidade. E assim ela foi para a festa do seu matrimônio achando que era mais uma desculpa para brincar que um compromisso de união.

Estava ali a Cabritinha numa festa que ela mal podia compreender o que era e muito menos o que aquilo tudo representaria na sua vida. A cerimônia foi numa igreja pequena ali no Encantado, um bairro vizinho à casa onde a família morava, na época, também na zona norte do Rio. E foi rápida, pelo que Elza se lembra, sem muitos enfeites, sem muitas flores. Nem mesmo buquê. Disse "sim" no altar pensando mais em voltar logo para casa (e brincar) que para selar um voto de afeto. "Não tinha nada a ver com amor", explica Elza, "eu nunca me apaixonei pelo Alaordes, as coisas simplesmente aconteceram, e eu não pude fazer nada." E não podia mesmo. Seu pai chegou um dia em casa com o Alaordes pelo colarinho – Alaordes era como todos o chamavam, apesar de seu nome verdadeiro ser Lourdes Antônio Soares. Seu Avelino parou na porta, olhou para a filha e decretou: "Vocês vão ter que se casar!" A resposta veio como um reflexo: "Eu falei que, se eu casasse, iria bater muito nele", disse Elza sem disfarçar sua antipatia e indiferença por tudo aquilo. Mesmo assim, fato é que o casamento aconteceu.

As brigas começaram mesmo antes da cerimônia. Na verdade, tudo começou por causa de uma briga – e não por uma sedução. Pois numa tarde, logo depois do almoço, o sol já havia baixado um pouco, lá foi a menina de 13 anos levar um café para seu pai na pedreira, como fazia todos os dias, quebrando a fome, uma vez que a melhor refeição de seu pai fora de manhãzinha, antes de sair, com a própria Elza sentada no seu colo ou ao seu lado na mesa da cozinha. No caminho, que fazia a pé, ela sempre ficava atenta ao barulho de um louva-a-deus. Por uma estranha associação de ideias, Elza ligava sua voz – esse dom único cujo potencial ela nem desconfiava que tinha – ao som que o inseto emitia. Desde bem pequena ela lembra de se sentir atraída pelo barulho meio rouco que o inseto emitia, e, naquele dia, mais uma vez, foi seduzida por ele. Elza gostava de apenas se aproximar do bicho e ficar olhando enquanto ele produzia aquele som misterioso. E parte da diversão, claro, era achar o louva--a-deus no meio do mato, encontrar a fonte daquele "zumbido gostoso que fica no ouvido da gente."

Era exatamente isso que Elza fazia quando um garoto bonito, de pele e olhos claros, filho de imigrantes italianos, que morava ali em Água Santa, chegou por trás e a agarrou. Eles já tinham se cruzado algumas vezes na vizinhança – talvez até já tivessem se envolvido numa disputa corporal, já que Elza só andava com os meninos da sua rua. Mas aquilo que estava acontecendo, ela sabia intuitivamente, era outra coisa. Quando ele a agarrou por trás, no susto, ela já respondeu logo metendo o bule que levava com café quente na cabeça dele e em seguida já lhe tascou um safanão – a briga começou ali mesmo. Foi um corpo a corpo vigoroso – ela acostumada com a rotina dos moleques que eram seus amigos, e ele, um pouco mais velho, respondendo com vontade, já com os músculos de um adolescente a caminho de se tornar um homem. Cada vez que tentava imobilizá-la, Elza respondia com um chute forte, sem muita noção do que se passava. A possibilidade de estar sendo molestada nem lhe passava pela cabeça. Alaordes talvez já soubesse muito bem o que queria, mas a sua vítima se defendia com instinto mais de sobrevivência que de honra.

Sexo, claro, não fazia parte das conversas em casa. E, mesmo quando o tema aparecia no dia a dia, era de maneira deturpada e criminosa. Ainda que sua mãe fosse testemunha de constrangimentos, Elza perdeu a conta de quantas vezes, por exemplo, na Central do Brasil, ela saía correndo direto do vagão para o banheiro da estação, na tentativa de enxaguar a saia manchada por um tarado que havia ejaculado nela. Com muita indignação, dona Rosária mandava a menina – e muitas vezes suas irmãs também – tirar toda a roupa às pressas, que era colocada embaixo da torneira do banheiro público para tentar limpar o que Elza achava ser somente uma mancha branca. Só muito tempo depois, Elza viria a entender que se tratava de sêmen que homens – "sem-vergonha", como ela faz questão de acrescentar – ejaculavam nas moças durante os trajetos, por vezes longos, como era o percurso de Água Santa até o centro do Rio.

Elza colocava então seu vestido molhado sem compreender a urgência de dona Rosária, que lavava roupa para fora para

Trem da Central do Brasil, década de 1950.

CAMINHOS DA CIVILIZAÇÃO

(3.858 quilômetros de linha compõem as rêdes da Central do Brasil, que se estendem através do Distrito Federal, Estados do Rio, Minas Gerais e São Paulo. Para a movimentação dos trens estão instalados 3.698 aparelhos completos de mudança de via. A manutenção dos serviços de chaves e cruzamentos exige a dedicação e a vigilância constante de centenas de homens.)

sobreviver, mas que tinha de lavar aquilo bem na hora em que saíam do trem. E, ingenuamente, sob nenhuma hipótese, Elza relacionava aquilo a um ato sexual (ainda que distorcido e criminoso) – o que acontecia era algo desconhecido do seu universo infantil. Dormindo todos numa casa pequena, em que a privacidade nem podia ser chamada de luxo, de tão inacessível, ela e suas irmãs certamente foram testemunhas involuntárias de momentos de amor entre seus pais. Mas de maneira alguma ela era capaz de associar aquilo ao que seu pai achava que tinha acontecido entre ela e Alaordes.

A única instrução que recebera, por conta de episódios como esses no trem da Central, era uma forma de defesa, que ela aprendeu logo cedo – uma prática até comum na época. "Minha mãe dava um alfinete bem pontudo para cada filha e avisava: 'Se algum homem tentar chegar perto de vocês, sai furando ele.'" Mas isso só quando elas iam para a cidade e circulavam por ruas que não conheciam bem. Ali, por perto de sua casa, a última coisa que Elza imaginava era que seria atacada dessa forma, ainda mais por um menino da vizinhança. Sua maior preocupação quando Alaordes começou a agarrá-la no meio do mato era o café do pai – que já estava todo derramado no chão.

Elza nem sabia direito do que estava se defendendo e nunca teve certeza das intenções de Alaordes, se o que ele queria era mesmo sexo, um universo que ela desconhecia por completo. O mais provável era que ela estivesse apenas tentando se livrar de mais um "ataque" de uns dos moleques da rua, essas brigas corriqueiras entre "garotos", como várias que já tinha presenciado. Mas quando seu pai viu de longe o que parecia ser duas pessoas se agarrando, não teve dúvidas: aquele garoto estava tentando abusar da sua filha – e isso não ficaria em branco, o rapaz pagaria por aquilo. A honra de sua filha só estaria limpa com o casamento. Foi uma sucessão de fatos. Talvez, se a briga não tivesse durado tanto, com Elza descendo o braço, as coisas não teriam tido esse desfecho. O fato era que já passava das 2 da tarde e seu pai, homem de hábitos, estranhou que o café estivesse demorando tanto a chegar. Foi então fazendo, ao

Trabalhadores na Central do Brasil, 1948.

contrário, o mesmo caminho que a filha trilhava todos os dias, quando percebeu a movimentação no meio do mato e logo tratou de apartar os dois adolescentes. Elza, decididamente na defensiva, garante até hoje que nada aconteceu – o menino não tinha feito nada demais, nem a tinha tocado de maneira indecente. Por diversas vezes, com o nariz sangrando, Elza tentou dizer ao pai que era ela quem batia em Alaordes, que ele "não tinha encostado nela" – pelo menos, não da maneira que o pai achava que a comprometia. Mas o vestido rasgado de Elza era, para seu pai, a prova suficiente que algo muito grave tinha acontecido. "Além do que, ele já sabia a filha que tinha, sabia que eu era muito mentirosa", comenta Elza. O pai mandou a menina Elza voltar para a casa correndo e ficar com a mãe e segurou Alaordes para uma conversa...

Ficou acertado que o casamento não demoraria – era só questão de marcar uma data na igreja. Elza e Alaordes casaram também no civil, num cartório em Nova Iguaçu – o mesmo em que foi emancipada. Mas não havia documento que pudesse esconder que aquela era uma menina de 13 anos... e que só queria brincar. As suas memórias dessa noite eram primeiro a de um vestido bonito. Do modelito mesmo – um corte provavelmente caprichado, executado por sua avó – ela não se recorda. Todavia, tem o registro forte de que era algo especial, confeccionado em tecido que enchia tanto os olhos quanto a boca de Elza. Até hoje, mais de 70 anos depois, ela ainda diz: "Era de 'tá-fê-tá'", sublinhando como se cada sílaba fosse um toque da maciez da fazenda no seu rosto.

E lua de mel? "Foi uma lua de fel", diz sem sorrir ao descrever a noite de núpcias. Tudo aconteceu ali mesmo, na casa de seus pais, quando os convidados foram embora e a festa acabou. Elza finalmente perdeu sua virgindade, numa relação que não deixou um rastro de prazer. A cama, aliás, tornou-se um pesadelo – ali, ela era obrigada a se entregar sem vontade para um homem que também não a amava. Alaordes ao menos satisfazia sua libido adolescente. Mas, para Elza, o prazer de ficar embaixo dos lençóis nada tinha a ver com aquilo. Aliás, a cama para ela era o palco de uma de suas travessuras favoritas com a bisavó Henriqueta, a avó de sua mãe, que morava ali perto e por quem Elza tinha verdadeira adoração. "Henriqueta era maravilhosa", recorda a bisneta. "Ela não podia comer muita coisa, e por isso minha mãe e minha avó, que era severíssima, controlavam sua dieta de perto. Mas, no fim da tarde, ela me chamava para deitar com ela. Só que antes ela me dava um trocado para eu ir até o armazém e comprar as coisas que ela gostava, mas filha e neta não a deixavam saborear." Ela tinha um paladar salgado: salame e queijo parmesão, para a bisa Henriqueta, eram iguarias. Elza dava um pulo até a venda, comprava pequenas porções dessas delícias e ia pra debaixo do lençol com a bisavó degustar tudo escondido – a faquinha de fumo daquela senhora, mais usada para fazer cigarros caseiros, cortava tudo em pequenas fatias clandestinas. "Quantas vezes minha mãe não entrou no quarto querendo saber o que a gente fazia ali escondidas, e minha bisavó tirava a cabeça pra fora do lençol e respondia, de boca cheia mesmo, que não estávamos comendo nada", lembra Elza rindo dos farelos de comida que saíam pelos lábios de Henriqueta.

Foi com essa inocência que ela se deitou, então, pela primeira vez com Alaordes, sem resistir, uma vez que, aí, sim, eles já eram marido e mulher. "Eu garanto que não senti o menor prazer", afirma Elza, "odiei tudo, queria ficar livre daquilo logo. O Alaordes fazia tudo, sem nenhum carinho – e eu só queria soltar pipa, pular amarelinha, pular corda, correr com os meninos da rua." Depois da noite de núpcias ela se lembra que uma tia tentou conversar com ela, mas o que uma menina de 13 anos, em meados do século passado, sabia da vida? Mesmo que tivesse a idade adulta, oficial, para casar, seu desconhecimento sobre as "coisas da vida" era total. Era mais fácil encarar aquele moço bonito que se deitava ao seu lado como mais uma brincadeira. Uma brincadeira, aliás, que, meses depois, rendeu a ela seu primeiro filho. Mas sua lembrança é a de ter sido uma mãe ainda muito jovem e inexperiente. "João Carlos nasceu quando eu tinha 14 anos e eu sabia que ele era meu filho, mas era mais como um boneco para eu brincar – um boneco de verdade, não aqueles de pano que eu tinha até então."

Até o primeiro filho chegar, Elza também "brincava" de ser dona de casa. Ela e Alaordes, logo depois do casamento, foram morar sozinhos num barraco que o próprio pai dela construiu ali perto. Nesse primeiro momento de vida conjugal, Elza ficava muito sozinha em casa. "Queria que tudo fosse arrumado como na casa da minha mãe, onde desde pequena a gente encerava aquele chão vermelho para ele brilhar como um espelho – era cera o tempo todo, e depois a gente ainda tinha que colocar jornal para as pessoas não passarem por cima estragando todo o serviço e riscando o assoalho com seus sapatos, o que era em si uma loucura porque todo mundo escorregava", conta Elza às gargalhadas.

Era nessa limpeza incessante que ela gastava seu tempo. Alaordes trabalhava na mesma pedreira que o pai, mas não quebrava pedras, entregava coisas, fazia pequenos serviços – e por isso ficava longe boa parte do dia. Com o passar do tempo, a imagem que Elza tinha dele foi se depurando também. "Ele era deslumbrante, eu ficava encantada com aqueles olhos. Minha lembrança é que ele era muito bonito mesmo e eu ficava feliz quando o via entrar pela porta de casa, era um conforto saber que eu tinha um homem em casa. Mas não tinha nem sombra de paixão entre nós." Ela se considerava mais uma "colega" de Alaordes que sua própria esposa: "Era uma coisa engraçada, parecia que ele também não queria ser meu companheiro, não. Eu não queria ser mulher e ele não queria ser marido – tinha sempre um clima estranho. Mulher pra ele, no sentido de esposa, era alguém que ele queria em casa pra deixar tudo arrumado, no sentido de trabalhar para o lar. Eu fazia isso porque era uma coisa que tinha aprendido com minha mãe, mas não como obrigação, era algo que eu achava que deixaria meu marido mais feliz. Eu não estava nem um pouco a fim de ser esse tipo de mulher. O problema é que eu também não sabia como uma esposa deveria ser...", lamenta, quase arrependida de não ter vivido um romance justamente na idade em que as moças começam a sonhar com um príncipe encantado...

Nesse cotidiano solitário e, por vezes, violento – Elza também sofria com a truculência de Alaordes que foi cada vez mais se manifestando

–, o primeiro filho veio, então, preencher um enorme vazio na vida daquela adolescente que ainda não tinha ideia do que significava ser mãe. Elza reconhece que sempre teve instinto maternal – cuidou dos pais, dos seus maridos e dos seus amantes, dos filhos e mesmo de outras crianças que não eram suas, como uma grande mãe. "Quantas vezes não virei para o Mané e perguntei se ele sairia de casa daquele jeito, sem pegar um casaco para o caso de o tempo esfriar?" Falou de Mané Garrincha, seu grande amor, com quem dividiu 17 anos de vida, boa parte deles como um adulto transformado em criança pelo vício do álcool. "Mas Carlinhos era meu filho de verdade, eu sabia disso. Eu tinha consciência de que tinha dado à luz uma criança, e que eu era mãe dela. Era, sim, uma alegria, mas, ao mesmo tempo, uma alegria triste, porque sabia que aquela criança não teria educação e, pior, boa comida – que sempre foi um problema lá em casa. A gente sabia que ela passaria dificuldade, que ficaria doente. Então, eu tinha medo, muito medo quando esse meu primeiro filho nasceu."

Sem saber como lidar com essas preocupações, normais para qualquer mãe, a saída foi encará-lo como um brinquedo: Elza dava banho, colocava o bebê para dormir, muitas vezes costurava as roupinhas e gostava de ficar trocando de modelo – tudo como se fosse um boneco. Era mais fácil a abstração: "Eu não me lembro daquela ternura que a gente hoje sabe que tem que existir entre mãe e filho – e que eu só pude vivenciar por inteiro quando nasceu Júnior, meu filho com o Mané, quando então eu já tinha uma carreira, uma vida estabelecida e podia dar tudo para ele." João Carlos – que logo de início já ganhou o apelido de Carlinhos – era seu brinquedo. Eram, muitas vezes, duas crianças, quase irmãs. Numa relação de carinho, é verdade, mas cujo laço de família quase não existia. Essa relação informal deixou marcas até hoje: "Para Carlinhos, eu sou a Conceição, meu filho nunca me chamou de mãe."

Até o ato tão maternal de amamentar estava ausente dessa relação frágil entre mãe e filho. "Eu tinha pouco leite", diz Elza, "e tive que contar com a dona Júlia, uma amiga que morava perto de casa, para dar o peito para meu primeiro filho." Os outros, quando vieram, tiveram que contar com a mesma ajuda. O corpo de Elza, ainda adolescente, parecia não ter se dado conta da necessidade de produzir o alimento tão vital para seus filhos, que vieram numa sequência: Carlinhos; depois, Raimundo; um terceiro filho que nem foi batizado, morreu logo no parto; e, em seguida, Gérson, Dilma e Gilson. A filharada "em série" era, para aquela garota adulta apenas no papel e que ainda tinha dificuldade de crescer, uma consequência natural da vida de casado. Não existia nenhum planejamento, embora a cada parto Elza adquirisse mais consciência do que era colocar uma pessoa no mundo – e conseguisse, de fato, se apaixonar, ainda que instintivamente, por cada uma das crianças. Depois de uma breve alegria vinha a tristeza antecipada por conta das dificuldades que sabia que iria enfrentar com mais uma boca para alimentar em casa. "Alaordes ganhava um salário de operário, não dava para nada, e eu ficava pensando em maneiras de completar o orçamento."

Elza só decidiu procurar emprego depois que Raimundo nasceu. Mas, sem qualquer experiência, o melhor que encontrou foi uma colocação na Fábrica de Sabão Véritas, uma construção imponente no número 1.809 da avenida Amaro Cavalcanti, no Engenho de Dentro, onde ela acabava passando a maior parte do seu dia. Dona Rosária, quando podia, ficava de olho nas crianças. "Sabões para a indústria e para o consumo doméstico", anunciava o rótulo, enfeitado com um varal de lençóis e camisolas secando ao vento, sob o olhar de uma figura feminina que bem podia ser a mãe de Elza, na sua rotina infinita de lavar roupas – uma fina ironia que talvez à ocasião tenha escapado à jovem funcionária. Aos poucos, de olho numa grana extra, ela começou a mexer não apenas com o sabão, mas também com outro produto que, segundo ela, saía da mesma fábrica: escovas de enceradeira. Hoje eletrodoméstico quase esquecido, nessa época a enceradeira era um símbolo de status – e à medida que o público a consumia em massa, a produção de escovas também ia crescendo, e Elza tinha de bater meta em cima de meta. A rotina se tornou insana, insuportável. "Tinha dias que chegava em casa com a mão toda furada", conta Elza sobre as jornadas duplas que às vezes fazia para ganhar um pouco mais. "Se olhar bem aqui na minha pele ainda encontro alguma cicatriz desse tempo, que foi muito duro. Eu só pensava em carimbar sabão, pois cada sabão carimbado era somado à cota do funcionário, e juntar aquelas escovas. Ia fazendo automaticamente, só calculando o que eu iria ganhar lá no fim do mês, na comida que eu poderia comprar para os meus filhos com o resultado do meu trabalho."

Sua comida de todo dia em casa era simples: pão e leite não era sempre que tinha à mesa, mas arroz, feijão, de vez em quando angu, e uma couve para dar um sabor, quando era possível, estavam sempre lá no almoço e no jantar. Os pequenos luxos que Elza queria dar para os filhos eram biscoitos, um creme de leite para reforçar uma refeição, um pouco de leite em pó: "Eu sonhava com aquelas latas de Ninho, e quando eu conseguia comprar uma, fazia uma mamadeira para os meus filhos e deixava uma separada para mim também." Tudo era para aquelas crianças – menos o sorvete, que ela comprava se desculpando como se fosse para Carlinhos e, no final, tomava quase tudo sozinha, meio que brincando e brigando com o filho mais velho por uma coisa hoje corriqueira, mas que naquele tempo era uma guloseima excepcional.

A mensagem, que ela tinha absorvido desde pequena, olhando a mãe no tanque, era a de que, na vida, se tinha de trabalhar muito para conseguir alguma coisa – o que, na maioria das vezes, era muito pouco. "Eu via minha mãe trabalhando demais e aquilo me doía muito. E não era só lavando, não. Nunca esqueci daquele ferro pesado que ela usava para passar as roupas que, depois de dobradas, faziam uma pilha impecável que a gente saía para entregar na casa dos clientes. Mas aquele ferro pesado que minha mãe apoiava numa chapa de metal parecia ser a parte mais cruel da sua rotina." Era uma peça tosca, como eram os ferros de passar roupa antigamente. Sua base era aquecida com a brasa que sua mãe ia colocando no espaço interno, o carvão aceso soltando faíscas no impacto das lascas. "E minha mãe abanava, as brasas se acendiam

Elza Soares em visita à Água Santa, no Rio de Janeiro.

ainda mais, e eu via o esforço dela em não deixar o metal esfriar antes de acabar com toda a roupa do dia – e aquela imagem ficou gravada para mim como um sofrimento."

Nesse cenário de dificuldades, Elza alimentava seu sonho de ficar rica – que já vinha de muito tempo, antes mesmo de se casar. Adorava falar de seus sonhos para dona Rosária – que não levava a filha a sério. "Vai ser rica como? A gente nasceu pobre, só conheceu miséria, como é que você vai ser rica, minha filha?" Mas Elza não desistia da ideia. "Eu falava tanto nisso que minha mãe e meu pai tinham pavor de que eu me prostituísse para conseguir o que queria." Não era um medo infundado: ela se lembra de um dia, ainda criança, ter respondido à clássica pergunta "o que você vai ser quando crescer?" com esta opção um pouco inesperada: "Prostituta!" Mesmo depois de levar do pai um tapa forte na boca – reação imediata dele à declaração –, Elza não tinha noção do que estava falando, a não ser por uma associação surpreendente entre dinheiro, beleza e a filha de uma cliente de dona Rosária.

"Dona Aidé era uma mulher muito elegante que sempre dava muita roupa para minha mãe lavar, e eu me lembro que ela tinha uma filha maravilhosa chamada Ieda", conta Elza, só então percebendo o anagrama que une os nomes das duas. "Um dia eu estava lá na casa de dona Aidé com minha mãe, ela de cócoras no chão dobrando as roupas sujas para levar para nossa casa, quando comecei a ouvir uma gritaria no quarto ao lado." Era obviamente uma briga entre as duas, e o tom era pesado. "Bandida", insultava a mãe, "você é uma vagabunda, isso, sim – uma prostituta!" Ao que Ieda soltou a resposta como um chicote: "Sou, sim, mas tenho dinheiro, sou rica e sou maravilhosa!" Essas palavras bateram fundo na filha da lavadeira. "É isso que eu quero ser", pensou logo, "bonita e com dinheiro." Essas palavras ficaram gravadas na cabeça de Elza, que a essa altura realmente não sabia o que significava "prostituta". Só sabia que Ieda não era nem feia nem pobre. Por isso a palavra parecia ter uma qualidade mágica para Elza – pelo menos, até ela levar aquela bofetada do pai.

Quando entendeu do que se tratava, Elza logo afastou qualquer possibilidade de se prostituir. Se sexo já era um assunto complicado em casa – algo que ela era praticamente obrigada a fazer com seu marido – envolver dinheiro nisso seria impensável. Nem a maior necessidade – e eles passaram por momentos bem ruins – a faria mudar de ideia. Se fosse ganhar alguma coisa seria mesmo com seu trabalho. E lá ia ela para a fábrica de sabão, dobrar sua cota de empacotamento, rasgar suas mãos no arame das vassouras de enceradeira – e, ainda, no fim do dia, encarar todas as tarefas de uma casa com marido e filhos. "Eu saía do trabalho, chegava em casa, dava banho nas crianças – muitas vezes tinha que ir até o poço buscar mais água, porque acabava –, fazia um pouco de comida, botava todo mundo para dormir, ainda ficava com Alaordes... não tinha tempo para nada, nenhum tempo para mim." Com essa rotina puxada, Elza sabia que estava menos presente do que gostaria na vida das crianças. Mesmo que ela não os encarasse como filhos, no sentido mais maternal, vinha uma culpa de que ela deveria dar mais atenção a eles. Só que isso era simplesmente impossível. Olhando hoje para esses tempos, ela tem certeza de que eram todos subnutridos. Não passavam fome – assim como na sua própria casa, a comida chegava com dificuldade, mas chegava –, porém aquilo que chegava no prato estava longe de ser uma dieta nutritiva... Sem falar na própria saúde frágil de todas as crianças.

"Uma noite cheguei em casa e reparei que o Mundinho (Raimundo, seu segundo filho) estava com uma febre muito alta. Ele tinha levado um tombo forte durante a tarde e parecia que seu corpo estava reagindo a isso – era a única explicação que eu conseguia imaginar. Muito fraco, qualquer coisa que acontecia com Mundinho, ele não tinha forças pra se defender. Vi que o menino estava mal, mas como eu não tinha um segundo para respirar, pedi a minha mãe que levasse ele ao médico na manhã seguinte", lembra ela já se emocionando com o desfecho da história.

No dia seguinte, a avó levou o neto ao posto de atendimento mais próximo. O médico o examinou rapidinho, disse que o menino estava com pneumonia e prescreveu um remédio que Elza, naquela ocasião, conseguiu comprar, nem sabe como. "Acho que pedi emprestado, porque não tinha nenhuma economia para uma emergência dessas. Não adiantou nada, ele continuava muito fraquinho." Elza tinha apenas 15 anos quando o filho adoeceu. Sofria com o filho doente e desesperava-se pela miséria em que viviam. "Eu vi que ele estava definhando a cada dia, mais frágil a cada manhã, mas eu não podia fazer nada: entregava ele para minha mãe e saía para a fábrica." A agonia de Elza era visível, e uma noite, quando tinha acabado de chegar cansada do trabalho na fábrica, dona Júlia, a mulher que se tornou ama de leite das crianças, a chamou para ir a um terreiro. "Ela frequentava um centro, viu que eu estava muito preocupada e me chamou para ir com ela até lá, ver se eu encontrava um pouco de conforto. Era ali mesmo na Água Santa, e eu me lembro muito bem da cena que encontrei naquela sala." Na família dividida entre o catolicismo da mãe e o espiritismo do pai, Elza nunca tinha vivido uma experiência como aquela: entrou com cuidado, meio assustada e em silêncio, respeitando o clima solene. E foi encarando uma a uma aquelas pessoas sentadas em banquetas fazendo um círculo, algumas delas, como ela mesma descreve, "incorporando".

"Uma hora eu vejo de longe uma mulher que estava me chamando. Com muito medo, me aproximei dela, e quando ela olhou bem dentro dos meus olhos disse que eu poderia ir embora, que o que eu tinha ido buscar ali eu não conseguiria. Achei estranho porque nunca tinha visto aquela mulher e fui lá sem pedir nada. Eu nem sei direito o que queria lá, só acompanhei dona Júlia por insistência dela." Levou um tempo até Elza captar o sentido do que a mulher tinha falado. Ao se dar conta de que era uma mensagem sobre a saúde do seu filho, quis ir embora imediatamente.

"Corri com dona Júlia para casa e, quando cheguei na minha porta, encontrei um gato que nunca tinha visto por ali – e eu senti que não podia entrar na minha própria sala. Era um gato enorme, uma coisa horrorosa, parecia um tigre." Assustada, ela foi primeiro na casa de sua mãe, que estava acordada e preocupada com a filha. "Tem um gato na porta de minha casa, mãe, e eu não posso entrar lá", disse quase chorando. Dona Rosária insistiu que a filha criasse coragem e fosse ficar com o filho, que tinha piorado. "Ela falou secamente que meu Mundinho não estava passando bem, e eu respondi várias vezes que estava com medo, que não queria ver ele daquele jeito e insisti que ela fosse comigo até lá." Elza se lembra que sua mãe, passando roupa como sempre, calmamente procurou o apoio para o ferro de brasa – mais uma vez as faíscas que saíam apenas com o ar que entrava no movimento de deslocar aquela peça pesada chamaram a sua atenção – e saiu com a filha para ver o menino. Entraram pela porta da cozinha, Elza ainda com muito medo do gato gigante.

A cena que encontrou a deixou profundamente marcada. A mãe que olhava os filhos mais como companheiros de suas brincadeiras sentiu, pela primeira vez, o amor mais que genuíno e forte, tão natural de se ter por uma criatura que você gerou. E foi triste perceber que esse sentimento chegou justamente na hora em que não era mais possível desfrutá-lo, pelo menos não com Mundinho. Ele ainda não tinha um ano de idade e estava ali, já quase sem vida nos braços do pai. "Eu não tinha percebido que fui ao centro naquela noite para pedir por ele, mas era tarde demais."

Elza admite que é praticamente impossível descrever o que passou pela sua cabeça ao ver a primeira morte de um filho que havia chegado ao mundo num parto complicado. "Eu tinha uma parteira maravilhosa, sou muito grata a ela. Chamava-se Paulina, e, se não fosse ela, o Mundinho nem tinha nascido. Aliás, foi ela quem deu esse nome pro menino. Dizia que tinha feito uma promessa – que, se ele sobrevivesse, se chamaria Raimundo. No começo achei estranho, mas ele foi virando o meu Mundinho", lembra com carinho. E foi desse filho, que Elza ainda estava aprendendo a amar, que ela teve que se despedir. Elza ainda era muito jovem para processar tamanha perda, mas, como aprendeu com a vida, "não há idade que te prepare para perder alguém tão próximo – ainda mais

Elza Soares e sua mãe, dona Rosária, em Água Santa, Rio de Janeiro, nos anos de 1950.

um filho. Eu vi muita morte nessa vida... O Mané, minha mãe, os amigos que me seguiram a vida inteira, pessoas queridas, mas nada se compara à dor de perder um filho, porque dói muito... muito, muito, muito..." Ao se lembrar disso, Elza vai repetindo essa palavra até ela virar só um murmúrio, que é o somatório da perda dos seus filhos. "E não dá nem pra comparar que dor é maior, a de um filho ou a de outro... Logo depois de Mundinho, perdi um filho depois do parto, que nem chegou a ser batizado. Muitos anos depois foi o filho do Mané, o Júnior, nos anos 1980. E recentemente perdi meu filho mais novo desse primeiro casamento, Gilson. Tudo dói, dói igual – e de um jeito que não dá pra descrever..."

O primeiro filho que se foi, no entanto, trouxe uma dor que ela ainda não conhecia. "Eu vi meu bebê morrendo. Peguei ele no colo, mas já não tinha vida nele. Lembro-me de olhar para seu rosto e ver que era tão pequeno – provavelmente malnutrido. Era o corpo de um menino leve, sem vida. Tinha saído de mim há tão pouco tempo – e já tinha ido embora... Eu hoje fico pensando como isso foi acontecer, como é que eu poderia ter cuidado dele melhor, mas naquela época não tinha nem cabeça para elaborar o que estava acontecendo. Naquela noite era só dor."

Nesse momento, a presença de dona Rosária foi fundamental. Elza não sabia o que fazer com o corpo do seu filho, e sua mãe achou melhor tirá-la dali e levá-la de volta para a sua casa. "Peguei o mais velho, Carlinhos, e me tranquei no quarto de minha mãe com ele. Só chorava, chorava, chorava. Esse mais velho também não estava bem de saúde – os dois eram bem fraquinhos, porque a gente não tinha condição de dar o que era bom para eles. Mas naquele momento de dor eu queria muito proteger ele. Só pensava nisso, até o momento em que, de tão fraca, apaguei." Enquanto Elza dormia, um velório foi improvisado na sala de sua casa com Alaordes. Quando ela acordou, não quis nem ir até lá. "Não participei do velório do Mundinho. Fui até o enterro, mas acho que nem fiquei até o fim. Eu queria sair correndo dali, era muito forte o que tinha caído sobre mim, eu acordava todos os dias e achava que não ia conseguir nem andar mais." É difícil imaginar, descrever a tamanha dor que essa mãe viveu, a sensação de entorpecimento que se instaurou na cabeça e no coração de Elza.

Se a morte de Mundinho pôde trazer alguma consequência positiva, talvez tenha sido uma certa proximidade entre Elza e o marido Alaordes. Para aquele casal, que não era bem um casal, houve um raro e breve momento de comunhão. Na dor, Elza e Alaordes se aproximaram, mas não chegaram a se amar. "Isso realmente nunca aconteceu", ela faz questão de ressaltar. Os dois apenas encontraram naquela pessoa mais próxima um apoio numa tragédia para a qual ninguém está preparado – e menos ainda aqueles adolescentes que viviam uma relação forçada. Era difícil exigir – sobretudo dela, que não tinha maturidade para amar – uma reação adulta para o luto. Ela só sabia que machucava, que sentia isso dentro de seu corpo. Doeu com Mundinho e doeu na segunda perda – a do filho que veio em seguida e nem chegou a ser batizado, que veio ao mundo tão fraco a ponto de não sobreviver. O recém-nascido morreu ali mesmo no hospital, logo depois do parto. Sua mãe nem o conheceu. Elza fez questão de esquecer os detalhes. Mas ter perdido dois filhos por doença e desnutrição a fizeram amadurecer muito. Carlinhos, que também tinha uma saúde frágil, ganhou ainda mais atenção dela. Se antes ele já era sua alegria maior, depois passou a ser também o foco da sua vida. Gérson, Dilma e Gilson, quando chegaram, já encontraram uma mãe ciente das suas responsabilidades. "A partir dessas experiências, eu estava pronta para fazer tudo que fosse possível para eles crescerem fortes e com saúde."

Aos poucos, Alaordes retomou o trabalho na pedreira e Elza também tentou retomar o seu. Mesmo com todo esse esforço, o dinheiro que entrava ainda era pouco. O jeito era apelar... para o jogo do bicho! "Valia tudo para a gente sair daquela situação." Com sua intuição que sempre foi forte, eram frequentes os palpites certeiros. "Jogava mesmo no bicho e ganhava dinheiro à beça. Do meu salário, eu sempre separava o dinheiro da aposta, especialmente depois que perdi o Mundinho. Ganhava um pouquinho aqui, outro pouquinho no outro dia... Mas teve uma manhã que acordei com um palpite que achei que era bom. Fui até a pedreira logo cedo, pedi um dinheiro emprestado para o Alaordes pra jogar. Na volta, senti minha perna roçar num mato molhado, aqueles com capim alto, que gruda nas pernas e quase machuca, conforme o movimento que você faz. Abaixei para me coçar e encontrei um papel de bicho amassado e nele dava para ler 1265-1520. Fui até o seu Antônio, que era o bicheiro com quem eu sempre jogava, cantei aqueles números e deu na cabeça! Que alívio que foi aquilo. Por um tempo curto, mas já valeu! Arranjei um dinheiro para salvar meus filhos – e para a alegria dos meus pais, eu nem precisei me prostituir!", conta brincando.

Mas seu bilhete premiado, seu destino mesmo, seria a música, que estava "ali na esquina" esperando para entrar na sua vida de maneira cada vez mais forte. Apesar dos protestos de Alaordes, que sempre falava que aquilo não era vida para a mãe de seus filhos, as rodas de samba eram frequentes na sua casa, como Elza reforça. Seu pai era bom de violão e também nos vocais. Uma foto bem apagada de seu Avelino com um trombone no colo – uma das poucas que Elza guardou dessa época – era mais uma pista de que aquele era um lar musical. Curiosamente, a filha não se recorda de ouvir seu pai tocando esse instrumento, mas lembra que ele parava toda a vez que o rádio tocava uma música de que gostasse. "Era um radinho meio surrado, mas era nossa diversão. A gente ficava escutando alguma coisa e, de repente, a música parava. Meu pai se levantava e dava um soco no pobre do rádio, que fazia um barulhão e começava a tocar alguma coisa de novo, e a gente ria daquilo tudo." Numa casa tão pobre, um toca-discos – que Elza sempre chamou pelo nome antigo de vitrola – era algo que estava muito longe de existir. Aliás, o primeiro disco que ela pegou nas mãos foi exatamente o primeiro que ela gravou. Mas ela sabia que era naquele objeto redondo e pesado, na época, que estava o seu futuro.

Ao mesmo tempo que ia tomando consciência de que tinha uma voz especial – sem nunca ter treinado de forma alguma suas cordas vocais (aulas de canto eram uma extravagância que aquela família não poderia sequer cogitar) – seu corpo já ia desenhando os contornos da mulher bonita que estava prestes a se revelar. Apostas no jogo do bicho à parte, Elza sonhava mais alto: "Eu sabia que meu bilhete premiado era a música." Mas era preciso que ela corresse atrás dele. Com Carlinhos cada vez mais doente, a condição de mãe acelerava seu instinto de proteção. Era preciso fazer algo para poder pagar um bom médico, para que esse filho não fosse pelo mesmo caminho de Mundinho. O dinheiro do bicho logo acabou, mas a necessidade de comprar remédios só aumentava. E, quando Gérson chegou, mais uma gravidez que simplesmente acontecia, a situação estava tão difícil que a única maneira de Elza e Alaordes garantirem a sobrevivência daquela criança era pedir que seus padrinhos, que moravam em Santa Teresa, cuidassem dele. Foi mais uma separação que fez aquela mãe sofrer, mas o instinto ali era o de sobrevivência. Isso iria permitir a Elza se concentrar na saúde de Carlinhos: ele não poderia morrer como Mundinho.

Paralelo a isso tudo, Elza acreditava numa outra possibilidade de vida, alimentava o sonho de viver de música. "Eu não falava com ninguém – meus pais não iriam entender e Alaordes era totalmente contra a ideia. Mas eu sabia o que queria: era só eu ouvir uma estação de rádio qualquer, em casa ou na rua, que eu começava a pensar como eu iria fazer para um dia estar lá, fazendo o que eu mais gostava." A esperança vinha pelas ondas do rádio. Elza admite que era uma aposta muito distante: todo mundo queria ser uma estrela do rádio nos anos 1950. Felizmente, ousadia nunca foi um problema para ela. Por menor que fosse sua chance, ela sabia que tinha que tentar. Era no programa "Calouros em desfile", apresentado por Ary Barroso, na rádio Tupi, que iria cantar. Para quem sobrevivesse ao temido gongo e tirasse a nota máxima, o prêmio nem era lá uma fortuna, mesmo para a época, mas seria o suficiente para ajudar um pouco nas despesas. E lá foi Elza atrás do seu Ary...

um certo "seu Ary" e muitos alfinetes

geralmente são as palmas que servem como espécie de alavanca para um artista dar aquele salto e conquistar um brilho maior diante da plateia. No caso da estreia de Elza no rádio, foram as risadas que a empurraram para a frente – ou melhor ainda, as gargalhadas. Era só isso que ouvia quando subiu ao palco da rádio Tupi, PRG-3, ou só G-3, como era chamada carinhosamente pelos locutores, num estúdio que era mais um auditório, no centro do Rio de Janeiro. A viagem de ônibus tinha sido longa e o motivo dela teve de ser ocultado. "Disse a meus pais que ia visitar meu filho", explica Elza, referindo-se a Gérson, que desde pequeno era cuidado pelos padrinhos em Santa Teresa. Mas, na verdade, Elza tinha saído de casa para cantar pela primeira vez para um público.

Dona Rosária talvez tivesse estranhado a roupa que Elza escolheu para sair de casa. Naquela adolescente que mal chegava aos 40 quilos, a camisa branca deixava muito tecido sobrando naqueles braços finos, e a saia escura... bem, essa era alguns números maior do que a que aquele corpo podia segurar. Uma faixa brilhante na cintura não era capaz de impedir que aquela quantidade de pano ficasse firme — e foi preciso que Elza enchesse a peça de alfinetes (assim como fez com a camisa) para que tomasse alguma forma. Os cabelos, presos em duas bolas laterais, no estilo maria-chiquinha, também davam um ar de improviso. Mas, além de realçar a juventude daquela caloura, traziam uma vantagem fundamental para ela: deixavam o pescoço esguio de Elza à mostra e realçavam seu rosto, que já ensaiava um jeito de mulher. Nem por isso ela se sentia mais atraente.

"Eu estava mesmo muito malvestida, péssima na apresentação", descreve Elza. "Eu saí pregando alfinetes naquela saia, improvisando com todos os que consegui pegar na casa de minha mãe. E o cabelo ficou como eu sempre o penteava quando queria parecer um pouco arrumada, aquele cabelão duro não tinha muito jeito, era fazer duas bolinhas e amarrar com um lacinho." Mas o visual era o que menos preocupava Elza naquele dia. O importante era cantar — e passar pelo menos no ensaio para chegar até o "seu Ary", que não era ninguém menos que Ary Barroso. Seu programa de calouros já era um sucesso, desde a década de 1930, quando estreou na rádio Cruzeiro do Sul o programa "Hora dos calouros". Na Tupi, denominado "Calouros em desfile", tornou-se referência obrigatória de todo um universo de entretenimento que girava em torno do rádio.

Em 1953, ano em que Elza cometeu a ousadia de encarar um auditório, "Calouros em desfile" já era um clássico. O modelo do programa não era uma novidade: copiado de formatos americanos, sua estrutura não poderia ser mais simples. O calouro subia ao palco, jogava uma conversa fora com o apresentador — que quase sempre se aproveitava do simplório candidato

Ary Barroso, no programa "Calouros em desfile", da rádio Tupi, em 1950.

para fazer alguma graça – e em seguida mostrava seu talento "no gogó", como se dizia. Na maioria das vezes, ele (ou ela) estava lá para cantar, mas não era incomum ouvir pessoas que iam lá imitar vozes conhecidas ou sons de animais, ou até mesmo apresentar números circenses que teriam apelo certamente num picadeiro, mas sucesso duvidoso num veículo que só podia transmitir o som...

Mas se o formato não era dos mais originais, o apresentador de "Calouros em desfile" fazia toda a diferença. Desde que estreou no programa, Ary Barroso era figura conhecidíssima de todo o Brasil – e a música tinha sido apenas a porta de entrada para sua fama. Nascido em Ubá, Minas Gerais, Ary foi para o Rio aos 17 anos, e tornou-se um dos compositores mais requisitados pelos artistas – o "favorito" de Carmen Miranda – e o mais querido pelo povo. Em paralelo a sua extraordinária carreira musical ("Aquarela do Brasil", "Na baixa do sapateiro", "Na batucada da vida" – só para citar algumas de suas composições) e com a notoriedade que suas canções lhe deram, Ary, flamenguista roxo, desenvolveu um trabalho também bastante popular como locutor e comentarista de futebol – ainda que polêmico pelos seus vitupérios muitas vezes carregados contra os "inimigos" do seu time. Essa brevíssima biografia não faz justiça ao talento maior que era Ary Barroso, mas serve para dar uma ideia da importância que ele tinha na cultura nesse início da década de 1950 – que, com a TV ainda incipiente, se resumia sobretudo ao rádio.

Chegar ao seu "Calouros em desfile" era o sonho de muitos cantores e cantoras aspirantes, um caminho para um fenômeno de massa que começava a se desenvolver: ganhar o reconhecimento como celebridade. Não que Elza estivesse interessada nisso – seu objetivo primeiro era o dinheiro do prêmio. Mas a fama e todo o universo de celebridades que hoje rege nossa vida já se esboçavam em artistas como Ary Barroso. Adorado pela sua figura excêntrica e temido pela sua maneira irreverente e sarcástica de receber os convidados do seu programa, ele era o "protótipo" das megaestrelas de hoje na TV e nas redes sociais. Sua voz, quase fanha e miúda, como a de uma criança imitando um velhinho malvado de desenho animado, se já era improvável para estabelecê-lo como cantor, era ainda mais caricata para um locutor esportivo – e mesmo um apresentador. Na música, claro, a genialidade das suas composições superavam as dificuldades de seu timbre, mas na locução e na apresentação de programas era seu carisma que se impunha, quase sempre fruto de um humor mordaz.

"Ary investigava cada pessoa que se apresentava no seu programa", conta Elza. "Eu tenho a impressão de que ele queria sempre saber até onde ia a inteligência do calouro, até onde ele responderia às perguntas. Ele provocava a gente mesmo." Era uma estratégia para desestabilizar o calouro – e que muitas vezes funcionava. Hoje, acostumados a um cotidiano de ultraexposição, repleto de redes sociais e *selfies*, é quase impossível imaginar o enorme esforço que uma pessoa comum tinha que fazer para se apresentar em público. Pessoas comuns enfrentavam uma enorme barreira psicológica – e com Elza não foi diferente. Até chegar ali ao palco com "seu Ary", ela já havia vivido tanta pressão – na inscrição, nos ensaios, nas desculpas que teve de dar para sair de casa, no próprio bastidor do programa – que a acidez do apresentador, quando finalmente confrontada, era quase um alívio. Elza começou a sofrer no teste, que acontecia horas antes de começar o programa, transmitido ao vivo. "A gente ensaiava sem plateia, com os músicos sob o comando de Claudionor Cruz, talentoso compositor e violonista. O difícil era começar, mas bastava cantar um pouquinho que Claudionor já dava uma avaliada – tenho a impressão de que ele já passava para o Ary quem era bom ou não, quem ele poderia considerar para a nota máxima ou chamar simplesmente para a plateia rir daquela apresentação."

Logo depois que Elza cantou, ainda na seleção, Claudionor pediu para ela esperar ali ao lado, mais num tom de reprimenda que

de aprovação. "O jeito que ele me chamou não me parecia muito otimista e eu pensei, xiii... não vou cantar." Mas o que ele queria era conversar mais com ela, um bate-papo rápido que, no fim, animou aquela caloura: "Me diga, dona Elza, quem te ensinou a cantar?", ele foi logo perguntando. A resposta quase automática: "Ninguém!" Elza, achando que quanto mais a conversa esticasse, mais chances ela teria de passar, contou que seu pai era o mais musical de sua família: "Ele é bom nisso, toca até trombone!" A estratégia parecia estar funcionando, pois, depois dessa conversa rápida, Claudionor acenou com uma esperança, ainda que em tom de brincadeira: "Eu acho que você vai ganhar a nota cinco..." Elza estava enfim selecionada para cantar! Mas a pouca confiança que ela havia juntado foi indo embora à medida que se aproximava a hora de se apresentar ao vivo. Era mesmo uma espera agoniante.

Enquanto sua vez não chegava, Elza mal ouvia os outros calouros que se apresentavam antes dela, de tão nervosa que estava. Ary, como sempre, fazia o possível para desnortear os candidatos, pontuando com gracejos e até chacotas mais fortes a apresentação de todos que chegavam ao palco. Ele não perdoava ninguém: certa vez, uma cantora carola, que fazia o sinal da cruz várias vezes antes de cantar, ouviu do temido apresentador que ela estava se benzendo demais. Outro calouro, que de tão tímido mal fazia sua voz ser ouvida depois da introdução da música que foi interpretar, recebeu logo um comentário ácido, antes da segunda tentativa: "A sua voz não foi na música então a gente tem que trazer música até sua voz, é isso?" Quase no mesmo tom, Ary Barroso intercalava mensagens do patrocinador, lidas com seriedade e convicção: "Toddy, o melhor amigo das crianças." Mas logo vinha uma outra "vítima" do apresentador: seus queridos ouvintes, ligados no aparelho de rádio (que nessa época ficava em lugar de honra na sala de estar), logo depois do jantar, queriam saber quem era a próxima atração pois, brincadeiras à parte, a música era tratada com respeito no programa de Ary. "A gente tinha que dar o nome dos autores das canções, antes de cantar", lembra Elza, "e acho que isso era uma coisa importante, aliás, até hoje eu acho que seria válido saber quem são os autores dessa ou daquela música, mas esse hábito infelizmente se perdeu, ninguém mais se lembra de fazer um gesto como esse – nisso o Ary era generoso."

Entre os compositores e poetas anunciados, de vez em quando o apresentador fazia questão de chamar a atenção, quando identificava um conhecido. "Ah, 'Queixumes', do Noel Rosa", dizia, mostrando intimidade. Outras vezes, demonstrava surpresa e alfinetava o calouro. Uma noite perguntou com tom incrédulo: "Você vai cantar um samba de breque, do Moreira da Silva? Tem certeza?" E o que o candidato a cantor cantou mesmo foi "Vivo cansado", de J. Caetano e José Moreira (que não era o da Silva). No geral, o clima era de informalidade – pelo menos para a plateia... No seu cantinho na coxia, aguardando sua vez, Elza continuava nervosa. Até ouvir seu nome: "Elza Gomes da Conceição", chamou Ary num tom meio empolado, mas de galhofa. E foi a caloura entrar no auditório que o público começou a rir de sua figura esdrúxula. Elza era uma adolescente linda, mas "embalada" num traje que, num primeiro impacto, só poderia ser cômico. Estava, sim, mal-ajambrada, mas era sua melhor tentativa de ter uma boa aparência. "Entrei segurando minha roupa para ela não desmontar e arrastando uma sandália muito vagabunda, que era a única que eu tinha, e o Ary logo me olhou com aquela cara de quem ia aprontar alguma comigo." As gargalhadas só cresciam e com elas o apresentador se sentiu ainda mais à vontade para ironizar a candidata "fresquinha". "O que você veio fazer aqui?", perguntou impiedoso. "Vim cantar", respondeu Elza, achando que era melhor não ceder às brincadeiras. Ele dobrou então a provocação: "E quem disse que você canta?" Outra resposta curta: "Eu, seu Ary." Apesar da aparência risível, parecia uma caloura difícil de "quebrar" com qualquer piada. Por isso, talvez, a próxima pergunta tinha beirado a grosseria: "Então, agora, me responda, menina, de que planeta você veio?" Elza: "Do seu planeta, seu Ary!" O apresentador, já perdendo a paciência, insistiu: "E posso perguntar que planeta é esse?" Parecia que a resposta já estava na ponta da língua: "Do planeta fome." As risadas foram escasseando como lâmpadas que se apagam uma a uma num grande salão. Talvez despertado do transe irônico pelo silêncio, Ary Barroso cortou as gracinhas e convidou, então, Elza para cantar. "De Paulo Marques e Ailce Chaves, 'Lama'."

A jovem cantora Elza Soares, na década de 1960.

Era uma escolha no mínimo curiosa. A gravação original, de 1952, foi um sucesso enorme na voz de Linda Rodrigues. Mas a letra de "Lama" era tristíssima, de uma falta de autoestima que, talvez de maneira não calculada, acabava refletindo o que ela sentia por dentro. Hoje ela admite: "Não sei bem por que escolhi essa canção, mas provavelmente tinha a ver com meu estado de espírito." Mas naquela época ela mal conseguia processar o que poderia ser um amor destrutivo. Sua vida era, sim, cheia de tristeza, mas quase todas ligadas às dificuldades que passava para sustentar sua família. A desilusão amorosa que a letra da música trazia era algo que ela só experimentaria muito tempo depois... Mas talvez ela tenha escolhido "Lama" só pela chance que tinha de rasgar sua voz no verso que diz "Acha-se com o direito de querer me humilhar" – em que aquele "a" da primeira sílaba se transformava numa superfície áspera e sofrida, com suas cordas vocais que ela não sabia ainda o quanto eram preciosas, imprimindo aquele som que seria sua marca registrada. "Lama" já começava na sarjeta:

"Se quiser fumar, eu fumo
Se quiser beber, eu bebo
Não me interessa mais ninguém
Se o meu passado foi lama
Hoje quem me difama
Viveu na lama também
Comendo da minha comida
Bebendo a mesma bebida
Respirando o mesmo ar."

Não é uma canção de redenção. Não era a promessa de um reencontro feliz. O fim daquele amor criado pela dupla Paulo e Ailce não tinha gerado só tristeza, mas também um irrecuperável vazio. E aquela adolescente com roupa esquisita, com um anel exagerado no mindinho esquerdo, que só aparecia porque ela ainda não sabia o que fazer com a mão num palco, não combinava nem um pouco com aquilo: era o retrato da jovialidade batendo de frente com uma caricatura cruel da decadência. Até o mais amargo fim da última estrofe:

"Se eu errei.
Se pequei,
Não importa
Se a teus olhos, eu estou morta
Pra mim morreste também!"

Silêncio no fim da música. "O tempo todo que eu estava cantando, me lembrava de que a qualquer momento aquele gongo poderia tocar." Ary Barroso geralmente ficava sentado atrás do calouro e o fim da apresentação era indicado apenas com um gesto de sua cabeça para o ator que estava ali fantasiado de "tocador de gongo". Era Tião Macalé — que acompanharia Ary nesse papel até quando seu programa se transferiu para a televisão (a mesma mídia que, uma geração ou duas depois, fez de Macalé um meme antes mesmo de isso existir: foi ele quem imortalizou o bordão "Ih, nojento, tchan!"). Um pouquinho antes de cantar, Elza, que ainda procurava uma descontração depois de ter encostado o apresentador na parede com sua resposta sobre o "planeta fome", brincou com Tião: "Você não vai bater esse pau grande pra mim, não, né?" Mas ele só estava lá para obedecer ao olhar de Ary Barroso, esperar um sinal que até o fim de "Lama", não veio. O gongo, ao longo de toda a canção, não soou.

Ainda no silêncio, enquanto algumas palmas eram ouvidas no auditório, o apresentador levantou-se solenemente, colocou o braço esquerdo no ombro de Elza e disse bem perto do microfone: "Senhoras e senhores, nasce uma estrela." Depois do decreto, só se

Plateia da rádio Tupi, em 1959.

ouviam palmas. Em inúmeras entrevistas que deu na sua carreira, ela conta que recebeu a frase do apresentador como uma piada: "Fiquei com medo de ele estar falando 'sério'; será que uma estrela tinha aparecido no céu? E se ela caísse na minha cabeça? Poderia me matar ali mesmo!" Mas essas gracinhas servem apenas como um disfarce para a enorme emoção que Elza sentiu naquele momento. A nota cinco que ela acabava de ganhar não significava o começo de uma carreira – isso só viria lá para a frente –, mas a grande importância daquele momento, vale insistir, era mesmo a comida que ela ia conseguir comprar com o dinheiro do prêmio. Ao mesmo tempo que sorria muito, Elza chorava tão forte que o terno claro de Ary naquela noite ganhava manchas úmidas com as suas lágrimas. Encostada no peito do apresentador, ela tinha os olhos fechados de emoção, mas por dentro seu coração estava tão apertado quanto o nó da gravata escura com bordados geométricos daquele que a recebia num abraço. Ela precisava ir embora e aproveitar aquele momento, mesmo que o dinheiro só saísse alguns dias depois. "O programa era sábado, mas eles só pagavam na quarta-feira." Ninguém ali fazia ideia de como ela precisava daquela quantia naquela noite mesmo...

O espaço de tempo entre a apresentação e o pagamento do prêmio pegou Elza de surpresa: ela se deu conta de que não tinha dinheiro para pegar a condução para voltar para casa. Ou melhor, ela tinha, sim, o suficiente para usar o transporte público. Mas era tarde da noite – este foi um detalhe importante no qual ela não havia pensado, por conta da euforia da apresentação. "Como é que eu ia subir o morro da Água Santa daquele jeito e àquela hora?", ri ela hoje. O jeito era pegar um táxi ali na frente da rádio, mesmo sem um tostão. E Elza deu a sorte de pegar um "português simpático", o seu Antônio, que ela guarda na memória. "Sentei como uma madame, no banco de trás, dei o endereço, e seu Antônio, mesmo achando um pouco longe, me levou em silêncio. Eu só disse: 'O Ary Barroso mandou o senhor levar a estrela para casa', e ele foi tocando o caminho." Quando chegou no morro, veio a surpresa: "Tem uma coisa que eu esqueci de dizer, seu Antônio, eu não tenho como pagar o senhor hoje, não, mas eu ganhei o grande prêmio da noite. Se o senhor vier me buscar aqui na quarta-feira, a gente volta lá na rádio Tupi e eu acerto com o senhor direitinho." Um pouco surpreso, e provavelmente honrado com o privilégio de ter conduzido a estrela até sua casa, seu Antônio aceitou a oferta. Dias depois ali estava ele para transportá-la de novo ao centro do Rio.

"Fui receber do mesmo homem que fazia a inscrição para o programa. Samuel Rosemberg era o responsável pelo dinheiro e, quando ele me pagou, mirei bem nos olhos dele e disse: 'O senhor salvou meu filho.'" Samuel, segundo Elza, ainda teria pedido uma contribuição dela para uma campanha que o programa fazia por conta da seca no Nordeste brasileiro. Elza desconversou: "O senhor não quer contribuir para a minha causa também? Meu filho está morrendo..." E saiu rapidinho. Pagou seu Antônio que a esperava lá embaixo e fez as contas de como iria gastar o resto do dinheiro. Dava para cobrir a dívida com o médico de Carlinhos, fazer uma boa compra de comida. E sonhar, quem sabe, com uma roupa melhor para a próxima vez que ela fosse se apresentar no rádio. Uma próxima vez, diga-se, que não estava ainda nem esboçada. O que Elza tinha até então não era sequer a promessa de uma carreira.

Algumas pessoas que moravam perto de sua casa, que conheciam sua família, souberam da sua "aventura radiofônica". "Às vezes eu passava lá pela pedreira e ficava todo mundo me olhando." Ninguém, felizmente, chegou a cometer a indiscrição de contar que tinha ouvido Elza no rádio para alguém da família dela – o que seria um problema. Sua mãe a censurava por buscar uma carreira artística, e, quando o assunto era música, Alaordes não só desconversava como frequentemente encerrava a conversa em tom agressivo — isso quando não usava de certa violência, à qual Elza, infelizmente, já estava se acostumando. Mas a verdade é que ela não tinha nenhum plano dali para a frente. Aliás, havia: botar comida na mesa. E a primeira parte desse plano já havia sido executada. Mas essa "aventura no rádio", ela sabia, não era uma profissão. E por isso Elza continuava a trabalhar como podia – agora até mesmo de doméstica. Os primeiros convites para cantar na Tupi começavam a aparecer – afinal, uma nota cinco de Ary Barroso abria, sim, algumas portas naquela época. Mas Elza nem pensava em largar o dia a dia que lhe garantia o ganha-pão, mesmo que isso significasse passar por humilhações terríveis, como as de uma certa patroa que a já famosa cantora voltaria a encontrar, depois de ter estourado nas rádios...

Um episódio que já indicava que a vida, que sempre dá muitas voltas, para aquela cantora em especial guardava revoluções nada menos que feéricas. Como sua estreia num palco de teatro, vestindo um biquíni que ela achou que era só *lingerie*...

4
seu nome numa estrela e uma rica cena teatral

uma estrela brilhando com seu nome se tornaria realidade em breve. Assim que o espetáculo terminava, a atriz estreante passava pelo camarim para se trocar e corria para a entrada do Teatro João Caetano para ver "Elza Soares" escrito dentro da estrela de cinco pontas no cartaz de *É tudo Juju-Frufru*, sucesso de 1958 no teatro de revista. Ao lado, numa estrela bem maior, podia-se ler "Rose Rondelli", ela sim, já grande atração dos palcos cariocas. Mas para aquela cantora novata que, meses antes, não sabia se iria entrar no palco para cantar meia dúzia de canções num clube qualquer em Pilares, aquela estrelinha já era um sinal de que as coisas estavam melhorando.

"Depois do programa do Ary Barroso, eu achava que minha carreira não ia dar em nada, porque eu não tinha onde cantar", lembra Elza. Um começo tão promissor, desperdiçado na cacofonia de talentos em meados dos anos 1950 no Rio de Janeiro. Seria esse o seu destino? Ela acreditava que não – e insistiu, mesmo sem saber muito bem por onde começar. Para entrar

Elza Soares em visita a uma comunidade, em 1962.

no circuito de shows, de aparições em importantes programas de rádio e, sobretudo, das gravadoras, era necessário marcar presença nesse cenário. Mas como isso seria possível para Elza, que trabalhava como empregada doméstica para criar quase que sozinha seus filhos? Alaordes tinha sido diagnosticado recentemente com tuberculose e alternava períodos de trabalho na pedreira com longas licenças. O sustento dos filhos estava nas mãos dela. "Para mim era uma questão de sobrevivência: eu só podia pensar em carreira se aquilo significasse dinheiro." Cantar ainda não era uma profissão, tampouco um passatempo. Era uma alternativa, uma esperança, uma pequena possibilidade de que fazendo isso ela conseguiria mais alguns trocados para levar para casa no fim da semana. Tudo, claro, sem admitir para a família que o que ela queria mesmo era cantar.

A valiosa nota cinco que Elza conseguiu no "Calouros em desfile", tendo escapado do gongo do seu Ary, não tinha frutificado. Pelo menos não logo em seguida à sua apresentação. "Eu fiquei bastante entusiasmada, achei que, como todo mundo ouvia rádio, dali iriam sair muitas oportunidades, afinal de contas eu tinha ido bem no programa", conta ela. Só que nenhum convite apareceu. Calouros e calouras se sucediam aos borbotões nos programas de vários apresentadores em várias estações e Elza, mesmo com aquele talento todo capaz de quebrar até a sisudez de Ary Barroso, era apenas mais uma – só que era mais uma que não desistia!

Qualquer chance de mostrar seu trabalho estava valendo. Por isso, quando seu irmão um dia lançou um desafio como que de brincadeira, ela levou completamente a sério. "Eu cantarolava em casa, meu irmão Ino ficava bravo e provocava: 'Você não sabe cantar! Então vai lá na escola fazer um teste, porque meu professor tá procurando alguém pra ser cantora na orquestra dele.'" Segundo Elza, ele falava em tom de galhofa, como se um encontro desses nunca fosse acontecer. Pelo visto Avelino não conhecia bem a irmã.

"Um dia criei coragem e fui. Estava meio malvestidinha, mas fui assim mesmo. Só que quando cheguei lá, quase me arrependi. Fiquei escondida num canto da sala, vendo o professor do meu irmão fazer teste com as outras meninas." Joaquim Negli era um professor dedicado, exigente – e, só de observá-lo ali com as outras candidatas, Elza já ficou um pouco intimidada. "Eu me sentia muito mal porque olhava para a minha roupa e tinha certeza de que não estava de acordo." Mais uma vez ela tinha improvisado uma roupa com o que tinha em casa, para fazer boa figura na hora do teste. Sua vontade de cantar era mais forte que a sensação de deslocamento, de desconforto – e foi isso que ajudou a encarar o desafio. Nesse impasse de entrar ou não na sala, enquanto observava tudo de fora, acabou que ela se apresentou um pouco tarde para o professor. "Entrei na sala meio no susto e disse que tinha vindo para fazer o teste, mas o professor me olhou torto e respondeu que eu não poderia ser avaliada porque havia chegado atrasada." Elza respirou fundo, tomou um pouco mais de coragem e continuou: "Eu estava aqui o tempo todo, só fiquei ali escondida de vergonha."

Alguma coisa na voz daquela menina convenceu o professor. Os músicos, que já estavam indo embora, foram reconvocados para se instalar e tocar novamente – já sem paciência. Elza olhou para o irmão, que assistia a tudo sem deixar transparecer que conhecia aquela candidata, e falou baixinho para só ele ouvir: "Você vai ver só!" Ela tinha escolhido uma canção triste, que achava que iria funcionar, chamada "Lamento". Soltou sua voz:

"Ai, só você não vê, na minha vida falta você
Ai, só você não vê, na minha vida falta você
Nos meus olhos está faltando a luz do seu olhar
No meu peito, está morando uma saudade em seu lugar."

Desses versos melancólicos, Elza conseguiu tirar um encanto lindo, que impressionou o professor. Ela podia ver em seu rosto que ele estava mais relaxado que antes. Todo mundo parecia feliz. "Só depois que fiz o teste que contei que era irmã do Avelino e eu logo vi que ele ficou todo sem graça, mas não podia reclamar... afinal de contas, todo mundo tinha gostado, ele não ia ser bobo de dizer que não aprovava aquilo", diz Elza, que saiu dali com um contrato para cantar com a Orquestra de Bailes Garan, sob a regência do professor Joaquim Negli. Ela pediu ao irmão que não contasse nada em casa, pelo menos naquele começo. As apresentações se iniciaram logo no fim de semana seguinte, pois o ritmo da orquestra era intenso: festas, bailes, casamentos, eventos sociais. Onde quer que eles fossem convidados a tocar, lá estava Elza também... mesmo que nem sempre com a certeza de que entraria no palco.

"Tinha clube que era racista", afirma Elza, reconhecendo que nem entendia muito bem o que significava aquilo na época. Tudo que diziam para ela era que, num determinado local, o diretor não queria que um negro subisse ao palco para cantar. O preconceito era claro, mas não era algo que ela conseguisse elaborar totalmente naquele momento. Elza simplesmente obedecia mesmo sabendo que, se não cantasse, não ganharia o dinheiro da noite. Naquela época infelizmente não tinha muito como fazer diferente, só restava obedecer. "Eu ia toda bonita – o professor mandou fazer pra mim um vestido de filó, todo branco, que eu vestia e me sentia como uma bailarina em dia de estreia, linda... Mas tinha lugar que negro não cantava, né? Então algumas noites eu me arrumava toda, ficava ali, prontinha, fora do palco, esperando para entrar... e nada... Voltava pra casa sem me apresentar."

Num mundo tão politizado como o de hoje, fica difícil imaginar uma artista que não respondesse a esse racismo. Mas essa era uma situação, ou ainda, um conceito quase que inédito para aquela moça que, apesar de mãe de quatro filhos, ainda não tinha muita noção de como se comportar no mundo dos adultos. "Desde criança, eu acompanhava minha mãe nas casas das pessoas onde ela lavava roupa e a lembrança que eu tinha era a de que eu era muito bem tratada. Eu chegava lá, minha mãe sempre dizia pra mim e pras minhas irmãs que era para a gente sentar num canto e ficar quietinha – então a gente ia e ficava bem-comportada. Em alguns lugares até ganhávamos um prato de comida. Por isso a ideia que eu tinha era a de que a gente era bem recebida." A cena que Elza descreve era em si uma situação de segregação: as filhas de dona Rosária raramente podiam entrar nas casas onde ela trabalhava. Mas se elas ganhassem um "lanche", nem pensavam em reclamar de algo. O mundo, na cabeça daquela menina, era assim. E pouca coisa tinha mudado nesse seu referencial quando ela chegou à adolescência. Era preciso primeiro conquistar um espaço – depois, entender que espaço era aquele e brigar muito por ele. Mas naqueles tempos da Garan, sua postura era a de aceitação – mesmo ciente de que estava sendo prejudicada.

Elza foi tomando consciência dessa realidade nas apresentações da orquestra. Começou aos poucos a perceber o quanto aquilo estava errado e a se sentir bastante incomodada, mesmo sem entender direito a engrenagem social que estava por trás daquele impedimento. Era frustrante para ela sair de casa, se aprontar toda, gastar o dinheiro da passagem de ônibus (quando ela não o economizava para comprar um pouco mais de comida para sua casa), passar a noite com os músicos e... não cantar! O maestro era branco e, como Elza lembra, boa parte dos seus músicos que subiam no palco era de negros. Mas o problema em algumas festas era uma negra chegar ao microfone. "Eles tinham medo de contrariar quem tinha contratado a orquestra e depois nunca mais serem chamados." Até que um dia...

Foi também num clube em Pilares, zona norte do Rio de Janeiro, onde a Caprichosos já fazia barulho no Carnaval, que Elza, num gesto que estava menos para a política do que para a sua impulsividade nativa, desrespeitou a ordem de não entrar no palco. "Eu estava do lado de fora, ouvindo a orquestra tocar uma música boa e senti que estavam faltando os vocais. Eles já tinham me avisado que naquele clube eles não me queriam no palco. Não sei bem o que me deu, mas naquele dia eu não aguentei: me levantei da cadeira, fui até o microfone e cantei", admite triunfante. Todos os músicos – e o próprio maestro, que só percebeu que ela tinha entrado quando ouviu sua voz – levaram um susto. Depois que ela já tinha começado era quase impossível interromper tudo e pedir a Elza que saísse. Ela percebeu que havia criado uma certa confusão. Quando ainda entoava a primeira música, já se notava uma certa movimentação entre os responsáveis pela noite, um zum-zum-zum que parecia perguntar: "O que esta mulher está fazendo aí?" Mas era tarde: o público, animado, já havia se levantado para dançar e – mais importante – para aplaudir aquela cantora. "Eu vi que as pessoas estavam adorando, que estava todo mundo dançando, eu estava ganhando aplausos, gritos, e quem é que tinha então coragem de me tirar dali, de falar que eu não podia cantar?", brinca Elza sem disfarçar sua satisfação com esse pequeno e belo triunfo. "Venci pelo talento."

E o episódio serviu para vencer qualquer barreira. Dali em diante, Elza era presença certa em qualquer palco que eles se apresentassem. Inclusive, depois disso, ela passou a se considerar, de fato, a vocalista oficial da Orquestra de Bailes Garan e já podia contar com alguns trocados a mais em casa. "Dava para comprar uma sardinha, um pouco mais de pão, mas eu não podia dizer que estava ganhando dinheiro com isso, não, sabia que essa boquinha poderia acabar a qualquer hora." Essa atividade ainda era um segredo para a sua família – que nem desconfiava que ela passava suas noites cantando. Talvez por certo orgulho da irmã, Avelino tinha mantido o segredo. E ela tinha a desculpa dos trabalhos de doméstica para explicar o dinheiro que estava entrando. Mais ainda: dizia à dona Rosária que a patroa precisava dela à noite para servir jantares e cuidar de crianças. Dava para sustentar seus filhos, manter a mentira e ainda sobrava um pouco para ela ajudar dona Rosária. Além do dinheiro, que era seu primeiro objetivo, Elza estava contente de finalmente explorar exatamente o talento que ela sabia ter. A rotina era exaustiva, as horas de sono, poucas, mas quem disse que ela reclamava? "Eu

cantava todo fim de semana, não tinha tempo para ficar cansada não, eu estava fazendo o que eu queria."

Os shows da orquestra cruzavam a noite do Rio, e foi numa dessas apresentações, num lugar próximo à praça Mauá, bem ali no início da avenida Rio Branco, que era desde aquele tempo uma região agitada do Rio, que dois rapazes a abordaram cheios de elogios: "Eles eram feirantes e um deles se chamava Umbiá. Disseram que tinham gostado muito de me ver cantando e que queriam me apresentar para uma tal de Mercedes Baptista – que, na época, eu não tinha ideia de quem seria."

Mercedes já era bastante conhecida no meio teatral carioca. Pioneira da união entre as danças africanas e a linguagem do balé clássico no cenário cultural do Rio de Janeiro, ela ainda tinha no currículo o fato de ter sido a primeira bailarina negra do corpo de baile do Theatro Municipal do Rio de Janeiro. Quando deixou o grupo, foi morar nos Estados Unidos e desenvolveu um trabalho ainda mais autoral e afro-brasileiro, com uma linguagem reconhecidamente original. Mas nada disso parecia muito importante para Elza Soares naquele momento. O que chamou sua atenção foi que Mercedes participava, junto com o seu corpo de baile, o Ballet Folclórico Mercedes Baptista, de um certo espetáculo que lotava a plateia todas as noites não muito longe da própria praça Mauá, no Teatro João Caetano: *É tudo Juju-Frufru...*

O teatro de revista dominava há anos o entretenimento na então capital do Brasil. Naquele 1958, por exemplo, não faltavam opções para o público se divertir. O teatro chamado "sério" marcava sua presença nos roteiros publicados nos jornais: esse foi o ano do retorno da grande dama Dulcina – afastada havia três anos dos palcos –, ao teatro que batizou com seu nome, fazendo *O processo de Jesus*, de Diego Fabri. Uma "turma de São Paulo", como descreveu um colunista – Raul Cortez, Felipe Carone, Myriam Pérsia, dirigidos por Antunes Filho –, estava em cartaz em curta temporada com *O diário de Anne Frank*, no Carlos Gomes. No Copacabana Palace, Henriette Morineau era uma das atrizes da "sensação da Broadway", *Gigi*. Mas eram as "revistas" que, mesmo depois de anos de sucesso, ainda levavam os espectadores ao delírio...

Eva Todor, estrela maior do gênero, estendia sua temporada de *Timbira* no Teatro Serrador, junto com um elenco que incluía nomes que mais no futuro ficariam conhecidíssimos na televisão: Jardel Filho e Ilka Soares. No Teatro do Leme, as Guanabara Girls faziam a alegria de quem ia conferir *Tem água no biquíni* – Lia Mara era a "vedete convidada". Em plena Cinelândia, no Teatro Rival, Grande Otelo, já uma estrela maior apresentada ao Brasil pelo cinema das décadas anteriores, fazia duas sessões por dia de *Um pedaço de mau caminho*, com sua coestrela, Conchita Mascarenhas. *Juju-Frufru* também era um sucesso, como quase tudo que era montado no João Caetano. Mas o elenco estava precisando de um reforço – e, quando Elza foi apresentada para Mercedes Baptista, foi imediatamente convocada para um teste.

"Eu estava tão nervosa que, quando me falaram que eu teria de fazer uma prova de roupa, nem prestei atenção que eles haviam me dado apenas uma calcinha e um sutiã." Era, na verdade, um biquíni, o primeiro que Elza tinha nas mãos – uma peça do vestuário que ela nunca tinha usado. "Nunca ia à praia, morava longe do mar e minha vida era só trabalho. A gente nem via essas coisas em televisão – aliás, nem via televisão. Sabia que era assim que as pessoas tomavam banho de mar por causa das fotos nas revistas. Eu olhei para aquelas duas peças, vesti e fiquei esperando eles trazerem o resto do figurino. Achei mesmo que viria mais alguma coisa para eu usar por cima." Só que passados uns 15 minutos, atendendo aos chamados da produção, as bailarinas que estavam vestindo o mesmo que ela foram indo embora e deixaram Elza sozinha no camarim. "Um cara chamado Perpétuo, que era o responsável pelo elenco, começou a gritar perguntando se tinha alguém lá dentro ainda. Eu disse que sim, tinha eu, mas não podia sair porque não estava vestida, que ainda não tinham dado a minha roupa." "Como assim?", insistiu Perpétuo. "Você não está de biquíni? Esta é a roupa que você vai usar na peça, pode sair." Elza respondeu categoricamente: "Não vou sair assim, não!" Foram necessários mais alguns minutos e uma explicação de que seu figurino ainda teria uma espécie de saia por cima da parte de baixo do biquíni para que Elza vencesse a vergonha, chegasse até o palco e cantasse. Apesar da relutância, seu belo corpo era ainda mais realçado pelo figurino minúsculo – para os padrões de então. Sua beleza em cena e mais, claro, aquela voz que ninguém entendeu de onde vinha agradaram imediatamente. Foi contratada na mesma hora!

A tal saia que haviam prometido, e que chegou pouco antes de sua estreia, era menor que aquilo que hoje pode-se chamar de pareô – apenas alguns babados que começavam na cintura e se abriam ao longo das pernas, transformando Elza numa possível rumbeira estilizada. Ou seria mambeira? "Maestro, toca um mambo, maestro toca um mambo, que é pra gente dançar" – é o que ela se lembra da letra de seu número principal, que logo caiu no gosto do público. "Foi um sucesso!", lembra Elza com saudades daqueles primeiros aplausos, quando finalmente se apresentava sem ter que se preocupar com as risadas de um público sarcástico, ou mesmo com o crivo de um apresentador de programa de rádio ou a vergonha de estar malvestida. A peça se passava na praia, num cenário todo estilizado, por isso as mulheres de biquíni, no melhor estilo "juju-frufru". E tudo parecia coisa de cinema. Uma diversão que Elza também nunca se tinha permitido até então, mas fazia parte do seu imaginário. Mas era tudo real: em *É tudo Juju-Frufru* ela estava linda, glamorosa, irradiante, cantando como nunca – e com seu nome gravado numa estrela na entrada do teatro.

A ponto de chamar a atenção de Grande Otelo, que obviamente circulava por aquelas coxias. Foi ele que "adotou Elza" nesse início de carreira e a ajudou a dar seus primeiros passos na interpretação. Elza nunca se considerou uma atriz. Sabia dos seus dotes e dos seus limites – era indiscutivelmente uma cantora excepcional, mas estava longe das habilidades necessárias para interpretar um personagem. Foi aí que Grande Otelo veio para ajudar.

"Sua puta!", gritava ele para aquela moça que ele mal conhecia, durante um dos vários encontros que tiveram. A ideia não era ofendê-la, mas sim, em sessões de aquecimento, buscar uma reação diferente daquela mulher que só sabia arregalar os olhos diante de um palavrão. Era como Grande Otelo queria transformar Elza numa atriz.
"Eu ficava quietinha, não sabia muito o que fazer. Ele continuava me provocando e eu ficava muda. Ele me dizia: 'Vou ser seu diretor, tá?' E eu fazia tudo o que ele mandava, quando eu conseguia", brinca Elza. Naquelas primeiras tentativas, ela só dava conta mesmo de fazer cara de assustada. Mas ela era boa aluna e foi aprendendo rápido. "Ele me ensinou a como entrar no palco, quando e como olhar para a plateia, eu aprendi com ele como eu deveria conversar em cena, contracenar com os outros atores, e até como eu deveria me esconder, quando não era a hora de aparecer." E Grande Otelo seguia com o treino: "Responda", exigia ele a cada insulto. "Mas você tá me xingando", respondia Elza. E ele explicava: "Eu quero uma reação diferente para cada coisa que eu falar na sua cara, combinado?"

Elza aprendeu o suficiente para se virar naqueles primeiros espetáculos. Mas o que ficou desse encontro foi a relação entre os dois. A confiança dela foi crescendo, junto com o laço da amizade entre eles. "Nós conversávamos muito, às vezes ficávamos até tarde, depois que saíamos do teatro, e varávamos a noite jogando conversa fora." Aliás, nem tudo era conversa jogada fora. Foi Grande Otelo que, em vários desses encontros, deu à Elza sua primeira consciência do que era ser uma artista negra no Brasil – um Brasil, diga-se, bastante diferente desse nosso de hoje (ou talvez não). "Ele era um homem muito engraçado e muito inteligente; ele tinha uma cabeça muito boa e me 'abraçou' naquele início. Lembro-me de que ele já sentia que o negro estava sub-representado nas artes, e quando viu que eu estava no elenco de *Juju-Frufru* foi como se eu estivesse dando uma contribuição maior para o espetáculo."

Essas ideias foram amadurecendo em Elza nessa época e é por isso, entre outros motivos, que ela e Grande Otelo desenvolveram uma parceria tão forte, que ambos levariam para o resto da vida. "Nos anos 1960, quando eu já estava com o Mané, que também gostava muito dele, voltei a fazer espetáculos com o Grande Otelo. Trabalhamos muito com Carlos Machado." Carlos, pai da atriz Djenane Machado, foi um dos nomes mais importantes do cenário cultural brasileiro, produziu peças e musicais por mais de três décadas, numa relação simbiótica, de carinho e talento, com artistas como Grande Otelo e Elza Soares. "Carlos Machado foi o 'Rei da Noite'!", ressalta, orgulhosa.

Mas se, por um lado, a personalidade artística de Elza ia se desenvolvendo, sua vida pessoal estava se complicando. Sua família continuava achando que ela tinha um plantão num serviço noturno e nem desconfiava das noites no palco. O que só aumentava seu medo de ser descoberta. "Algumas pessoas já desconfiavam que eu estava aprontando alguma coisa. E quando encontrava alguém em que eu pudesse confiar, até compartilhava alguma coisa, mas com o pé atrás. Um dia mostrei uma foto do espetáculo para umas primas minhas e elas me chamaram de maluca!" A reação delas deixou Elza ainda mais preocupada. "Teu pai vai te matar se te pegar assim com esse biquíni", uma delas chegou a dizer. Elza, porém, tinha mais medo do seu marido, que era irredutível: mulher dele não saía cantando por aí. Elza vivia em dois mundos completamente distantes e incomunicáveis: o do *glamour* dos palcos e o da dureza da vida em sua casa. "No meu dia a dia, sabia que meu marido estava no hospital; as crianças ou na escola ou na rua, a maior parte do tempo longe de mim. E, de noite, eu vestia uma roupa daquelas... Era verdade, se meu pai visse aquilo seria capaz de me chamar de prostituta mesmo."

No fundo, ela sabia que não estava fazendo nada demais. E que teria de um dia dar esse "salto" de um mundo ao outro. Aquele cotidiano que sua família oferecia não era para Elza. Ela queria mais e iria correr atrás disso. Àquela altura, porém, sua maior ambição imediata era ganhar uma estrela na frente do João Caetano, não pequenininha, mas do tamanho da que estampava o nome de Rose Rondelli, o destaque do seu espetáculo, já cercada de uma fama tão grande, que a aproximaria do seu futuro marido Chico Anysio, já um nome importante da TV brasileira – que ainda engatinhava. E uma estrela maior significaria também... mais dinheiro para comprar um pouco mais de leite para Carlinhos, Gilson, Dilma e toda a família.

Levaria algum tempo até que ela ganhasse esse destaque. Mesmo com seu carisma em plena formação, ainda demoraria um pouco para que Elza conquistasse uma noite só sua. Num teatro, por que não? Ou até mesmo numa boate, como já acontecia, por exemplo, com a grande Maysa, que, enquanto Elza rebolava de *Juju-Frufru*, se apresentava com exclusividade no Club 36, naquela mesma temporada.

Elza nem sabia o que era uma boate, muito menos que um lugar desses seria seu passaporte para o estrelato. Escolher as músicas que queria cantar e ainda por cima ser o motivo pelo qual as pessoas saem de casa para assistir, se divertir, se emocionar... tudo isso parecia um voo alto demais para aquela mulher simples de Água Santa querer alçar. Mas ali, contagiada pela ebulição de uma intensa cena teatral, Elza sentia, ainda que de maneira intuitiva, que já estava fazendo parte de alguma coisa maior. No mínimo, já estava sendo notada. Era amiga de Grande Otelo e, em seu camarim, chegavam bilhetes e flores de admiradores anônimos.

Juju-Frufru foi um começo. A estrela ela já tinha. Seria melhor se os jornais da época destacassem seu nome nos resumos que publicavam dos espetáculos do "giro da noite" – que mostravam a diversidade dos palcos da capital do Brasil. Brasília seria inaugurada em poucos anos e, mesmo que o Rio perdesse a faixa de capital, a boemia carioca garantia que ali reinaria, ainda por muitas décadas, a fina flor das artes nacionais. Mas como "coadjuvante da coadjuvante", como ela mesmo brinca, falando do seu pequeno papel no teatro, acabou que *Juju-Frufru* foi muito importante para Elza Soares. Foi por conta dessa temporada excepcional que Mercedes Baptista a convidou para dar um passo maior – internacional. A música que era feita no Brasil reverberava em ecos para o resto do mundo e começava a ser exportada. Nossos *"hermanos argentinos"*, que sempre cultivaram uma vibrante cena teatral, abriam espaço para o talento brasileiro – e quando quiseram levar uma revista musical com jeitinho de Brasil, o nome de Mercedes foi logo citado. Convidada, então, para uma breve temporada internacional, logo depois de *É tudo Juju-Frufru*, Mercedes chamou Elza para juntar-se a sua trupe e se apresentar "no estrangeiro" por algumas semanas. Ah, e com a promessa de um belo cachê, *por supuesto...*

Elza não teve dúvidas e foi logo aprontar a sua mala. A terra era a do tango, mas Elza faria com que eles se apaixonassem, sem muita resistência, pelo samba. Embarcou num navio que saiu do Rio de Janeiro e partiu, então, para conquistar Buenos Aires!

CASA DO CAFE
CRUZ DEL SUD
PARIS
CINE
MAYORGA
NOVEDADES
BRUNO
PERFUMERIA
CORSETERIA
Florida
CON SEGURO DE VIDA
CINE
CINE
ALHAJAS
RELOJES

na cidade do tango, muitas desilusões

"*Si el nené no duerme no puedo bailar... ¡pero hay que darle la mamadera!*" Assim cantava a embaixadora do samba, nas rádios de Buenos Aires, no fim dos anos 1950. Tudo bem que a música estava mais para um chá-chá-chá. O importante é que ela havia levado um pouco do nosso ritmo tão brasileiro para a capital argentina – e *los hermanos porteños* enlouqueciam cada vez que ouviam o refrão de "La mamadera", com a irresistível voz e rebolado de Yuyu da Silva.

Quando Elza Soares chega em Buenos Aires, é por conta justamente de uma febre de samba. Yuyu, que era conhecida entre nós como Juju dos Balangandãs, foi rebatizada assim numa adaptação dos argentinos para facilitar a pronúncia do nosso jota – foi uma das primeiras porta-vozes dessa onda musical. E quando Elza chega com o espetáculo de Mercedes Baptista à capital argentina, como uma das cantoras principais daquele show tipo "samba exportação", o público porteño já estava pronto para recebê-la de braços abertos. Elza pegava carona na descoberta recente dos argentinos e, sempre pensando no dinheiro que isso poderia trazer, aceitou o convite

A noite de Buenos Aires, na década de 1950.

de Mercedes Baptista para estrelar no espetáculo de música e dança afro-brasileiras que ela preparava para agradar nossos vizinhos de fronteira. Mercedes já tinha gostado do trabalho de Elza em *É tudo Juju-Frufru*, sua estreia nos palcos, no Teatro João Caetano. E agora partiam para uma carreira fora do Brasil. Ou quase isso...

Se para Elza tudo era novidade, no currículo de Mercedes, era só mais uma escala internacional. Já era uma bailarina famosa e consagrada – com um universo gestual bastante original. Somando-se a isso a experiência de um ano em que estudou com a Katherine Dunham, nos Estados Unidos, em meados dos anos 1950 – o resultado foi o Ballet Folclórico Mercedes Baptista, que lutava para manter um reportório original. Se já não é fácil ter uma companhia independente de dança hoje, imagine naquela época!

O público para um trabalho tão sofisticado talvez fosse pequeno, mas felizmente, no cenário teatral carioca dessa década, todos os gêneros se misturavam – e um intercâmbio com o ultrapopular teatro de revista era inevitável, e até lucrativo. Era nesses espetáculos, digamos, mais populares e comerciais que Mercedes reforçava o orçamento do seu grupo de dança. Com *Juju-Frufru* Mercedes ganhava dinheiro, uma vez que qualquer espetáculo desse tipo lotava todas as noites o João Caetano. E, paralelamente, ela conseguia garantir a sobrevivência do Ballet Folclórico. Elza tinha um papel pequeno na montagem, mas Mercedes deve ter visto nela um grande potencial – ainda mais para agradar a um público estrangeiro.

"Eu nunca tinha saído do Rio de Janeiro, muito menos do Brasil, mas eu precisava do dinheiro e o combinado era de que seria apenas por algumas semanas", conta Elza, deixando claro que o que a deslumbrava não era a viagem em si, mas o "respiro" que teria com o que entraria de dinheiro depois da turnê. Com esse cachê, quem sabe ela até não tivesse condições de se mudar para uma outra casa e dar um pouco mais de conforto para seus filhos, que já estavam crescendo e precisando de espaço? Era difícil, para uma mãe como ela, largar as crianças – ainda que por um período curto. Mas Elza achava que era um sacrifício que valeria a pena. Acreditava tanto no sucesso que decidiu contar para a família – e especialmente para o marido – que estava buscando uma carreira na música. A desculpa, claro, foi o dinheiro. As dificuldades por que todos passavam justificavam sua tentativa de ganhar dinheiro de qualquer jeito. Com Alaordes já hospitalizado por conta da tuberculose, uma oportunidade como a de Buenos Aires parecia, a princípio, uma solução. Mas ela sabia que aquilo significava algo mais. Foi a primeira vez em que Elza sonhou grande – e tudo parecia mesmo perfeito. Despediu-se dos filhos sem muita choradeira, e brincou com Carlinhos que ele tinha que ser o homem da casa enquanto ela estivesse fora. "Ele sempre foi muito responsável. Carlinhos dizia, desde pequenininho, que queria ser padre e eu achava que ele ia ser mesmo, de tão sério e compenetrado que ele era comigo e com os irmãos." Nada mais natural do que pedir para que ele olhasse por Gilson e Dilma. Gérson estava com os padrinhos em Santa Teresa.

Era 11 de setembro de 1958. Elza e o grupo de Mercedes Baptista embarcaram no navio *Provence* rumo à capital argentina. Elza levou uma mala pequena. Não levou roupa de frio, uma vez que nem pegaria o inverno por lá – a turnê duraria somente 15 dias. A viagem foi mais rápida do que imaginava: "Eu achei que ia enjoar naquele barco, mas acabei gostando!" E, quando chegou em Buenos Aires, ficou encantada com as suas acomodações. Elenco e produção foram acomodados num hotel barato na rua Florida – até hoje o coração comercial da capital argentina. "Era a primeira cama boa em que eu dormia na minha vida." O hotel não tinha nada demais – era apenas uma acomodação modesta no centro portenho, com uma infinidade de opções. Era por ali mesmo que os turistas se alojavam no fim daquela década. Mas tudo era novo e, por isso mesmo, especial para a menina de Água Santa: "De onde eu saí, aquilo para mim era um luxo. Meu quarto tinha banheiro com água quente à vontade. Eu até ficava meio com culpa de tomar aquele banho gostoso e lembrar dos meus filhos lá em casa se lavando numa bacia... Mas aí eu me lembrava de que estava ali justamente para um dia dar coisas para eles, como um banho daqueles do hotel." A vizinhança não era das mais sofisticadas – o bairro chique, já naquele tempo, era a Recoleta, endereço que Yuyu escolheu para morar, quando sua carreira se firmou mesmo por lá, e ela decidiu viver de vez na Argentina. Mas para Elza era uma mudança radical, uma espécie de *upgrade*.

Um dos teatros onde o grupo se apresentava era um daqueles espaços gigantescos da avenida Corrientes – que, imortalizada nos tangos de Gardel, sempre foi (e é até hoje) a passarela dos talentos cênicos argentinos, e de muitos artistas internacionais. Casas com capacidade para até duas mil pessoas lotavam todas as noites essa versão latina da Broadway nova-iorquina, com as várias atrações musicais e teatrais. Mesmo nos tempos de maior crise, essa sempre foi uma parte vibrante da cidade, com os portenhos usando a música e a arte como uma válvula de escape para as dificuldades. A marquise do Teatro Astral, onde Elza iria se apresentar era a que chamava mais a atenção, com suas centenas de lâmpadas iluminando a própria avenida por onde os carros passavam. No piso do *foyer*, azulejos com contornos *art déco* recebiam o público bem-vestido para conferir aquela exótica atração vinda do Brasil. O *glamour* estava no ar, mas para Elza aquilo era só mais um espetáculo. Tudo era novo, sim, tudo era diferente, as pessoas falando naquela língua que, a princípio, ela mal conseguia entender. "Todo mundo me falava que ia ser fácil entender os argentinos, mas eles falavam tudo tão depressa que era impossível a gente pegar uma palavra, a gente apanhou muito com a língua no começo." Ainda bem que ninguém pediu que ela cantasse em outro idioma que não fosse o seu.

Nos primeiros dias, foi uma correria para reensaiar tudo e adaptar o espetáculo para aquele palco gigantesco. Mas Elza, ainda tímida, cumpria tudo à risca, ainda que tivesse lá as suas dúvidas de que o espetáculo iria emplacar. "Eu não sabia direito como aquela gente que não falava português – e acho que nunca tinha ouvido muito do nosso samba – ia gostar daquela coisa toda." Mas, já na primeira noite, quando ela entrou no palco, nenhuma sombra de preocupação transparecia. Sua voz, que já havia encantado os brasileiros, fazia sucesso agora com os argentinos. E sua participação era, sim, o ponto alto do show. "Eu me lembro dos aplausos, mais fortes até do que os que eu tinha me acostumado a ouvir no Rio de Janeiro. E, naquela hora, fiquei com a sensação de que a gente arrasaria lá também." Elza se lembra até da maneira como os argentinos mostravam que tinham gostado mesmo da apresentação: "Os homens jogavam seus paletós no palco! Era uma maravilha ver, toda noite, o chão onde a gente tinha se apresentado cheio de roupas espalhadas. Era o jeito deles de nos agradecer." Foi um bom começo, e toda a companhia ficou otimista com o que estava por vir.

Toda energia e excitação de Elza, porém, se limitava aos palcos. "Eu não curtia a noite portenha. Acabava o show eu ia direto para o hotel. Ficava preocupada com o que poderia estar acontecendo em casa e, como a gente não tinha notícia de nada, preferia dormir sem a distração daquela vida noturna tentadora." A estação Uruguay do metrô de Buenos Aires ficava a apenas uma quadra do Astral, mas ela dispensava qualquer destino que não fosse seu quarto. Muito menos a noite tão típica de Caminito. Tarde da noite, Elza ia caminhando para sua modesta – mas para ela, luxuosa – acomodação e se dava por feliz. "Hoje eu não ficaria num lugar tão apertado, mas, para a mulher que saiu de uma esteira em Água Santa, aquilo era o melhor refúgio de conforto que se poderia ter – e queria ir logo para lá. Estava longe de casa, pensava muito nas crianças, na minha mãe, no meu pai. Queria só ficar quietinha, fazer meu show no dia seguinte e pronto." Elza saía por trás do teatro, passava pelo Palácio da Justiça, com suas imponentes colunas e seus arcos bem marcados, cruzava a praça Lavalle, via de longe o Teatro Colón – já uma referência mundial da música erudita — e chegava assim à Florida, numa porta modesta que era a entrada do seu hotel.

Também à sua volta, a noite fervia. Ao lado do Teatro Astral, no número 1.669 da própria Corrientes, ficava El Gato Negro — um movimentado café que ainda permanece aberto até altas horas. Na calçada, em frente, há um marco em homenagem a Julio Sosa, "El varón del tango", um dos maiores ídolos da música argentina no fim dos anos 1950. Provável cliente assíduo do Gato Negro, Sosa devia chegar tarde a uma das suas diminutas mesas redondas e ficar observando o movimento da grande avenida, especialmente na saída dos teatros, quando público e artistas se misturavam naquela grande passarela.

Elza certamente deve ter chamado sua atenção — uma figura de destaque entre os portenhos, andando apressada, talvez parando para um café, não no Gato Negro, que sempre foi mais caro (hoje sua vitrine é recheada de produtos elegantes comercializados pela casa, de temperos e chás exclusivos, até um bom vermute), mas no Café La Paz, mais tranquilo e simples, logo ali na frente. Se tudo corresse conforme o planejado, em apenas alguns dias Elza estaria de volta a sua casa, chegaria na Água Santa cheia de presentes para seus filhos — e com um dinheiro extra para poder pensar no que queria fazer da sua carreira.

"Só que a gente levou um calote", relata Elza sem emoção. "O empresário que tinha levado a gente lá simplesmente sumiu, e nós ficamos ali em Buenos Aires sem saber como nem quando sairíamos de lá." É preciso reforçar que àquela altura a comunicação era algo extremamente difícil. Ligar para o Brasil para explicar o que estava acontecendo estava fora de questão — a chamada custava uma pequena fortuna e a família de Elza nem telefone tinha. Poderia, lembra ela, ligar para a pedreira onde seu pai trabalhava. Elza lembra-se até hoje do número de lá: 292.429. Mas até dar satisfação de tudo... Não valeria a pena. O jeito foi escrever uma carta e dizer a verdade: ela só poderia voltar, quando tivesse dinheiro. "Foi muito dolorido colocar aquilo tudo daquela maneira, mas não tinha jeito. Eu não ia voltar para minha casa derrotada. Só quando eu conseguisse mesmo juntar uma grana. E fiz questão de dizer que eles não precisavam se preocupar comigo. Eu estava bem. Escrevi, mandei e fiquei rezando para que eles me entendessem." E quando é que Elza conseguiria voltar para casa? Bem...

Antes de tudo, Elza tinha que arrumar algum lugar para cantar. O show que foi fazer, com o calote, foi cancelado abruptamente. Mercedes e alguns artistas conseguiram voltar logo em seguida – tinham algum dinheiro guardado. Elza teve que se virar para descobrir um teatro pequeno, ou mesmo um cabaré, onde pudesse cantar – e ainda levar com ela os músicos que não conseguiram ir embora de Buenos Aires. "Eu me apresentava em qualquer lugar. Cantava em palcos antes das sessões de cinema. Era um ritual bastante comum então, uma espécie de aquecimento para o filme que começaria, enquanto a sala não lotava. Também aceitava trabalho de uma ou duas apresentações em qualquer casa noturna." No desespero de juntar uns trocados, Elza cantava até tango – um repertório que ela improvisava com os músicos e que incluía também uma música que tinha sido gravada por Ângela Maria (que Elza tanto admirava), chamada "O samba e o tango". Essa canção, décadas depois, abriria o show que Caetano Veloso fez, com enorme sucesso, nos anos 1990: *Fina estampa*, recheado de músicas em espanhol. Mas ali, no desespero e sem perspectiva, apenas querendo voltar para casa, a letra malandra tinha o "humor" ideal para ela disfarçar seu sotaque e sua tristeza para os argentinos. "*Yo te tengo amor sincero*, diz a *muchacha* do Prata" – Elza cantava meio com ironia, meio com desdém. O que ela queria mesmo era sair de lá.

As semanas foram virando meses, e os meses logo virariam um ano! As notícias de casa, quando chegavam, eram escassas. Cartas eram raras, telefonemas, inexistentes. O pouco que Elza sabia era por conta de algum músico em excursão que estivesse de passagem por

Buenos Aires, ou seja, por acaso. Se ele viesse do Rio, era provável que conhecesse alguém do círculo de Elza, e aí, o máximo que ela conseguia saber era que suas crianças estavam bem, uma notícia vaga que o viajante dava mais para se ver livre das perguntas de Elza do que por precisão de informação. Mas além dos seus filhos, ela se preocupava muito com seu pai, cuja saúde já não estava boa quando ela deixou o Brasil.

Sua aflição havia começado no dia em que chegou a Buenos Aires. Logo depois de uma de suas primeiras apresentações no Astral, Elza teve uma visão. "Eu tinha acabado de sair do palco, a última música que cantei foi 'Risque', do Ary Barroso, mas eu mal fiquei para agradecer – os paletós nem tinham chegado ao palco ainda. Saí correndo para o hotel! Eu já não estava me sentindo a Elza, era como se outra mulher estivesse me levando para lá. Cheguei e me deitei imediatamente, ouvi então o elevador do meu andar se abrindo e, em seguida, a porta do meu quarto. Tentei levantar, mas eu não conseguia me mover. Meus braços estavam embaixo do meu corpo e eu estava deitada de bruços. Aí, seu Avelino apareceu falando comigo. Eu comecei a chorar e ele me perguntou por que eu estava chorando. Eu disse: 'Eu quero ir embora, pai. Eu quero ir com o senhor, meu pai, me leva.' E ele só me olhava." Até que seu Avelino respondeu algo que serviu como um oráculo: "O lugar onde eu estou não é para você, minha filha. Volta para casa, que teus filhos estão precisando da tua ajuda." E foi aí que Elza começou a passar realmente mal. "Eu ainda vi, na minha alucinação, uma bailarina do espetáculo, que se chamava Labi, entrar cantando: 'Teu pai morreu, teu pai morreu...' Aí eu não aguentei e desmaiei."

Elza não tem certeza do que aconteceu depois disso – só lembra de ter acordado num hospital. "A Mercedes Baptista foi muito má comigo, mandou me dar um monte de injeção, que era pra eu não deixar de fazer o espetáculo no dia seguinte. Acho que todo mundo pensou que eu tinha ficado doida – e mandaram um médico me acompanhar até o hotel, um senhor gordo, de óculos, que me deu mais

Obelisco de Buenos Aires, 1957.

medo ainda. Fui dormir completamente dopada e quando acordei no dia seguinte e me lembrei de tudo aquilo, fiquei apavorada."

Aquela visão voltava sempre, deixando Elza cada vez mais preocupada com seu adorado pai. Será que ele estava para morrer? Aquilo teria sido um aviso? Seu Avelino, ao mesmo tempo em que torcia o nariz para a possibilidade de a filha ter uma carreira artística, alimentava nela o gosto pela música. Adorava colocar a filha no colo e cantar junto com ela, quando criança. "Eu tenho uma lembrança de, ainda bem menina, ficar encantada quando eu ouvia papai tocar violão." Mas para ele, música era coisa que deveria ser praticada e consumida em casa. "Ele tinha um amigo com um nome estranho: Kid Pepe. E Kid falava que eu seria um dia uma grande cantora. Meu pai ficava furioso e respondia que não queria uma filha artista. O sonho dele era que eu me tornasse professora. Ou enfermeira." Mais que tudo, ela se lembra, até hoje, de um conselho que seu pai sempre dava: "Menina, por mais que você pule, você nunca vai alcançar as estrelas…"

A fascinação de Elza por seu Avelino ia além da relação que eles tinham com a música. Ela admirava a história de seu pai, que nascera na região do Porto Novo do Cunha, estação de ferro que se localiza no atual município de Além Paraíba, interior de Minas Gerais. Era um homem simples e de uma sensibilidade rara. Ainda muito pequena, Elza se lembra de tia Quita, irmã de sua mãe, contando como seus pais tinham se conhecido. "Eu mesma não sei como me lembro dessas histórias, eu devia ter uns três ou quatro anos, mas, de alguma maneira, isso ficou marcado em mim." Sua mãe era viúva e já tinha duas filhas – Tidinha e Bibina – quando conheceu seu pai. "Ele chegou quase morto na porta da casa de minha mãe, e foi meu tio Mário que o viu de longe e gritou para minha mãe acudir aquele homem."

Seu Avelino se envolveu em vários conflitos políticos; num episódio bem dramático, teve, inclusive, de bater em retirada. Foram dias perdido no mato, sem rumo, sem ter o que comer, até que chegou desmaiado à porta da mãe de Elza. Não é possível definir exatamente qual foi a operação que fracassou. Seu Avelino fez parte da milícia integralista, os famosos "camisas-verdes", com mais de meio milhão de adeptos, que se envolveram em diversas brigas e ações violentas ao longo da década de 1930. Porém, é improvável que esta "fuga" de seu Avelino tenha relação com os levantes mais famosos contra o Estado Novo de Getúlio Vargas, que se deram no ano de 1938.

Como reflexo da crise da democracia liberal do pós-Primeira Guerra, principalmente nas décadas de 1920 e 1930, a partir da união de várias agremiações de extrema-direita, a Ação Integralista Brasileira (AIB) ganhou destaque como principal partido defensor dos regimes autoritários de direita no Brasil. Fundada em 1932, com base nas ideias fascistas que vinham da Itália, a AIB foi um movimento nacionalista relevante no cenário político brasileiro, passando à clandestinidade no fim da década de 1930.

"Minha avó, Cristina, que era severíssima, logo achou que era uma má ideia socorrer aquele homem que ninguém conhecia. Mas minha mãe, que tinha um coração grande, não só recebeu esse rapaz em casa, como fez de tudo para que ele sobrevivesse." Num gesto desesperador, a mãe de Elza, que ainda estava amamentando Bibina, resolveu dar do seu próprio leite para seu Avelino. "Parece que ele chegou bastante desnutrido, só tinha comido frutas silvestres e algumas delas nem tinham feito muito bem a ele, porque todo mundo lembra que o rosto estava bem inchado. Então, minha mãe tirava um pouco do seu leite e dava na colher para o meu pai, sempre escondido de minha avó." Com isso, a recuperação foi rápida. "Ele foi ficando bom, e quando já estava com a saúde quase 100%, os dois começaram a namorar, a princípio sem contar nada para a minha avó Cristina. E depois de um tempo veio eu, Elzinha", resume em tom de brincadeira.

Mas a história era realmente muito forte e marcou a Elza criança. Ainda mais que quem contava os detalhes dela era tia Quita, que era não só sua favorita, mas também sua confidente. Quando Elza já era adolescente, tia Quita era às vezes seu álibi quando precisava se apresentar de noite. "Minha mãe achava que eu estava indo no centro espírita, e achava isso até bom, porque ela dizia que eu era muito endiabrada, que precisava rezar mais para tomar jeito. Mas minha tia me levava para a noite com ela. Eu confiava muito nela." Segundo sua tia Quita, para demonstrar as melhores intenções a dona Cristina e ao mesmo tempo "se livrar da sogra", seu Avelino propôs que Rosária fosse morar com ele, num porão pequeno, onde morava antes. "Tia Quita contou que minha mãe foi lá uma vez, um lugar escuro e úmido, cheio de armas e que ela não quis ir pra lá de jeito nenhum." Fosse por dona Rosária, o romance teria terminado por ali mesmo, mas como seu Avelino era muito apaixonado por ela, concordou em enfrentar a sogra e viver com a "tirana", que é como ele a chamava, brincando, mas não muito.

Elza foi a primeira filha do casal. "Depois vieram a Goda (Georgina), o Ino (Avelino) e a Carmela (Carmem). Tinha também a Alice, que era como irmã de criação. Mas eu era o xodó do meu pai e eu sabia bem disso." Embora estivesse longe do próprio marido, e ela já nem ligava muito para ele, apesar de internado num hospital com tuberculose, e sofrendo o afastamento dos filhos, dos quais ela sentia verdadeiramente falta, restava o consolo de saber que eles estavam bem com a avó, mas era de seu Avelino, o pai tão querido, que ela mais queria saber notícias. A saúde dele, mesmo antes do sufoco que havia passado por dias no meio do mato fugindo, nunca tinha sido muito boa, e Elza temia que algo de grave acontecesse com ele.

Assim, quando um músico argentino amigo seu, Raul Edegard Molins, anunciou que viria passar o Carnaval daquele ano no Brasil, e logo depois estaria de volta para se apresentar de novo em Buenos Aires, Elza pediu a ele que trouxesse notícias de sua família, mais especificamente daquele de quem ela gostava tanto. "Eu estava com um pressentimento geral muito ruim, sobretudo por conta do meu pai. Comprei uma boneca pra Dilma, uma bola pro Carlinhos e outra para o Gilson, e pedi que Edegard procurasse as crianças e dissesse que eu estava bem e que logo iria voltar para junto deles."

Quando Edegard voltou, contou a Elza a cena triste que viu quando passou por Água Santa: Carlinhos carregava uma lata com lavagem para porcos, descalço no meio do mato. Logo depois foi para o banho numa tina muito simples na frente da casa da avó – cena que deixou o amigo de Elza bastante impressionado e triste. Os presentes fizeram sucesso, mas os filhos inundaram Edegard com perguntas que ele não sabia responder. As crianças mal conseguiam disfarçar a tristeza de não saber quando a mãe retornaria a casa deles. Curiosamente, o amigo não falou nada sobre o pai de Elza – Edegard desconversava toda a vez que ela perguntava sobre seu Avelino. O que só a deixou mais preocupada: "Eu continuava tendo muitos sonhos com meu pai e sabia que logo ia chegar uma notícia ruim."

Elza soube que seu pai havia morrido da maneira mais inesperada. Um outro grupo de samba chegou do Brasil para tocar em Buenos Aires e se hospedou no mesmo hotel na Florida onde ela morava – que era uma espécie de Q.G. da música brasileira na capital. "Quando eu vi aquela turma, logo me animei, e reconheci um músico amigo meu, chamado Raimundo, que, se não me engano, era de Manaus." Elza já havia se apresentado com ele num espetáculo organizado por Mercedes Baptista e foi falar com Raimundo, sem que ele percebesse que ela estava se aproximando. De longe, ela ouviu seu nome e uma conversa estranha: ninguém no grupo recém-chegado estava à vontade para falar com ela, pois não sabiam se Elza já tinha recebido a notícia do falecimento do seu pai...

Quando escutou isso, Elza ficou em estado de choque. Seus pressentimentos estavam certos: seu pai havia morrido e ela não estava perto dele. Uma confusão armou-se imediatamente no saguão do hotel. Elza aproximou-se de Raimundo, ela queria mais informações. Só que nem ele nem ninguém tinha os detalhes – nem mesmo a data precisa de quando seu pai havia morrido. "Minha reação foi péssima, porque eu tinha muito carinho pelo meu pai – brigava muito com ele também, é verdade, sobretudo porque ele bebia e eu era totalmente contra qualquer bebida, mas era meu pai e eu amava muito ele." Toda a história do sacrifício de seu Avelino, da sua chegada na casa de sua mãe, o extremo carinho que existia entre pai e filha – tudo isso voltou com muita força em sua memória. E Elza foi tomada por uma tristeza profunda.

Sim, esse era o pai que havia obrigado Elza a se casar aos 13 anos. Mas era também o pai que a despertava na esteira todos os dias, antes de sair para trabalhar. E ela, sempre com seu instinto maternal mesmo com relação à figura paterna, só guardava as boas lembranças. Desesperada, Elza saiu por Buenos Aires e chorou. Naquela noite a cidade pareceu mais sufocante. As fachadas austeras da vizinhança de Tribunales, por onde ela passava todos os dias, pareciam ainda mais escuras. As janelas altas das sacadas de pedra dos prédios construídos na virada do século XX deixavam toda atmosfera ainda mais sombria – e o retorno ao Brasil parecia uma realidade ainda mais distante. Foram semanas de desesperança.

Elza seguiu cantando – era a única coisa que precisava fazer. Fazia amigos na noite, a maioria deles, músicos. Ironicamente nunca ficou próxima de Yuyu da Silva, apesar de circularem pelas mesmas rodas. Ela acabou cultivando mais amizades com músicos argentinos, especialmente com os que pertenciam a uma cena alternativa da música, reinventando o tango – entre eles Astor Piazzolla. "Quando nos conhecemos, ele estava por baixo: a crítica estava acabando com ele por causa das novidades que ele estava trazendo para o tango. Eu escutava sua música e achava que era sensacional, mas ninguém ainda entendia o que ele estava apresentando. A crítica destruía Piazzolla e ele ficava arrasado, mas não parava de se apresentar. Eu era sempre convidada para vê-lo tocar e, às vezes, coisa que eu não fazia quase nunca, virava a noite conversando com Piazzolla – como nós dois estávamos numa fase ruim da vida, acabamos ficando amigos."

Elza cantou com Piazzolla na noite, de maneira bastante informal, mas nunca chegaram a gravar nada efetivamente. "Uma vez ele me convidou para ir pro estúdio, gostava mesmo de mim e eu gostava dele. Só que eu achava que meu estilo não combinava com o tango, ainda mais com o tango que ele estava propondo, que era diferente de tudo que se ouvia até então." A ironia era que o Nuevo Tango, do hoje reconhecido gênio Piazzolla, combinava, sim, com Elza, se não no ritmo que ela aprendeu a cantar – o samba – pelo menos na sua irreverência. Mas o "namoro" entre os dois ficou só nisso. Ele seguiu com seu *bandoneón*, e ela com seu ziriguidum. "Eu tinha que juntar meus 30 mil contos para sair dali", diz, imaginando uma soma fictícia, nada precisa, um montante muito longe de ser alcançável. Sua passagem para voltar para o Brasil só dependia de seu trabalho. Mas, com mais e mais músicos brasileiros viajando pela Argentina, o espaço para Elza só diminuía. "Insistiram de todo jeito para que eu gravasse um disco de tango – e não foi só o Piazzolla, não. Cheguei a pensar sério no assunto. Seria até uma maneira de juntar mais algum. Mas eu era muito inquieta e não queria nada daquilo. E se desse certo? Eu ia ficar lá o resto da minha vida cantando tango? Eu só pensava mesmo era em ir embora e ver minha família."

Aproximadamente um ano depois de Elza dormir sua primeira noite num colchão macio – o do hotel da Calle Florida –, ela finalmente tinha sua passagem na mão. Estava finalmente voltando para o Rio de Janeiro, de navio, como havia chegado lá, depois de quase um ano sem ver marido, filhos, pai e mãe. E seu pai já nem estava mais aqui para cantar para ela toda noite. Mas outras pessoas que ela amava certamente a receberiam com alegria. E com certa surpresa, uma vez que ela chegou sem avisar.

Apesar do reencontro tão esperado com sua família, não foi uma volta com alegria. "Logo que fui andando na direção da minha casa, as pessoas se aproximavam de mim e vinham me dar os pêsames – foi horrível, eu não sabia como reagir. Eu tinha que, ao mesmo tempo, reagir com tristeza à morte do meu pai e demonstrar uma certa felicidade por estar vendo todo mundo de novo." Sua mãe, nessa época, trabalhava num botequim e, mesmo antes de entrar em casa, Elza foi até lá dar um abraço nela, ainda carregando as malas.

As duas choraram muito, mas, no fim, a satisfação de finalmente estar de volta era mais forte que as amarguras que as duas tinham vivido nesse período. De lá do botequim, Elza correu para ver Carlinhos, Gilson e Dilma – Gérson continuava morando com seus padrinhos. Dessa vez, o maior presente para eles foi o abraço da mãe. E Elza se esqueceu de todo o arrependimento de ter deixado os filhos para trás quando viu que eles estavam bem. Carlinhos estava com a saúde ótima. Gilson estava bem, e Dilma, brincalhona. Nem parecia que tanto tempo tinha passado desde aquela separação. "Foram os melhores abraços que ganhei na minha vida."

O desafio agora era retomar sua carreira. Um ano era muito tempo para quem tentava ficar conhecida num meio musical como o do Rio de Janeiro. Era hora de Elza retomar seus contatos, voltar a procurar um lugar para cantar – e, claro, achar um emprego que pagasse alguma coisa. Apesar de tanta dificuldade, de tantos desafios pela frente, ela retomava tudo com ânimo, impulsionada por uma visão que teve logo nesses primeiros dias de retorno.

"Depois que eu voltei à Água Santa, sonhei novamente de olhos abertos com meu pai. Ele estava bem diante de mim e me olhava com uma expressão muito serena. A gente estava conversando normalmente e ele me dizia para eu ficar tranquila, que um dia eu seria muito rica. Meu pai passava a mão na minha cabeça, de maneira bem doce. O clima era de tranquilidade. Aí ele começou a ter falta de ar. Fiquei angustiada, não sabia como eu poderia ajudá-lo, mas ele mesmo veio com um pedido: disse que se sentiria melhor se eu cantasse para ele. Eu perguntei: 'O que o senhor quer que eu cante, papai?' E ele me pediu para cantar 'Ave-Maria no morro' – e eu comecei na mesma hora:

"Barracão de zinco sem telhado
Sem pintura lá no morro,
Barracão é bangalô

Lá não existe felicidade de arranha-céus
Os que moram lá no morro
Já vivem pertinho do céu."

E, enquanto eu ia cantando, ele ia retomando a respiração e dizia: 'Minha filha, lá na frente, você vai ter muito dinheiro... você tem uma voz tão linda... ainda vai cantar tanto.' E eu cantava e chorava ao mesmo tempo."

Era mais uma profecia que estava prestes a se cumprir na vida de Elza Soares. Os anos 1960 já estavam chegando – e, com eles, a promessa de novos projetos. Novos contratos, novos sons – e até novos amores – esperavam por ela na nova década. Yuyu da Silva, que viveu até 2016, em Buenos Aires, continuaria gravando um sucesso atrás do outro e consolidando sua carreira de embaixadora do samba com uma versão genial em espanhol para o sucesso "Brigitte Bardot", de Jorge Veiga. Com um sotaque brasileiro carregado, ela perguntava fascinada o motivo de tanta admiração: "BB, BB, BB, por que é que tanta gente de repente suspirou?"

"¿Será tu mirar? ¡No es!
¿O tu caminar? ¡No es!
¿Será tu vestir? ¡No es!
¿Será tu reír? ¡No es!"

Melhor que Brigitte Bardot, e de um jeito bem brasileiro, Elza tinha tudo isso – um olhar, um caminhar, um vestir e um sorriso que tinham um potencial para encantar públicos muito maiores do que o conquistado até aquele momento. Tudo que ela precisava era ter motivos para então sorrir. Eles levariam ainda algum tempo para chegar – caminhando em pernas tortas. Antes de conhecer o grande amor da sua vida, no entanto, Elza teria que primeiro gravar um disco de enorme sucesso.

Theatro Municipal do Rio de Janeiro, 1958.

um bar no Leme e o primeiro disco

"aluguei casa, fomos morar numa vila maravilhosa, mobiliei a casa, tirei minha família da miséria, e mesmo assim eles ainda me olhavam como seu eu fosse uma prostituta." Elza tinha finalmente um emprego, um esboço de carreira – só não tinha ainda a admiração de quem ela mais esperava: sua mãe. Rosária fazia vista grossa para a vida artística da filha, pois o dinheiro entrava. Mas, no fundo, ela achava que esse não era um caminho "decente" e que a música não daria futuro nem para Elza nem para seus filhos. Já para Elza era questão de tempo até convencer sua mãe.

"Eu podia contar com um dinheiro todo mês, salário bom, o melhor que eu já tinha recebido na minha vida; mesmo assim eu vivia em conflito com minha família." Para Elza, aquilo era um trabalho, sim – e sério, um compromisso. "Eu saía de casa todos os dias, às 18h, para conseguir chegar no Leme às 22h, subir no palco e cantar." Mas isso, aparentemente, não era suficiente aos olhos de sua mãe. Elza seguiu em frente. Afinal, o

Centro da cidade do Rio de Janeiro à noite, 1958.

microfone que era seu naquelas noites pertencia ao Texas Bar, um dos lugares mais bem frequentados do Rio de Janeiro – se você quisesse entrar no universo da música.

O caminho mais fácil sempre esteve perto. Como conta na sua breve biografia *Minha vida com Mané*, que lançou no fim dos anos 1960, nesse começo de carreira: "[...] os empresários, principalmente na minha fase de João Caetano, queriam tirar proveito das minhas pernas." Elza sabia que isso poderia levá-la adiante, mas sem o respeito que ela procurava como artista. Nessas suas lembranças, ela se recorda de receber muitos elogios, mas nem sempre sobre a sua voz: "Silva Filho, rei da Praça Tiradentes, homem do teatro e da noite, uma tarde olhou para minhas pernas e fez fiu-fiu. E disse brincando comigo: 'É a Mistinguett em jambo.'"

A referência, claro, era a uma famosa vedete parisiense da virada do século XIX para o XX, Jeanne Bourgeois, que era conhecida aqui também por ter tido um filho com um brasileiro – Leopoldo José de Lima e Silva, que era na época nosso cônsul na França. O que parecia galanteio, nas palavras de Silva Filho, mesmo que hoje soe como uma provocação não muito respeitosa, não impressionou a cantora no começo de carreira, que orgulhosa escreveu: "Felizmente não venci com as pernas. Venci com minha garganta. E sou muito feliz por isso."

Se era para ser no gogó, então ela precisava logo gravar alguma coisa. E quem mais ajudou nesses primeiros passos foi Moreira da Silva. O sambista entrou na vida de Elza por acaso. "Ele me contou que um dia estava ouvindo o programa do Hélio Ricardo, na rádio Mauá, onde Elza era presença constante, e ficou tão maluco com a minha voz que ligou para a rádio e pediu que eu o esperasse, porque ele queria me conhecer." Elza recebeu o recado e ficou meio desconfiada. Moreira já era uma figura conhecida na música e ela não imaginava o que ele poderia querer com uma cantora iniciante. A inocência de Elza nessa época era enorme – será que Moreira estava mesmo interessado nela como cantora ou queria outra coisa? – e ela ia ficando mais apreensiva

Elza Soares, em 1960.

a cada minuto em que esperava chegar aquele que seria o grande tutor nesse início de carreira. Mas, afinal, o interesse dele era genuinamente artístico. Ironicamente, o primeiro comentário de Moreira sobre Elza foi, sim sobre seu corpo, mas não exatamente um elogio. "Quando ele entrou na sala, virou-se pra mim e disse: 'Minha filha, mas é você que canta tudo aquilo, tão miudinha assim?' – e eu nem sabia o que responder."

Mesmo sem se lembrar do que mais conversaram – talvez alguma coisa sobre a possibilidade de cantar mais profissionalmente –, Elza, que mais ouvia que falava, tem o registro desse encontro como algo que mudou sua vida. "Naquele dia mesmo, ele disse que iria me apresentar para o Aérton Perlingeiro, que tinha um programa bastante conhecido na rádio Tupi – com a possibilidade de um contrato de verdade, com salário e tudo." A proposta era irrecusável: "Quer cantar num lugar que dá dinheiro? Aqui, você ganha quanto? Nada... eu vou te levar para o programa do meu amigo!", disse

Moreira. De fato, na rádio Mauá, Elza cantava "de favor": era mais uma vitrine para mostrar seu trabalho, enquanto esperava justamente uma oportunidade como essa. Não tinha como dizer não.

Aérton, além de ser personalidade do rádio, também era figura importante no Texas Bar, ponto de encontro de todos que eram do mundo da música carioca no fim dos anos 1950. Das suas primeiras apresentações na Tupi não levou muito tempo para vir o convite para Elza mostrar no palco de uma boate aquele talento que ela esbanjava no estúdio da rádio. Em apenas algumas semanas, Elza tinha não apenas um, mas dois empregos – e um problema: como ela iria contar para sua mãe que teria que sair de casa agora toda noite para cantar numa boate? Embora Elza vivesse em meio às mentiras e desconfianças de sua família sobre sua "vida dupla", esse era um tema que parecia não ter solução. Toda a vez que surgia uma oportunidade, Elza tinha medo da reação deles, sobretudo da de sua mãe.

"Eu nem dormia pensando em como eu iria chegar às 22h em Copacabana (e eu ainda tinha que andar até o Leme, onde ficava a boate) sem contar nada em casa? Eu sabia que ela ficaria muito zangada comigo se soubesse o que eu estava fazendo, mas era um dinheiro que ia entrar, dinheiro de trabalho, eu tinha que criar coragem e falar." Era tudo uma questão de ponto de vista: Elza encarava as horas no Texas Bar como um emprego mesmo, mas para sua mãe isso teria cara de pura vagabundagem. "Eu tinha certeza de que ela ia dizer que eu estava fazendo alguma coisa errada, dormindo direto fora de casa – e eu ficava apavorada que ela pudesse dizer alguma coisa de ruim sobre mim para meus filhos. Mas eu sabia que não estava fazendo nada de errado."

Dias antes da sua estreia, Elza resolveu dizer a verdade, valorizando a parte do dinheiro que entraria. A reação de dona Rosária? "Péssima! Por um tempo, ela nem queria falar comigo. Eu tive de pedir que minha irmã ficasse com as crianças e olhasse elas para mim, porque minha mãe disse que não iria cuidar delas, tentando me convencer a mudar de ideia. Eu fazia questão de que todos tomassem banho – e acabei pagando até um dinheiro pra ela garantir que eles estariam limpinhos antes de dormir. Minha irmã até que ficava bem feliz com esses troquinhos."

Não foi fácil atravessar esse conflito de família. Mesmo hospitalizado por conta da gravidade da tuberculose, Alaordes mandava recados, deixando claro que era veementemente contra Elza estar "fora de casa" cantando. E, para dona Rosária, trabalho era o que Elza fazia antes: cozinhar, arrumar e lavar roupa numa casa de família. "Aquela coisa de cantar" era uma incerteza. "Eu cantava até as 4h da manhã, pegava um par de ônibus para voltar para casa e, quando chegava, as crianças estavam acordando para ir para a escola – era o único momento do dia em que eu ficava com meus filhos. Só que eu chegava muito cansada e nem conseguia dar uma atenção boa para eles", lamenta. "Gérson eu nem via porque estava com os padrinhos em Santa Teresa, o que me deixava cada vez mais preocupada... foi muito difícil esse começo para mim."

O que alegrava Elza é que suas noites no Texas Bar eram um sucesso. A estreia mesmo, segundo ela lembra, foi sem brilho. Mas após algumas

Avenida Atlântica com avenida Princesa Isabel. Entre Copacabana e o Leme, onde ficava o Texas Bar, no Rio de Janeiro.

apresentações nervosas, ela ganhou confiança e passou a encantar todo mundo — e percebeu que estava agradando. Aos poucos, ela foi conquistando frequentadores que já não iam apenas para beber um uísque com os amigos, ou fechar uma noite depois de um show, no caso dos artistas que faziam de lá o seu Q.G., ou se acomodar numa mesa de fundo no escuro para um encontro de infidelidade conjugal. Elza já tinha um público que ia lá para vê-la. E repetidas vezes.

Um de seus primeiros admiradores foi o compositor Aldacir Louro. "Ele trabalhava muito com a RCA Victor, que era uma gravadora poderosa — acho até que ele era divulgador de lá. Acompanhava alguns artistas que já tinham gravado músicas suas." A figura do divulgador, naquele tempo, era importante. Nem todos os que estavam começando tinham o privilégio de ter um divulgador. Ele funcionava mais ou menos como um assessor de imprensa hoje, mas era também uma espécie de "caçador de talentos". Quando ele ouviu Elza no Texas Bar, imediatamente a procurou no fim da noite para saber se ela estaria interessada em gravar com a RCA Victor. Elza respondeu prontamente que sim e se encheu de esperança.

Aldacir chegou no dia seguinte à gravadora eufórico e disse: "Descobri uma cantora para vocês que vai ser um estouro." O entusiasmo, a partir da descrição dele, foi geral: Aldacir tinha encontrado uma cantora com uma voz única, que eles não podiam deixar passar — as outras gravadoras também estavam sempre de olho em novos talentos. "Soube que, alguns dias depois, o pessoal da RCA mandou algumas pessoas no Texas para me ver cantar ao vivo, mas eles voltaram desanimados, com o seguinte retorno: 'Lamento muito, mas não vai dar certo, porque ela é negra.'" Ao ouvir essa história de Aldacir, que tinha ficado decepcionado com o veredicto dos seus colegas, Elza teve uma reação neutra. Um pouco decepcionada, sim, mas o que ela poderia fazer para mudar essa situação? "Eram outros tempos, a gente nem pensava em racismo. Era assim que a gente vivia, todo dia tinha uma situação assim. Não fiquei indignada nem triste. Muito menos machucada — eu só tinha que seguir cantando." Mas o rosto de Aldacir, como lembra Elza, estava mais que transtornado, quando ele justificou com tristeza: "Pensavam que você era branca…"

Mesmo com essa derrota, o compositor não deixou de ir ao Texas Bar para ver Elza cantando. Nem de recomendar o show da nova cantora para amigos e outros músicos. A potência e o caráter único da voz de Elza se espalhavam pela noite carioca – e, se não eram suficientes para vencer o muro do preconceito de algumas gravadoras, pelo menos ajudavam na construção do nome dela no meio musical. "Eles iam me ver no boca a boca", lembra Elza sorrindo. Moreira da Silva também tratava de elogiá-la sem parar, acompanhando sua carreira dentro e fora do palco. De tão encantado com a artista, chegou a conhecer pessoalmente sua família. Sentia-se responsável por aquele talento que ele praticamente viu nascer. "Moreira da Silva foi meu primeiro fiador, quando fui alugar a casa para minha mãe na Água Santa, ele que assinou os papéis. Dava para confiar no malandro!" Rara era a noite em que Moreira não aparecia para vê-la cantar.

Elza, porém, não era a única atração da noite. "Antes de mim, tinha uma cantora que se chamava Tânia, que adorava me humilhar. Eu já achava tudo aquilo muito estranho. Eu nem sabia o que era uma boate – para mim, era uma sala escura, cheia de gente bebendo e fumando naquelas mesas, os músicos tocando e eu entrava e fazia minha parte, que era cantar." Mas Tânia já era atração antiga do Texas Bar e via como uma ameaça a chegada daquela voz tão especial.

"Tânia fazia de propósito: junto com a sua última música, logo antes de ela ter que me chamar para o palco, puxava os versos de 'Conceição' (já um sucesso na voz de Cauby Peixoto) como uma provocação", diz Elza ressaltando que Conceição também era seu nome. "Ela cantava com ironia, quase com raiva, para me desconcentrar." Só que a última coisa de que Elza precisava era de concentração. Com seu talento natural, bastava estar diante daquele público – até então quase indiferente, que continuava conversando alto e enxugando um copo atrás do outro – para que a atmosfera toda se transformasse a partir da primeira nota que ela soltasse. "A Tânia sabia que eu seria mais aplaudida do que ela, e por isso tentava me irritar. Ela, que não ganhava nenhum aplauso, ficava maluca quando via que as pessoas começavam a se levantar para dançar quando eu ainda estava na introdução da primeira música."

Elza não era mais uma figurante. Ali, no pequeno palco do Texas Bar, era protagonista – e era verdadeiramente adorada. "Eu era aplaudidíssima", conta sem esconder a vaidade. E ela ainda nem tinha gravado um disco. Depois da decepção com a RCA Victor, a oportunidade de ir para um estúdio registrar sua voz aconteceu de maneira informal. E foi novamente Moreira da Silva quem a ajudou. Em 1959, ele pediu ao seu parceiro Carvalhinho (Aidran Carvalho, responsável por grandes sucessos do próprio Moreira) para separar umas canções que pudessem aproveitar bem a voz de Elza. Fecharam em "Brotinho de Copacabana" e "Pra que é que pobre quer dinheiro?". A primeira era uma bossa triste, uma estranha escolha. Já a segunda, a mais interessante das duas, é uma improvável canção com uma letra talvez impensável nos dias de hoje, mas que Elza nem pensou duas vezes para gravar. "Dinheiro não é bem o que ele quer", diziam os versos sobre o pobre. "Pobre quer feijão, quer arroz e uma boa mulher, sempre de colher."

O arranjo não podia ser mais carnavalesco, com um agogô tinindo ao longe já na introdução. Mas a marca registrada, que seguiria por toda sua carreira, estava lá: aquela rouquidão grave que ainda servia mais aos improvisos vocais do que à letra propriamente dita. Mas o recurso ainda aparece apenas discretamente, quase como uma brincadeira em que Elza se lançava depois de concluir os versos: "Vou brincar, vou sorrir, vou cantar, sem gastar..." Quando a faixa já está terminando seus magros dois minutos – menos até: sua duração é um minuto e 58 segundos –, o coro aparece como que varrendo a passagem da presença de Elza ladeira abaixo. É uma música boa, fácil de cantar depois da primeira vez em que se ouve, com potencial para achar seu público naquela época.

O lançamento, no entanto, foi tímido. O compacto – como eram chamados os discos de vinil com uma música, ou eventualmente duas, de cada lado –, gravado ainda em 78 rotações por minuto, saiu pelo selo independente Rony, um projeto dos próprios autores das músicas: Moreira, Carvalhinho e Getúlio Martins. Elza, claro, nem tinha um divulgador para fazer o disco acontecer nas rádios. "Eram eles que levavam os discos que acabavam de sair da fábrica para os programadores. Tinha até uma brincadeira, quando diziam que uma novidade tinha chegado quentinha para tocar: isso não era só uma expressão, mas uma maneira de dizer que a bolacha de vinil estava ainda morna mesmo, recém-saída da impressora da fábrica."

Teria sido muito bom se "Brotinho" ou "Pra que é que pobre quer dinheiro?" estourassem – o que não aconteceu. Mas o que importava para Elza, àquela altura, era que o dinheiro continuasse entrando com suas apresentações no Texas Bar garantidas. E foi ali mesmo que surgiu a oportunidade de uma outra gravação. "Uma noite eu reparei que tinha uma mulher que dançava bem perto do palco e que não parava de me olhar. Eu pensei comigo: ela deve estar gostando do que ouve. De repente, entre uma música e outra, ela me chamou ali na frente e disse alto no meu ouvido, para driblar o barulho da boate: 'Vem cá, quando você parar um pouquinho para descansar não quer se juntar à nossa mesa lá no fundo, bem atrás?' Eu fiquei meio sem jeito e dei uma resposta até grosseira. Disse que tinha sido contratada para cantar, e não para sentar nas mesas com pessoas que eu não conheço." E ainda assinou: "A senhora me desculpe, mas eu tenho que voltar para cantar."

No intervalo seguinte entre as músicas, ela insistiu: "Meu amor, eu sou a Sylvinha Telles, não quer mesmo ir sentar com a gente?" Mesmo para uma pessoa que não tinha ainda muitas conexões no mundo musical, Sylvia Telles era um nome fácil de reconhecer. Sua voz ajudava a bossa nova, que já ficava conhecida nesse fim da década de 1950, a ganhar forma. E sua gravação de "A felicidade", de Tom Jobim e Vinicius de Moraes, é considerada até hoje um clássico. Essa música estava em *Amor de gente moça*, seu álbum – ou LP, como se dizia então (abreviação de *long play*, ou uma gravação mais longa, onde cabiam mais músicas do que num compacto) –, lançado em 1959 pela Odeon, grande gravadora, onde Sylvinha já gozava de muito prestígio.

"Dona Sylvinha, minhas desculpas, eu não a reconheci", respondeu Elza rapidamente, percebendo o fora que tinha dado. "Não tem do que pedir desculpas, imagina. Mas eu quero que aceite meu convite: quando acabar o seu horário, você vai lá na mesa que a gente quer bater um papo." Convite aceito, meia hora depois, já no meio da madrugada, Elza foi até a mesa de Sylvinha e se surpreendeu com o time que estava lá: Aloysio de Oliveira, produtor musical que era marido da cantora; Lúcio Alves, que era uma das vozes que a própria Elza mais admirava; Roberto Menescal, um dos pais da bossa nova, que Elza já havia conhecido informalmente numa outra noite no Texas Bar, mas não deu muita bola; e um homem que foi apresentado a Elza como um dos diretores da Odeon, Ismael Corrêa.

Depois de uma boa rodada de elogios, Aloysio chegou ao assunto que interessava: "Eu quero convidar você para gravar na Odeon. Já falei aqui com o Ismael e o convite é oficial. Não posso garantir que vai ser um sucesso, mas tenho certeza de que vai fazer um grande barulho." Quase sem palavras, Elza conseguiu apenas responder: "Tudo bem." "Podemos esperar você amanhã, então, na Odeon para já entrar em estúdio?", perguntou Aloysio de novo para reforçar. No dia seguinte! Se Elza já tinha ficado atordoada com o convite, saber que ela teria de estar lá em apenas algumas horas a tirou totalmente do eixo. "Pode me esperar", disse ela.

Moreira da Silva, que, como de hábito, também nesta noite estava no Texas Bar, ajudou na articulação do convite e na preparação de Elza para o acontecimento. "Foi ele que me falou, num intervalo entre apresentações, onde ficava a Odeon e me fez garantir que eu não faltaria ao teste", diz Elza, que, naquele momento, mal conseguia pensar. Voltou ao palco, cantou mais algumas músicas e, quando parou para planejar o que iria fazer, decidiu que seria melhor não ir para a casa depois do expediente. Depois ela explicaria tudo para sua mãe, para a irmã, para as crianças. O que ela não queria era correr o risco de ir até Água Santa, perder tempo com a condução e chegar atrasada à gravadora. Dormiu ali mesmo, mal-ajeitada num sofá da boate.

Inevitavelmente, acordou amassada – literalmente. Seu rosto não estava cansado, já que a juventude contava a seu favor. Mas a roupa com que tinha passado a noite deixava a desejar... "Era o que eu tinha, melhor eu ir assim mesmo: passei a mão no vestido, dei uma ajeitada por cima e fui!"

Uma pequena confusão, porém, quase arruinou essa oportunidade que ela havia acabado de conseguir. Chegando ao centro do Rio de Janeiro, Elza não estava encontrando o edifício São Borja, onde ficava a gravadora. Cansada com poucas horas de sono, ansiosa pelo teste, ela acabou se orientando não pelo endereço do prédio, que ostenta até hoje uma inconfundível fachada meio *art déco*. Antes de conferir o número de onde deveria ir, deparou-se com um grande letreiro onde se lia Odeon e foi logo entrando – apenas para encontrar um porteiro mal-humorado que não entendeu muito bem o que Elza estava fazendo ali.

"Bom dia, meu amigo, o senhor me dá licença, eu tenho que entrar porque tem um pessoal me esperando ali em cima", disse ela na sua lembrança. A resposta do porteiro foi bastante rude: "Não tem ninguém esperando a senhora aqui, não. Tem um nome de alguém que a senhora está procurando?" Elza balbuciava nervosa os nomes dos artistas que havia encontrado apenas algumas horas atrás, além do nome do diretor da gravadora, mas o porteiro foi definitivo: "Eu não conheço ninguém com esses nomes. A senhora não vai entrar." O calor da manhã já estava começando a castigar – ainda mais alguém que estava vestida com roupa de noite (e maldormida). Elza, confusa com a negativa que acabara de levar, afastou-se do prédio, olhou para trás e viu novamente as letras que escreviam Odeon bem grande na marquise. Voltou lá, esbaforida: "O senhor me desculpe, mas tem um pessoal me esperando aqui, sim. Eu estou meio nervosa, tenho um teste para fazer, já passou um pouco da hora marcada que eu tinha que chegar aqui, por favor, deixa eu entrar."

O porteiro continuou indiferente. Dessa vez nem respondeu à súplica de Elza, que já estava desistindo quando ouviu, do outro lado da rua, Moreira da Silva gritando seu nome. "Minha filha, você aí andando de um lado para o outro, e uma porção de gente te esperando lá em cima!", disse ele afobado. "Seu Moreira, esse homem aqui não quer me deixar entrar!" Foi aí que ele percebeu o que estava acontecendo: "Elza, esse aqui é o cinema Odeon. A gravadora fica ali na frente, no quarto andar daquele prédio", reforçou Moreira, apontando para o São Borja, que ficava bem em frente à sala de projeção – uma das mais famosas do Rio. "Vamos, vamos, que o pessoal está achando que você não vem mais."

"Quando eu entrei lá, tinha uma mesa de café da manhã como eu nunca tinha visto na minha vida. Minha primeira reação foi perguntar: 'Isso tudo é para mim?' Claro que era, um festival de comida: pão de tudo quanto era jeito, presunto, mortadela, queijo, manteiga... Por alguns momentos eu me esqueci totalmente do teste e comecei a pensar em como eu faria para levar aquilo tudo para minha casa, para as minhas crianças." Se nada desse certo, pelo menos ela garantiria a comida dos próximos dias. Mas ali na hora, preocupada com o teste e ainda meio sem jeito, Elza fez só um pequeno lanche, um pão com queijo, enquanto observava todo mundo que estava lá para vê-la cantar.

"Lúcio Alves estava lá, Sylvinha Telles também, ao lado do seu marido, o Aloysio, que me dizia para eu comer sem pressa. Moreira da Silva me olhava de longe, com uma ponta de orgulho. Até João Gilberto foi lá para me ver – o que só me deixou mais nervosa. Parece que o próprio Aloysio tinha falado naquela manhã com ele, que queria que ele escutasse uma 'cantora infernal' que ele tinha descoberto e que tinha tudo para arrasar." De estômago cheio, Elza então entra no estúdio e escolhe duas músicas que ela sabia que funcionavam bem desde que ela as cantava em Buenos Aires: "Urubu malandro", de Lourival de Carvalho e Braguinha; e "Se acaso você chegasse", de Lupicínio Rodrigues e Felisberto Martins. "Lembro de todo mundo olhando pra mim, algumas pessoas dentro, outras fora do estúdio, todos pareciam me tratar com o maior carinho. Eu mal acabei o teste e já chegaram com um contrato para eu assinar. E não teve nem discussão. Ficou acertado que a música de trabalho seria 'Se acaso você chegasse'. E, para aproveitar minha voz, o Aloysio insistiu que eu gravasse 'Edmundo', uma adaptação sua para 'In the Mood', clássico americano." O compacto – duplo! – além de "Se acaso..." e "Edmundo" – contou com uma versão brasileira, de Alberto Ribeiro, para "Mack the Knife", de Kurt Weill, e um samba de saudade, "Era bom", de Hianto de Almeida e Macedo Neto.

Em cada faixa, um espaço generoso para que Elza soltasse sua rouquidão em improvisos vocais. A aposta certa era a de que um talento assim chamaria atenção. Todo mundo estava otimista. Mas ninguém esperava que, o impacto seria tão grande – especialmente por conta de "Se acaso você chegasse". A música já era conhecida do público há anos, mas, na interpretação de Elza, era como se fosse um lançamento de uma canção inédita. Logo tornou-se um sucesso estrondoso – agradando tanto que fez até com que quase ninguém se lembrasse que, desta vez, era uma mulher que cantava uma traição entre dois amigos homens. Uma das melhores composições de Lupicínio Rodrigues – que já tinha um repertório adorado pelos brasileiros – é, ao mesmo tempo, um pedido de desculpas e uma provocação: dois conhecidos de longa data se encontram e um confessa que está vivendo com a ex-mulher do outro. E que essa nova vida está muito boa: "Assim nós vamos vivendo de amor..."

Mas como era esse cotidiano tão romântico? "De dia me lava a roupa, de noite me beija a boca", diziam os versos. Seria no mínimo esquisito – lembrando que esse era o fim dos anos 1950 – ouvir essa letra cantada por uma mulher. As pessoas poderiam ficar chocadas ouvindo isso. A solução? No "refrão de breque", a letra original era substituída pelo som que se tornaria sua marca registrada: um *scat* (ou uma improvisação com a voz) num timbre rouco, único, que mesmo quem conhecia música só tinha ouvido um certo americano chamado Louis Armstrong usar bem. Ficou assim: "De dia buá babába, de noite buá babába" – e era assim que, nessa versão, eles iam vivendo de amor. O artifício ainda permitia que Elza ocultasse um detalhe que talvez fosse muito próximo da sua biografia: o de que ela de fato passou dias – anos – lavando roupa junto com a mãe para sobreviver.

Na versão em que foi lançada, "Se acaso você chegasse" tinha pouco mais de dois minutos. As estrofes e o refrão são cantados apenas uma vez – em menos de sessenta segundos! O resto da faixa é instrumental, com os improvisos já geniais de Elza preenchendo onde a letra deveria estar. A promessa de vida recheada de amor só volta no final-exaltação – uma assinatura típica de então. Parece pouco, curto demais, efêmero. Mas isso foi tudo o que ela precisou para estourar: todo mundo queria tocar, ouvir aquela canção.

Elza posando com seu disco *Se acaso você chegasse*, em 1961.

"Eu não entendia muito o que estava acontecendo, ainda levava muito susto, quando estava passando na rua e alguém tinha o rádio ligado e dava para ouvir 'Se acaso...'. 'Será que sou eu mesma que estou ali ou tem

alguém me imitando?', eu me perguntava. Era como se não fosse eu – como se eu pudesse admirar, e até sentir um pouco de inveja daquela mulher que cantava assim e que todo mundo gostava", confessa. Só que essa mulher era ela mesma.

Uma música de sucesso nas rádios. Noites lotadas no Texas Bar. Mas Elza não estava nem perto do sucesso de verdade. "Todo mundo que ia me ver cantar na boate era mais famoso do que eu." Seus ídolos maiores eram Sílvio Caldas e Elizeth Cardoso. "Ela tinha aquela voz de serenata como o Sílvio." Maysa, que já cantava com sucesso na noite, nunca tinha tempo de ir ao Texas Bar: "Não me lembro de ter visto ela por lá, mas teria sido um sonho." E tinha Cauby, também seu ídolo, que sempre aparecia por lá...

"Eu adorava ver o Moacyr Peixoto na plateia", revela Elza falando do irmão de Cauby. "Ele era um pianista sensacional e ia lá só para me ver." Ronald Golias, um comediante que seria dos primeiros a brilhar na TV brasileira, também vivia por lá. "O Ronaldo Bôscoli – compositor e produtor que participou ativamente da carreira e da vida amorosa de tantas estrelas, de Nara Leão a Elis Regina, passando por Maysa – ficou meu amigo e fazia questão de, nos meus dias de folga, me levar para lugares onde ele sabia que a presença de um negra não era bem-vista. Ele era genial e pensava em tudo. Quando sabia de uma festa metida a chique no Copacabana, arrumava tudo para eu ir com um modelo negro, lindo, chamado Paulo e avisava a todos os fotógrafos para ficar de olho se aparecesse algum sinal de discriminação." Era com Bôscoli também que Elza frequentava de vez em quando o Sacha's, outra boate da moda no Rio: "Eu ia lá com ele, mas não podia cantar, porque eles também não gostavam muito de cantores negros, não... Mas com o Bôscoli eu circulava no meio daquela gente toda e ninguém podia falar nada."

Esse tímido sucesso, no entanto, não subiu à cabeça de Elza. Ela já era, ainda que raramente, reconhecida nas ruas – ou pelo menos nas tardes de autógrafos, quando, num costume da época, os artistas eram obrigados a ir às grandes lojas autografar seus compactos ou LPs. Nem por isso ela abandonava sua rotina doméstica. Elza ainda não dava a atenção ideal aos filhos, mas só de conseguir alimentá-los bem, já era motivo para ela comemorar. E o melhor de tudo: mesmo sem saber o que era exatamente autoestima, Elza começava a se sentir melhor "por dentro". "Uma tarde eu estava numa loja lá no centro, toda arrumada, assinando as capas de *Se acaso*, quando eu ouço dois homens conversando na calçada, um dizendo para o outro que estava orgulhoso de mim, que eu era mulher dele, e que agora estava famosa. Eu não entendi bem, tinha um monte de fãs na fila esperando para comprar o disco autografado, mas eu percebi que alguém ali estava tirando vantagem com minha cara... coisa de homem que queria impressionar o amigo." Elza – aliás, como todos os artistas – não ganhava nada para ficar a tarde lá, promovendo um produto que mal lhe rendia alguns trocados. "A gente ganhava *royalties*, mas ninguém faturava alto com venda de discos. Eu ia onde meu divulgador, o Moacir, mandava. Ele era ótimo e eu tinha confiança total nele, fazia tudo o que ele pedia", diz ela, orgulhosa. A boa recepção do seu compacto na gravadora fez com que a artista tivesse essa regalia: alguém que divulgasse seu trabalho. Quando acabava a sessão de autógrafos, Elza ia direto se arrumar para mais uma noite no Texas Bar.

No dia a dia, ela seguia zelosa, focada no trabalho. "Eu ia com cuidado, sempre respeitava os horários, chegava, cantava as minhas músicas, concentrada no que eu tinha que fazer bem, que era cantar, e não dava muita conversa para ninguém, até porque não poderia perder esse emprego. Eu sabia que, quando eu cantava, todo mundo ia para a pista, voltava animado para a mesa e consumia mais bebida. Era isso que eu tinha que fazer." Uma música nas rádios não fazia de ninguém uma estrela, era preciso seguir em frente, gravar mais, se apresentar mais, aparecer mais... E ela foi seguindo com passos curtos, driblando a timidez que sempre a atrapalhava.

Mesmo depois do incidente com Sylvinha Telles, Elza não dava conversa para os clientes, um hábito que lhe custou mais uma gafe engraçada. "Teve uma noite que um homem chegou com flores para mim. Eu nunca tinha ganhado flores e logo achei que era uma cantada. Eu nem sabia que tinha essa coisa de dar flores para as pessoas, como gentileza. De qualquer maneira, aquele homem com um buquê de rosas na minha frente não me cheirava bem – apesar de as rosas estarem bastante perfumadas, mesmo tarde da noite." Elza só tinha a certeza de que nunca havia visto aquele homem na sua frente e quando ele se aproximou para beijar a mão que segurava com delicadeza, ela a tirou com força. "Minha vontade era perguntar quem queria beijar aquelas mãos que tinham lavado tanta roupa?"

O galante visitante não se acanhou: insistiu em conversar com ela, mas Elza continuava refratária às gentilezas de seu admirador. "Trago rosas para outra rosa", ele teria dito, e foi o gancho para ela ser ainda mais dura: "Não gosto de rosas e não me chamo Rosa!" E ele respondeu: "Eu sei que você não se chama Rosa, seu nome é Elza Soares, e você está fazendo o maior sucesso com uma versão para a minha música, 'Se acaso você chegasse'. Meu nome é Lupicínio Rodrigues." Elza desmoronou! "Ouvir ele dizer o próprio nome com aquela linguinha presa me deixou muito envergonhada." E ela imediatamente mudou o discurso: "Eu adoro rosas! Meu pai tinha paixão por rosas, a gente sempre pegava uma quando encontrava perto de casa." Mas enquanto por fora ela soltava essa torrente de palavras exageradas, na sua cabeça ela só repetia: "Meu Deus, não acredito que fui tão grosseira com o Lupicínio Rodrigues!"

O episódio terminou bem. O compositor e a cantora ficaram tão amigos que os encontros, depois dessa noite, foram muitos. "Ele era extremamente generoso comigo. Na noite em que nos conhecemos, ele foi até o Texas Bar me convidar para fazer um show em Porto Alegre, a cidade onde nasceu. Queria que eu cantasse 'Se acaso' com o Cyro Monteiro, que tinha gravado a música pela primeira vez quase vinte anos atrás! Tinha cachê e tudo.

Elza aceitou, mesmo sem saber direito o que era um cachê. No dia seguinte, lá estava ela na Odeon, explicando para Milton Miranda, o diretor artístico da gravadora, que tinha sido o próprio Lupicínio que a tinha convidado. "Eles só teriam que me dar a passagem, o que foi fácil. E o Milton disse: 'Eu ajeito.' E embarquei alguns dias depois, no Santos Dumont, tudo meio romântico, aquele avião de hélices, a gente subia por uma escada que, no lugar de um corrimão tinha só umas cordinhas para proteger o passageiro. Mas eu não estava nem ligando. Minha maior preocupação era o Cyro – que, todo mundo sabia, gostava de uma bebida e, para vencer o medo de voar, tinha tomado um porre fenomenal antes de sair de casa. Ele mal conseguia andar."

Ao entrar no avião, segundo Elza, Cyro "travou" e disse a ela: "'Só entro se você conversar com o avião e ele te prometer que vai chegar lá em Porto Alegre inteiro.' Eu tive de fingir que batia um papo com a aeronave, dei a certeza para o Cyro de que nada ia acontecer e, quando eu vi, ele já estava dormindo antes mesmo de a gente decolar." O voo foi tranquilo. O que Elza mais se lembra dessa viagem foi da comitiva que esperava por ela no aeroporto. "Foi uma festa do momento em que a gente chegou até a hora de ir embora, eu estava totalmente encantada – e Lupicínio me tratava como se eu fosse mesmo uma grande estrela."

Elza podia até duvidar, mas o autor de "Se acaso você chegasse" estava certo. Ela já era sim uma grande estrela, e estava apenas a alguns passos de viver não só uma carreira esplêndida, como de conhecer, pela primeira vez, um grande amor, que quase a faria esquecer os anos perdidos de sua adolescência sem paixão. A década de 1960 estava chegando e, com ela, tudo mudaria. Só mais uma prova de que Elza, sem ter muita consciência disso, era sim uma mulher do seu tempo.

O Méier, a capital do calor, é tricampeão na batalha d[o] ermômetro. Como sérios concorrentes, Bangu e Jacarepagu[á]

7 triste fim do casamento, duro recomeço de vida

Na frente do armarinho modesto do seu Maluli, Elza parou para tomar coragem. "Será que eles vão me reconhecer?", ela pensava aflita. *Se acaso você chegasse* já era um sucesso nacional, só que não era a Elza Soares, cantora, que ela temia que seu Maluli e a esposa reconhecessem, mas a empregada doméstica que trabalhou ali por um tempo, que tinha ordens expressas da patroa de não cruzar a porta da cozinha para a sala.

O estabelecimento era modesto, muito pouca coisa havia mudado desde que Elza passara por lá pela última vez. Quando trabalhava lá, ali na loja ela mal botava os pés – seu lugar era a cozinha: "Eu tinha que me contentar de ter aquele emprego e ficar agradecida que eu tinha um prato de comida e, quando era possível, ainda levava um pouco para matar a fome dos meus filhos que me esperavam em casa." O expediente, segundo Elza, era puxado, mas o que incomodava mesmo era a humilhação pela qual passava diariamente.

Localizado no Méier, na zona norte do Rio, o armarinho era, como muitos negócios na época, uma extensão do próprio lar: a fachada era convertida em área comercial, e uma passagem discreta levava às dependências domésticas. Era possível também entrar direto na área de serviço. E esse era o caminho que Elza fazia todo o dia, como doméstica da família do seu Maluli. Mas, naquela tarde, ela estava chegando como cliente. Tomou coragem, tocou a campainha da frente e, quando sua ex-patroa abriu a porta, Elza foi logo dizendo que queria comprar linha e renda. Antes mesmo que a esposa de seu Maluli reconhecesse a cantora que já tinha visto em várias revistas do rádio, foi a voz que entregou a identidade da cliente. "A senhora não é aquela cantora de 'Se acaso você chegasse'?", perguntou a mulher já com ares de fã. Elza fez um gesto simples

Jardim do Méier,
Rio de Janeiro,
1961.

com a cabeça e preferiu responder com um sorriso. "Minha Nossa Senhora, o Maluli vai ficar maluco quando souber que a senhora passou por aqui, ele é um grande admirador do seu trabalho, da sua voz", explicava a mulher meio que atropelando a própria fala, de tanta afobação.

Os elogios envaideceram Elza, que quase se desarmou para a visita que tinha planejado. Mas ela resistiu e focou no seu objetivo: lembrou-se de que estava lá não para ser bajulada, mas para acertar uma conta com o passado. "Eu sabia que ela não se lembrava de mim daqueles tempos, eu estava mais arrumadinha, com uma roupa bonita, bolsa chique e tudo." E então sua ex-patroa disse: "Por que você não entra em casa para tomar um café?" Elza fez um certo charme: "Acho que não vai dar não, eu estou meio sem tempo hoje." Mas ela insistiu: "Quem sabe o Maluli não chega enquanto a gente conversa um pouco, ele adoraria te ver." Elza decidiu aceitar o convite: "Mas no lugar de seguir ali pelos fundos, fui pela entrada oficial, do lado de fora. Eu conhecia tudo ali, cada espaço. Cansei de lavar a escarradeira dela ali na área externa. Entramos na sala, aquele espaço que sempre tinha sido proibido para mim e eu disse: 'Olha, vou ficar só um bocadinho, porque eu tenho mesmo que ir andando', e ela foi correndo pegar o café."

Quando ela voltou com a bandeja, Elza já não se aguentava mais e perguntou: "A senhora se lembra de uma menina que trabalhava aqui e que também se chamava Elza?" A ex-patroa disse que se lembrava sim, e Elza respondeu rápido: "A senhora não se lembra, não, porque aquela Elza sou eu." Silêncio. Mais que isso, um mal-estar. Elza sentiu vontade de chorar, mas o constrangimento da mulher sentada a sua frente parecia maior que a dor de sua lembrança – e segurou as lágrimas. "Não sei como aquela mulher não morreu ali na minha frente. Terminamos logo o café e ela, muito sem graça, ainda me mostrou o armarinho e disse que eu poderia levar o que quisesse, que era tudo uma cortesia, mas eu não queria nada. Depois do desabafo, eu só pensava em sair dali e depressa." Só quando chegou à rua, Elza desabou no choro. "Me deu uma coisa na garganta, eu não sabia bem o que era. Quase um arrependimento. Eu comecei a me perguntar de que valia tudo aquilo, eu ter feito aquilo com aquela mulher, ter deixado ela me mostrar a casa como se eu fosse uma visita ilustre. Que besteira... eu entrando de madame ali naquela sala... Pra quê?" Vingança? Acerto de contas? Talvez o que ela quisesse mesmo era só ter certeza de que nunca mais passaria pela humilhação que foi trabalhar lá.

Mas Elza nunca teve medo de trabalho. Se fosse para colocar comida na mesa, ela encarava qualquer coisa. Até mesmo um trabalho num manicômio. Não é exagero: essa oportunidade realmente aconteceu antes de sua carreira musical engrenar, logo que ela retornou de Buenos Aires e soube que seu marido não tinha condições de ter um emprego, pois estava internado com tuberculose. "Cheguei da Argentina e encontrei meu marido no hospital. Minha mãe não tinha condições de ganhar dinheiro como antes, lavando roupas. E eu tinha quatro crianças para sustentar. Fui em tudo quanto era fábrica e eu sentia que não estava fácil. Uma hora diziam que tinha uma vaga na G.E. (General Eletric), mas não dava em nada. Alguém falava que a fábrica de sabonetes da Gessy estava contratando, mas ninguém garantia um emprego de verdade." Elza se viu numa situação em que não podia recusar trabalho algum. Mas a vaga no manicômio, que mesmo hoje faria qualquer pessoa pensar duas vezes antes de aceitar, tinha lá suas vantagens para ela...

"Era um jeito de eu ganhar dinheiro e roubar um pouco de comida também. Tinha uma vizinha da minha mãe que trabalhava no Pedro II, um hospital no Engenho de Dentro." Um dos pioneiros nos tratamentos psiquiátricos no Rio de Janeiro – depois rebatizado de Centro Psiquiátrico Pedro II (hoje conhecido como Instituto Municipal Nise da Silveira). O hospício era uma construção austera e, pelos casos de doentes internados em estado gravíssimo e pelos tratamentos cruéis que recebiam, tinha uma fama assustadora. Menos para a Elza: "Essa vizinha, então, um dia perguntou à minha mãe se eu não queria uma vaga lá. Mamãe não acreditou quando eu disse que trabalharia lá, sim – mal sabia ela que eu tinha loucura por um uniforme branco..." Era um trabalho relativamente fácil, levar comida para os internos, checar se eles estavam repousando, se estavam tomando os remédios e, antes de ir embora, fazer uma espécie de ronda pelos quartos para ver se estava tudo bem. Acontece que, algumas vezes, essa rotina colocou Elza em situações delicadas: "Teve um dia que uma paciente me prendeu no quarto com ela – e não me deixava sair de jeito nenhum. Em geral, todos os pacientes tinham muito medo dos médicos e essa parecia estar bastante carente e assustada."

Elza achou que tudo se resolveria rapidinho, mas a situação foi ficando grave. "No começo ela me chamou para dentro do quarto e pediu para ficar no meu colo. Era uma senhora, que parecia bastante fraquinha, eu não tive como dizer não. Mas aí, ela me agarrou e não queria mais me soltar: as enfermeiras iam passando pela porta, viam aquela cena e ficavam preocupadas. Quando percebi, já havia uma pequena multidão ali amontoada, preocupada comigo. Mas a senhorinha não me soltava." Todo mundo falava para ela ficar calma, que o médico responsável já estaria chegando. "Mas quando ele entrou no quarto, a mulher que estava no meu colo se assustou, me apertou mais ainda e eu achei que não ia conseguir sair mais dali. O médico que me salvou, convenceu-a a me soltar... E aí quando eu tive a chance, saí correndo pela porta, desembestada pelo corredor."

Nada disso, no entanto, desanimava Elza. Ela sabia que tinha coragem suficiente para enfrentar aquele horror pelos seus filhos. A chance de levar alguma comida melhor para casa chegava no meio da tarde. "Depois das 16h, não tinha mais segurança. A maioria dos pacientes já estava em seus quartos e eu ia me esconder na cozinha atrás das panelas, com uns pacotinhos do que tinha sobrado das refeições do dia." Elza tinha que ficar quietinha para escapar da última vistoria dos salões do hospício. O problema é que depois desse horário eles começavam a fechar as portas do Pedro II: "Eu ia lá, pegava uma lata de goiabada, um pacote de biscoito Aymoré, um finzinho de um saco de arroz e me encolhia toda para seu Jair não me ver. Era ele quem dava o toque de recolher e eu fazia o possível para que ele não me descobrisse ali, saindo da despensa. Mas, ao mesmo tempo, eu morria de medo de ficar presa, passar a noite lá dentro – já pensou?" Até que um dia...

"Todos os portões já tinham sido fechados, mas eu me distraí na hora de ir embora e acabei ficando lá dentro com a comida. A vizinha da minha mãe sempre ia embora comigo e como ela sabia que eu chegava um pouquinho depois, pra pegar as coisas da cozinha, ela me esperava do lado de fora. Nesse dia eu demorei um pouco mais pra chegar, mas eu sabia que ela estaria aguardando por mim, do outro lado do muro. Eu ouvi o seu Jair fechar os últimos cadeados e corri para uma janela perto do fogão que ficava sempre aberta. Pulei a janela agarrada com os pacotes que estava levando – não era muito alta. Sussurrei baixinho para a vizinha da minha mãe, até descobrir mais ou menos onde ela estava. Só que o muro que eu tinha de pular era muito alto, eu não ia conseguir subir com aquela comida." Então, Elza embrulhou o que conseguiu na sua blusa, jogou tudo para o outro lado e escalou a parede como pôde até conseguir pular para o outro lado. Com o barulho de toda essa operação, algumas luzes se acenderam no manicômio e as duas tiveram que ficar um tempão em silêncio até que tudo ficasse novamente quieto. "Ela me dizia assim: 'Uma hora você fica, Elza', mas eu nem ligava. Só pensava na alegria dos meninos com um biscoito na mão na hora que eu chegasse em casa."

Elza trabalhou por pouco tempo no Pedro II. De vez em quando ainda pegava um trabalho de diarista para juntar mais algum dinheiro – já que um emprego remunerado naquilo que ela gostava de fazer só viria mais tarde. Mas fosse num emprego por necessidade, fosse num por gosto, o que ela encontrava era dificuldade e preconceito. "A essa altura eu já entendia melhor o que era o racismo. Eu sabia que minha família era toda negra, mas demorei muito para saber que aquilo era algo que dividia as pessoas. A primeira história foi minha mãe que contou. Eu já estava casada, com os meninos em casa e ela chegou toda quebrada, mancando. Tinha ido levar uma roupa que tinha lavado num prédio e, como o elevador de serviço estava quebrado, o porteiro disse que poderia usar o social. Só que quando minha mãe entrou, ela caiu no fosso: o elevador não estava lá. Vi minha mãe chorando muito, ela dizia que o homem tinha feito aquilo de propósito, por pura maldade. Ela não chegou a falar a palavra em si, mas eu sabia que era preconceito, coisa de branco para fazer mal ao negro."

Apesar de episódios isolados – como as proibições de entrar no palco em alguns shows da Orquestra de Bailes Garan – foi só quando começou a cantar na rádio Tupi que Elza sentiu o problema de perto. "Teve uma história muito triste, um dia em que eu saí de lá, peguei um lotação e, de repente, vi que todo mundo estava gritando para mim: 'Coitada, o que foi que aconteceu?', 'Minha filha, você está sangrando muito!', 'Olha o sangue escorrendo, moça!' – e eu nem pensei que fosse comigo. Só depois que eu comecei a me virar foi que senti um corte e vi que meu vestido estava mesmo todo vermelho: quando eu ainda estava na rádio, alguém tinha jogado uma gilete dentro dele, também por pura maldade." Elza sabia que enfrentava uma competição grande dentro da Tupi. Mas racismo? Isso para ela foi uma surpresa: "Mais uma dificuldade que eu teria que driblar."

Mas quando surgia uma oportunidade para brilhar... ela aproveitava ao máximo. Como no dia em que soube, na gravadora Odeon, que teria de fazer uma "cortina". "Eu tinha sido chamada lá e logo que entrei comecei a ouvir meu nome. Milton Miranda, que era meu diretor musical, estava me chamando e, logo que entrei na sala dele, Milton me disse que eu estava sendo convocada para fazer cortina durante uma grande apresentação de artistas da Odeon na Urca.

Elza, em junho de 1960.

Eu não fazia ideia do que era cortina, mas, como se tratava de uma apresentação, concordei na mesma hora." Só quando chegou lá, no dia do show, é que Elza descobriu que "cortina" era um show rápido que se fazia entre a performance de uma grande estrela e outra: enquanto algumas mudanças eram feitas no palco, a cortina era abaixada e lá ia uma artista que não era tão conhecida preencher o tempo, cantando na frente da cortina fechada, espremida na boca de cena. "Eu fui, né? Só que na hora em que eu comecei a cantar... quem disse que eu saía daquele palco? O povo começou a me aplaudir e queria mais e eu acabei ficando lá por um bom tempo, acompanhada da banda do grande Astor Silva."

Além daquele episódio com a Orquestra Garan, quando ela ganhou a noite, essa foi outra oportunidade em que Elza viu que podia comandar um grande público. No Texas Bar, ela também dominava aquela plateia, mas era uma audiência mais restrita, que já a conhecia e, em muitos casos, tinha ido até lá justamente para vê-la cantar. Mas, na "cortina da Urca", ela estava se arriscando com um público maior, que na melhor das hipóteses sabia que ela era a voz por trás de "Se acaso". Ela correu o risco e se consagrou ali mesmo: "Acharam que eu seria só uma cortininha... mas eu emplaquei uma cortina de veludo pesada, daquele tecido que tem na música do Caymmi, 'Um vestido de bolero', mandei muito bem naquela noite!" Era raro ainda Elza se sentir tão vencedora, mas a sensação deve ter sido tão boa que ela não consegue contar essa história sem cantarolar os versos do grande mestre da música baiana: "Um casaco bordô, um vestido de veludo pra você usar", murmura ela quase gargalhando.

Momentos assim, de consagração, infelizmente, eram exceções. No seu dia a dia, a realidade era mais cruel com ela. Além do preconceito que enfrentava na gravadora, ela também enfrentava resistência dentro de casa, uma vez que a reputação de um artista não era nada bem-vista nessa época. "Ninguém me respeitava no começo, nem minha mãe – e muito menos meu marido."

Alaordes estava hospitalizado em Curicica há tempos, tratando de uma tuberculose crônica. Elza mal o havia visto desde que voltara de Buenos Aires. Debilitado e distante, nem por isso ele se sentia menos casado com Elza. Na sua debilidade, longe da mulher e dos filhos, ele alimentava seu desprezo pelo sucesso que Elza agora não tinha mais medo de assumir. Num raro período de melhora, Alaordes saiu no hospital e foi enfrentá-la – da pior maneira possível. "Era aniversário da Dilma e eu vinha descendo de casa. Estava distraída e levei um susto quando vi o Alaordes na minha frente. Primeiro porque eu achei que ele estava muito mal, não tinha condições de estar ali. Depois porque vi que ele estava com um revólver." Elza, então, perguntou: "O que você está fazendo aqui?" Ele demorou para responder, até que disse umas palavras confusas, segundo Elza, dando a entender que tinha descoberto que ela cantava no rádio. "Eu nem tive tempo de responder. Ele puxou a arma e me deu dois tiros. Um pegou de raspão no meu braço e o outro, graças a Deus, passou longe. Eu tenho certeza de que o que ele queria era me matar, porque ele ficou com muita raiva porque eu tinha feito a minha vontade e estava insistindo em cantar. Era puro preconceito também, com toques de machismo. Alaordes não queria saber que era eu que estava sustentando as crianças. Claro que ele entendia que era meu dinheiro que tocava aquela casa, já que ele não recebia um tostão da empreiteira onde era registrado como servente de pedreiro. O que ele queria era me impedir de cantar, nem que tivesse que me matar."

Depois dos tiros, ela foi imediatamente levada ao hospital. "Eu estava tremendo muito e só queria ficar calada. Naquele tempo, quando uma mulher levava um tiro do marido, sabe o que ela fazia? Nada! Ali na sala de emergência, no pronto-socorro, enquanto eles tentavam fechar a ferida da bala, ficavam me perguntando quem tinha feito aquilo. Queriam que eu dissesse o nome do cara que havia atirado, mas eu falava que não sabia, que não reconheci. A polícia veio me procurar para saber se eu queria prestar queixa, mas eu não disse nada. Tinha muito medo. Se eu já não gostava dele, ali então eu tomei pavor. Nunca mais vi o Alaordes até ele morrer."

E o que ela sentiu, quando soube, no começo de agosto de 1959, que ele tinha morrido? "Um alívio", confessa Elza.

Não fosse pelos filhos, frutos do relacionamento que teve com Alaordes, ela não teria nada de bom para se lembrar dessa vida conjugal. Hoje, mesmo depois de décadas, ela prefere não entrar em detalhes nessa intimidade: "Basta dizer que fui infeliz, e que sexo para mim era uma obrigação indesejada." Mas no livro *Minha vida com Mané*, Elza descreveu sem pudor os abusos que sofria: "De repente, sem experiência alguma, eu estava na cama de um homem que não brincava em serviço. Ele era fanático pelo negócio, mas eu não. Foi um choque terrível para mim, uma menina, mal saída das brincadeiras de roda, ver-se sem mais nem menos nos braços cabeludos do seu marido."

E o apetite sexual de Alaordes vinha acompanhado de violência doméstica desde a noite de núpcias: "Com o último convidado (do casamento) porta afora, começou o meu desgosto. Para iniciar os trabalhos, apanhei que não foi vida. E meu casamento, desde essa hora em diante, foi um apanhar sem fim. Apanhava por não querer ir para a cama com ele e apanhava por não ter dinheiro para dar ao meu marido. As provas estão comigo: marca de faca e pancada."

Nesse desabafo, ela conta que tinha febre quando via seu marido chegando da rua. Era uma sensação física de medo e desconforto, que a deixava encolhida na cama. Escreve Elza: "Ele me desencolhia sem piedade nem dó, três e quatro vezes, naquela base de dono do material." E Elza chega a nomear o casamento de "festival de bofetões".

Se o casamento já havia sido sem amor, o fim dele, ainda que por viuvez, não poderia ser sofrido. Ela aceitou esse destino como aceitava tudo de ruim que vinha do marido. Era só um ponto final no qual ela nem tinha participação alguma: a doença o havia levado. Essa experiência a assombrou ainda por muito tempo. Quando Elza começou a ficar famosa, a imprensa inevitavelmente começou a especular sobre seu passado e essa união tão prematura invariavelmente figurava como um episódio infeliz. "Até hoje eu sinto culpa das coisas que meus filhos tiveram de passar. Nenhuma criança deve ser criada como eles foram, tão longe da mãe – de mim, que precisava estar sempre fora arrumando um trabalho. Os mais chegados me contavam que, muitas vezes, as pessoas que tomavam conta das crianças para mim não tinham o menor cuidado. Se elas tivessem que sair, amarravam meus filhos – meus filhos! – no pé da mesa. Isso me deixava muito triste, mas o que eu podia fazer? O Gilson, coitadinho, foi criado por um bom tempo numa caixa de papelão. E o Gérson, tão longe de mim, eu quase não via aquele menino crescer..."

Elza faz uma pausa demorada para lembrar da separação daquele que era seu filho menor – a Dilma ainda não tinha nascido. "Como foi doído assinar aquele papel", lamenta ao falar do momento em que ela sentiu que tinha perdido o filho para seus padrinhos. "Eu não tinha opção: para ter condições de o Gérson sobreviver com saúde, para ele ter um pouco de comida, uma roupa decente, eu tive que pedir para seus padrinhos criarem ele. Nunca quis que eles adotassem de verdade o menino, mas quando eu vi eles já tinham ido na Justiça, dizendo que eu não tinha meios de criar mais um filho, pintaram a minha vida como se fosse a maior miséria – e eu me senti muito humilhada. Fui até a vara de justiça: 'A senhora tem que dar essa criança, estou vendo que com essa família ele vai ter uma vida melhor... olha, a sua roupa, olha, você... como é que vai poder dar as coisas para essa criança.' Eu ouvindo tudo isso, arrasada, e o Gérson no colo dos padrinhos."

Confusa com a situação toda, Elza ouve, então, uma colocação ainda mais cruel do juiz: "Você quer que seu filho morra?" Para aquela mãe que já sabia bem o que era perder um filho, não tinha mais escolha. "Lógico que eu queria meu filho vivo. E eles continuavam dizendo aquelas coisas, mas falaram tanto, tanto, tanto, que eu assinei o papel e dei o Gérson em adoção. E ele foi viver e crescer com os padrinhos." O trauma dessa separação permaneceu para sempre uma questão mal resolvida, que se desenrolou em várias tentativas de reaproximação. Mas, naquela época, ter aberto mão do filho era algo que Elza nem comentava. Quando Dilma nasceu, um ano depois, ela chega como a terceira filha do casal – como se Gérson nunca tivesse passado por aquela casa.

Se esse era um assunto proibido, os abusos que sofria com Alaordes não eram. Elza fazia questão de esclarecer. A curiosidade que a nova estrela despertava era grande, e os repórteres de fofocas brigavam para ter mais detalhes da sua ainda breve biografia. Já entrando nos anos 1960, havia até especulações de que Elza teria escrito um "livro de confissões", *Eu sou a dona Elza*. Histórias mirabolantes na imprensa davam conta de que os originais desse depoimento haviam sido roubados dos cofres de uma editora chamada Denúncia (segundo reportagem do jornal *A Noite*), mas o livro nunca foi publicado. A própria Elza não reconhece nenhum trabalho desse tipo: "O único livro que escrevi até hoje foi *Minha vida com Mané*, e o resto tudo é invenção." O que não impedia de as histórias sobre suas origens serem publicadas, muitas vezes com detalhes impressionantes, ainda que, segundo Elza, fabricados.

Numa reportagem de 1963, no *Correio Braziliense*, trechos inteiros dessa suposta biografia foram publicados na primeira pessoa, como se escritos pela própria Elza. Por exemplo, assim ela descreve o velório do seu primeiro marido: "Alaordes está estendido sobre a mesa. Seu rosto encovado está sereno. Seus dedos magros não apertam nenhum gatilho de arma contra mim. Alaordes está calmo. Não sofre. Não pratica maldades comigo e com as crianças. É um homem calmo, já disse. Que dorme, que não joga ronda com os malandros do morro. É um Alaordes bonito e branco. Que não me atira frases obscenas durante minhas idas à pedreira Marco 5. Alaordes está descansando a vida má vivida. Alaordes não tem mais hemoptises nem me obriga a beber do seu copo contaminado. Alaordes é silêncio. Alaordes está serenizado. Alaordes não bate mais em ninguém. Fora, a noite é triste, tão triste como o meu coração diante de Alaordes, meu marido, diante de Alaordes, pai de meus filhos (vivos e mortos), diante de Alaordes enfeitado de fim."

Ao ver essa reportagem Elza foi ainda mais definitiva: "Nunca escrevi isso." Mas também admite que isso não estava muito distante do que sentia. Especialmente na relação que tinha com a família de Alaordes, que sempre olhou para ela com desdém. Algo mais forte que isso, beirando o preconceito, transparece na reportagem do *Correio Braziliense*: "Olho o rosto de Alaordes, homem branco, limpo, filho de italianos. Todos racistas. E como sou uma negra sebosa e vagabunda, sou também a única pessoa de sua família que chora e vela seu cadáver." Novamente, ela garante que não são suas essas palavras. Mas que elas servem como um belo acerto de contas, isso servem...

Na certidão de óbito, Lourdes Antônio Soares, seu nome oficial, *causa mortis* tuberculose pulmonar, sepultado aos 36 anos em Jacarepaguá, deixava quatro filhos e nenhum bem. E nem algum carinho, Elza poderia acrescentar. "Ali, nunca teve amor. Não fosse pela pensão safadinha que eu recebia da empreiteira depois da sua morte, eu logo teria esquecido dele. Mas era uma grana, né?, e todo mês eu andava metade da cidade para buscar aquele dinheirinho, e essa foi a única lembrança que ficou. Por um tempo."

Da morte de seu marido até que ela voltasse a pensar em amor, vários anos se passariam. Viúva, jovem e bonita, porém, era inevitável que Elza chamasse atenção. "Eu namorei muito no período entre a viuvez e quando conheci o cara com quem eu iria viver minha primeira relação verdadeiramente amorosa, o músico Milton Banana. Mas eu não queria saber de me apaixonar por ninguém. Aliás, eu nem sabia direito o que era isso. A experiência que tive com Alaordes me bloqueou. Eu pensava que, se eu me apaixonasse, eu teria de casar e aí eu teria mais filhos... desse jeito eu não sairia de casa nunca – e adeus carreira de cantora!" Elza partiu para aproveitar a vida e isso, para ela, naquele momento, significava investir na música. "A morte do meu marido me deixou livre para cantar."

O medo de Elza era, no fundo, um medo de casar. Ou melhor, de voltar a viver o que um casamento significava para ela. "Eu tinha pavor de ter outro homem dentro de casa, medo de ser de novo uma dona de casa, sabe aquelas coisas? Vestir um avental, ir para a cozinha, sair limpando a casa toda. Tinha medo até de ter que voltar a colocar uma lata d'água na cabeça." Para Elza, sua primeira união tinha roubado dela a infância e parte da adolescência: "Eu deixava a casa limpa rapidinho porque queria sair e soltar pipa. Meus filhos pequenos caíam no sono e eu ia correr lá fora, aproveitar um pouco de liberdade. Eu aprendi a amar os meus filhos, mas, quando eles chegaram, eram apenas consequências das coisas que Alaordes fazia comigo. Eu me lembro claramente de não querer ficar grávida novamente depois que Carlinhos nasceu. Mas não teve jeito! Ele vinha para cima de mim com aquela brutalidade toda, e a gente nem imaginava, naquele tempo, que podia ter um jeito de prevenir." Elza não queria voltar para aquilo que já conhecia: "Era a referência de vida conjugal que eu tinha."

Seu negócio então passou a ser só namoro, mas sem muito envolvimento. "Quando eu sentia que estava me apaixonando, caía fora. Saía da relação rapidinho. Aliás, era eu que tomava a iniciativa de me separar. Não queria compromisso de jeito nenhum. E olha que não faltou homem doido por mim. Doido mesmo, batendo na minha porta: eu me lembro que teve um que insistia porque insistia que queria casar comigo e eu sempre dizia que não. Até que ele cortou o dedo, veio me mostrar sangrando e falou: 'Toma meu sangue, ele é teu também.' E eu fiquei horrorizada, saí correndo, gritando que não queria o sangue de ninguém. E ele acabou sumindo. Impressionante a capacidade que eu tinha de atrair maluco." Mas Elza admite que dava um pouco de corda para os pretendentes, ao mesmo tempo em que tentava impor limites. Até porque, passado o trauma do casamento, seu corpo já pedia isso.

"Eu estava aprendendo a gostar de sexo, já era, sim, uma mulher sexualmente ativa, que sentia prazer, apesar do que Alaordes tinha feito comigo. Fui me desinibindo aos poucos e, talvez por isso mesmo, avançava com tanto cuidado. Conversava com todo mundo, dava uma chance, sim – não queria passar a imagem de uma mulher ignorante ou intransigente. Mas logo no início da conversa com qualquer pretendente eu já falava dos meus filhos, contava que eram quatro, pequenos, e que eles eram prioridade na minha vida. Deixava claro que eu era pai e mãe pra eles. Aliás, como sou até hoje. E a maioria não encarava."

Raramente aparecia alguém que a impressionava. Como noticiou a *Revista do Rádio*, em outubro de 1961, o jogador do Benfica, time de futebol português, Mário Esteves Coluna, tinha o sonho de conhecer a cantora, quando pisasse em solo brasileiro. Fã dos seus discos, o grande craque Eusébio, outro jogador muito famoso, tinha ido jogar uma partida no Uruguai e, no retorno à Europa, passou por aqui, para conhecer a cantora. E teve também outro português! "Ele se dizia nobre, ou uma coisa parecida, e que tinha me ouvido cantar na rádio e ficou logo apaixonado. Eu me lembro que ele contou uma história doida, que tinha vindo ao Brasil pra me ver e que, quando desceu do avião, beijou o solo e falou: 'Esse é o chão de Elza Soares!'... Imagina se eu ia querer um maluco desses do meu lado?"

Teve só um "maluco" nessa época que balançou o coração de Elza. "Ele se chamava Amaro Gomes Ferreira, era marinheiro e queria casar comigo. Ele parecia sério e era um homem bonito. Só que colocava na minha vida o mesmo obstáculo que o Alaordes: não queria que eu cantasse. Seus motivos eram diferentes: ele não tinha nada contra a carreira, respeitava bastante a classe artística, mas queria que eu fosse com ele viajar pelo mundo, seguindo os navios em que ele trabalhava. Eu gostei muito dele, mas, por conta disso, eu já sabia que não iria dar certo. A gente ficava junto sempre que ele estava pelo Rio de Janeiro, e quando ele saía para o mar eu fazia o que queria." E o que ela queria fazer era cantar. Quando já dava seus primeiros passos na noite carioca, um dia, depois de uma apresentação no Texas Bar, alguém bateu na porta do seu camarim dizendo que tinha um homem lá fora procurando por ela. E já adiantou que ele estava vestido como se fosse um marinheiro!

"Eu congelei! Meu Deus, o Amaro veio me procurar aqui na boate... eu achei que ia ter a maior cena. Mas não tinha como fugir, achei melhor encarar. Para minha surpresa, ele foi supercarinhoso. Começou me elogiando, perguntou se eu estava cantando mesmo profissionalmente, mas não parecia incomodado com isso. E me pediu para ir à minha casa no dia seguinte, que queria conversar melhor comigo e com minha mãe. Eu nem desconfiei que ele queria era me pedir em casamento." Quando ele chegou, Elza estava nervosa. Apresentou o namorado, que ela nem sabia bem se era namorado, para dona Rosária e, em seguida, Amaro já foi logo mostrando suas intenções: "Eu estou aqui para pedir a mão de sua filha", disse ele cheio de cerimônia. As duas ficaram sem ter o que falar. "Por um lado minha mãe achou bom, porque ele já disse logo que queria que eu largasse o palco e fosse viver com ele como sua mulher. Ela até ali não gostava nem um pouco da ideia de me ver ganhando a vida como cantora. Eu abaixava a cabeça, disfarçando que estava sem graça e minha mãe deve ter percebido, porque ela disse: 'Deixa a gente pensar um pouquinho, né? Elza tem essa vida agora, vamos ver o que ela quer mesmo fazer.'"

Quando Amaro foi embora, levando um pouco de esperança, as duas começaram a discutir. "Pelo amor de Deus, minha filha, casa! Viu como você tem sorte, esse homem viaja semanas e quando volta ainda está apaixonado por você, quer te levar para viver com ele e tudo. Você não vai mais precisar passar a noite fora, vai ter uma vida normal, não vai viver com essa cara abatida, de quem mal vê os filhos, nem bota eles para dormir e já está na rua, sei lá onde", dizia dona Rosária. Ouvir isso da mãe foi uma decepção enorme: ela não poderia esconder mais nada. Se dona Rosária apenas desconfiava que a filha estava se apresentando de madrugada, quando Amaro contou que foi buscá-la na porta da boate, ela então teve certeza de onde Elza andava. E não aprovava. "Eu sabia que, dali para frente, ia ter que aguentar minha mãe me cobrando toda noite, quando eu passasse pela porta para sair de casa."

No dia seguinte, Amaro chamou sua pretendente para sair, esperando uma resposta, e ela foi direta: "Não estou pronta para casar com você", soltou no início da conversa. Ele parecia não ter escutado o que Elza tinha dito. "Amaro começou a fazer planos, ali mesmo, na minha frente, falando justamente das coisas que eu mais tinha medo que acontecessem. Disse que ia querer viajar comigo, mas que depois daria uma casa para mim, para minhas crianças, que aceitava os meus filhos, mas queria ter outros comigo também, e que a gente teria uma vida feliz, que eu não precisaria mais cantar… Mas será que ele não percebia que era aquilo que eu mais queria na vida?" Amaro até chegou a dizer que ouvia Elza cantando, na sua imaginação, quando estava longe no barco, e que foi numa noite assim, num delírio desses, que tinha resolvido voltar e pedi-la em casamento – uma cartada romântica. Não funcionou.

"Eu disse que queria mesmo era seguir com a música e que ele não iria deixar. Ele confessou que, se dependesse da sua vontade, ele não iria permitir mesmo. E eu encerrei a história ali mesmo, dizendo: 'Vamos fazer uma coisa? A gente termina o namoro e ninguém sai machucado, não é melhor assim?' Levantei e fui embora. Só ouvi ele dizendo de longe que não ia deixar de me amar." No dia seguinte, ele estava de volta à casa de dona Rosária e contou tudo para ela. A mãe de Elza, que tinha simpatia por ele, o recebeu com muito carinho: Amaro era para ela a esperança de que tudo na vida delas iria mudar. "Minha mãe não estava errada, não, ela queria uma vida melhor para mim. Mas eu também não estava errada. Eu sabia o que era importante para mim. Sabia também que o caminho seria difícil, mas que era ali, em cima de um palco, que eu iria me realizar."

Quem é que podia saber o que era melhor? Hoje é fácil dizer que Elza fez a opção certa. Mas foi preciso dona Rosária ganhar

Elza Soares, em 1964.

uma casa da filha para admitir que, apesar de não se convencer que a música daria uma vida estável para Elza, as coisas estavam, pelo menos, melhorando. Seguia maldizendo a decisão de Elza de cantar até que... bem, até que a filha realizou um de seus maiores desejos: gravou *Se acaso você chegasse*. Elza virava uma estrela. Se isso não era motivo de orgulho para a mãe, uma relação mais estável também já estava pintando no fim de 1961. Milton Banana era a primeira promessa de um amor verdadeiro, alguém com quem Elza queria realmente ficar. Se não era ainda seu príncipe, pois ela sonhava com um, depois de tanta infelicidade conjugal, Banana era um companheiro com quem ela podia contar e dividir também a paixão pela música, já que ele era um baterista respeitado, parceiro de toda a turma da bossa nova, inclusive João Gilberto.

Mas mesmo essa promessa de estabilidade, tão sonhada por Elza, seria driblada não muito tempo depois por alguém que, apesar de um andar cambaleante (ou talvez por causa dele), era craque nessa arte...

8
a madrinha da Seleção vive sua lua de mel

"Pelo amor de Deus, amiga, você tem que me ensinar a fazer uma caipirinha agora!" Elza estava desesperada ao telefone, e a amiga Elizeth Cardoso estranhou a aflição. "É que o Mané vai vir almoçar aqui em casa e falou que queria tomar uma caipirinha e eu não tenho ideia de como preparar uma." De fã a amiga, Elza tinha construído com Elizeth, naquele início da década de 1960, um relacionamento bem próximo. Tanto que ela foi uma das poucas pessoas com quem Elza falava abertamente sobre o namoro que, apesar de já ser assunto em todo o Brasil, o próprio casal ainda tinha dificuldade em assumir. Esse almoço que Elza estava preparando para Garrincha, que ela desde o início chamava de Mané, prometia ser algo especial. Por isso, Elza, que desde pequena teve horror a bebida, pelas histórias de alcoolismo do próprio pai e do primeiro marido, estava contando com a ajuda da amiga para os drinques.

As fofocas já começavam a pipocar numa onda negativa – afinal de contas, Garrincha já era casado com outra mulher, Nair, e pai de sete

O capitão da Seleção, Mauro, levanta a Taça Jules Rimet, Copa do Mundo de 1962.

filhas. Esta realidade deixava claro que tudo poderia estar por um fio. E Elza não queria ter margem de erro. "Tudo ali estava a favor do amor", diz ela ainda hoje, como se fosse uma adolescente romântica. Nas linhas de *Minha vida com Mané*, escritas no fim daquela década de 1960, ela confessava, com ares de poesia: "De um momento para outro, senti que o amor existia de verdade, forte, arrebatante. Um verdadeiro mar. Imenso. Ficava horas ouvindo determinadas músicas que sabia que Mané gostava. E tudo era como aquela música de Dolores Duran na base 'do só vou, se você for.'" Nas ruas, na imprensa – e até mesmo nos seus shows –, o que ela mais ouvia eram as críticas, na linha "esta mulher está acabando com a família brasileira". Mas no seu coração, Elza só tinha a certeza de que havia encontrado paz. Ou ainda, um sossego maior e mais verdadeiro do que achou que poderia ter com Milton Banana, seu primeiro relacionamento sério depois que ficou viúva.

Milton era torcedor do Botafogo. Roxo. Ter perdido o coração de Elza para o ídolo do seu time foi uma triste ironia. Mas ele podia se orgulhar de, pelo menos, ter despertado não só o embrião de um amor em Elza, mas até mesmo um lado seu que ela mesmo nem sabia que tinha: o do amor-próprio. Talvez fosse por isso que, intuitivamente, ela se sentia tão bem com ele. Na música, ela nunca precisou de um professor formal que dissesse a ela onde deveria ir com o seu talento. Mas Milton, que tinha já um currículo de peso e parceiros respeitadíssimos – é dele a bateria do grande marco da bossa nova, "Chega de saudade", de João Gilberto (composição de Tom Jobim e Vinicius de Moraes) –, não podia resistir a dar alguns palpites sobre o jeito de cantar de Elza. "Eu não achava que ele estava me ensinando nada, se não já teria rejeitado os conselhos ali mesmo. Mas ele era muito parceiro e eu me sentia bem com os toques dele", conta Elza.

"Foi o próprio João Gilberto que me apresentou ao Milton", lembra Elza. Desde o primeiro dia em que João e Elza se conheceram, nos estúdios da gravadora Odeon, uma intimidade nasceu entre eles.

"Todo mundo sempre achava que o João era aquele cara sério, sisudo. Mas comigo ele era um moleque. A gente ficava até altas horas conversando sobre bobagens e também sobre música: ele gostava da divisão que eu colocava nas músicas, às vezes antecipando, às vezes atrasando um verso. Fiquei amiga até da Astrud, sua mulher. A gente tinha um código: quando eu estava na casa do Milton com João, e Astrud ligava perguntando pelo marido, o João sempre me pedia para dizer que ele não estava. Eu respondia isso rindo pra Astrud e ela já sabia que podia ficar tranquila porque ele estava com a gente." Foi essa intimidade toda que permitiu que João Gilberto desse palpite na vida amorosa de Elza. "Ele disse que eu tinha que conhecer um parceiro dele e eu fui logo dizendo: 'João, eu sou muito chata com essas coisas, não quero mais casar e namoro nenhum dura comigo.' Ele ria e dizia que eu me daria bem com o Banana."

Os dois acabaram se conhecendo na casa do João, depois de uma noite no Texas Bar e... "Eu acabei me apaixonando pelo Milton. Mas sem perder meu foco, que era cantar!" Ele era um homem bonito: não era muito alto — só o topete, caprichosamente engomado, colocado alguns centímetros acima daquele que seria mais tarde seu grande parceiro, Tom Jobim. Mas para o 1,57 metro de Elza, ele poderia ser considerado um homenzarrão. Seu olhar meio incerto parecia desviar de quem estava na sua frente; o sorriso era formado por dentes retos e alinhados, como que para distrair o fato de o lábio superior ser quase um traço; e o nariz era forte, reto e comprido — todo o conjunto exercia um charme infalível nas mulheres e não foi diferente com Elza. "Em matéria de beleza, ele tinha até uma rivalidade com o Tom. Fiquei muito entusiasmada com ele, mas, como sempre, eu menos do que o cara que se apaixonava por mim." Eles nunca chegaram a morar juntos, mas Elza passava várias noites na casa de Milton. Era quase uma vida de casal.

"Ele tinha um borogodó terrível — eu ficava louca com aquele físico. E ainda tinha a música. Ficávamos horas, sozinhos, falando de música e improvisando. Era uma delícia! Uma vida de casal que eu nunca imaginei que poderia existir." Milton também era louco por Elza, confirmando assim a suspeita de João Gilberto de que os dois se dariam bem. "Ele fazia loucuras por mim, como aquela vez em que fomos fazer um show no Uruguai com Elizeth Cardoso – era alguma coisa que Vinicius de Moraes, que também tinha ficado meu amigo, e tinha lá seus contatos diplomáticos, tinha arranjado. O próprio Vinicius ia se apresentar também. Fomos todos de avião, uma farra. Mas aí, quando eu estava ali no meio do palco, quem eu vejo na bateria? Milton Banana! Tinha ido de surpresa! Ele me disse que foi antes, de ônibus, pra eu não desconfiar de nada, mas eu sabia que ele tinha pegado um outro voo. Nem procurei saber – eu gostava dessas maluquices dele."

Até que ele aprontou uma que assustou Elza – uma mulher que, apesar de ter evoluído bastante nos seus relacionamentos, ainda se resguardava ao menor sinal de que algo pudesse parecer um casamento. "Teve uma temporada em que ele foi tocar nos Estados Unidos com o João Gilberto, e quando voltou, perguntei se ele não tinha trazido nenhum presente pra mim. Ele falou para eu abrir uma caixa enorme que estava ao lado da mala." Dentro da caixa, um vestido de noiva. "Eu fiquei meio sem reação – e ele logo veio falando que estava na hora de a gente casar. Minha resposta na lata: 'Não!'", lembra ela não sem uma ponta de crueldade.

Pode ser que Elza estivesse mesmo se fechando no seu medo de um compromisso definitivo. Mas a verdade é que, enquanto seu relacionamento com Milton já entrava no segundo ano, Garrincha já começava a fazer parte dessa história. Elza viu Garrincha de perto antes de conhecer Milton Banana. Em *Minha vida com Mané*, ela conta que foi ver a Seleção que desfilava vitoriosa pelo Rio, depois da conquista da primeira Copa do Mundo, em 1958. Ela estava com uma companhia de teatro, de Silva Filho, e o diretor mandou que fosse com todo o elenco saudar os "onze homens de ouro". "Foi nessa ocasião que vi Garrincha pela primeira vez.

Me pareceu triste, diferente dos outros, meio distante, não sei por que pensei num passarinho. Mas parecia um passarinho. Sua simplicidade me tocou fundo. Naquela noite gloriosa, quis um grande bem ao Garrincha."

Esse registro talvez tivesse passado despercebido, se os dois não se cruzassem mais lá na frente. Seria necessário outra Copa do Mundo para que o amor realmente acontecesse. "Naquele desfile em carro aberto, ele nem sabia quem eu era. Mas quando o Mané foi bater lá na minha casa da Urca pra pedir votos pra ele ganhar um carro, ele já conhecia a mulher por quem iria se apaixonar. Ele chegou com o Nílton Santos, que jogava com ele no Botafogo, procurando meu apoio pra ajudar a vender rifas de um concurso que tinham inventado, acho que era o jogador mais popular do Rio." A ideia foi do *Jornal dos Sports*, tradicional gazeta de esportes (leia-se futebol) carioca, que se destacava pelas páginas cor-de-rosa nas bancas. Em parceria com uma concessionária que queria promover o primeiro carro de luxo produzido no Brasil, a ideia era que as pessoas comprassem o jornal para recortar e preencher as cédulas com seu candidato: quem tivesse mais votos, levava para casa um reluzente Simca Chambord!

A concorrência era dura: mesmo com a liderança do Botafogo no campeonato carioca, Garrincha corria sério risco de perder o carro para Bellini, o grande zagueiro do Vasco, que havia sido o capitão da Seleção Brasileira na vitória do mundial de 1958. "Por isso foram me pedir pra eu entrar pesado na campanha do Mané. Eles já vieram pedindo que eu fizesse alguns shows para ele e fosse acompanhar o Mané em alguns eventos onde as pessoas poderiam preencher mais cédulas. Eu acabei topando, mas acabei fazendo mais que isso. Como eu já gostava muito dele e sabia que ele era querido por muita gente, queria ter a certeza de que ele ia ganhar a votação: mandei comprar tudo quanto era exemplar do jornal, durante vários dias, e preencher tudo com o nome dele."

Elza só contou para Garrincha dessa campanha paralela depois de muitos anos juntos. "Ele falou: 'Mentira!' E eu não tinha nenhuma cédula guardada para provar para ele que tinha feito aquilo, só jurava que tinha feito por amor." Mesmo assim, Elza estava exagerando um pouco, porque o romance mesmo só aconteceria alguns meses depois do concurso. O Mané de Elza, que ainda nem tinha ganhado dela esse apelido, ficou em primeiro lugar com folga. Como conta Ruy Castro na biografia do craque, *Estrela solitária*: "O esforço valeu a pena. Garrincha venceu com 300.247 votos e ganhou o carro. Bellini ficou em segundo com 245.308 e ganhou um terreno em Cabo Frio; e Babá terminou em terceiro com 121.278 – ganhou um televisor quase do seu tamanho." Elza ficou toda orgulhosa: "Gastei uma grana nisso, mas valeu a pena."

Ela agora podia gastar. Sua carreira tinha deslanchado de vez. Em 1961, Elza tinha lançado *A bossa negra*, seu segundo LP, que foi um grande sucesso. "Boato", de João Roberto Kelly, já tinha tido bastante repercussão e foi incluída nas faixas do álbum, que abria com uma estupenda versão para um antigo sucesso de Aracy de Almeida: "Tenha pena de mim". A primeira coisa que as pessoas ouviam, ao colocar a agulha na "bolacha", como era comum chamar um disco de vinil, era a voz rouca de Elza, abrindo com alegria (e aquela voz!) o caminho para o irresistível refrão "Trabalho, não tenho nada, não saio do miserê/ Ai, ai, meus deus, isso é pra lá de sofrer". *A bossa negra* trouxe ainda mais respeito para Elza, especialmente no próprio meio musical. Ela havia deixado de ser uma curiosidade da noite, um "segredo de boca a boca", para conquistar o primeiro time do samba. Os convites para shows, até mesmo em São Paulo, não paravam e Elza se sentiu poderosa para se mudar, pela primeira vez, para uma área mais central do Rio de Janeiro: a disputada região da Urca.

Era uma casa pequena – ela moraria em outras mais espaçosas nesta mesma década. Também não tinha uma vista direta do Cristo Redentor – um dos privilégios de quem escolhe esse bairro um tanto isolado para morar. Mas era claro que sua vida tinha melhorado muito. Seus filhos tinham espaço para dormir e brincar. E até sua mãe, dona Rosária, vinha passar alguns fins de semana com ela. Foi nessa casa que Elza começou a gostar de receber. A geladeira estava sempre cheia – e os convidados iam chegando. Mais dia menos dia, o próprio Garrincha saberia o caminho de sua porta sem dificuldades...

Logo depois de ter sido eleito o jogador mais popular do Rio, ele usou o próprio Simca para voltar lá e agradecer a Elza pessoalmente. "Eu sabia que ele queria me ver de novo e um dia ele apareceu lá em casa com o carro tinindo, de duas cores. Mané ficou parado ali, na frente do carro e era todo sorrisos, me dizendo obrigado. Milton estava em casa também e, como era botafoguense, ficou encantado com a visita. Não tinha nenhum clima de cantada ou, pelo menos, eu não percebi nada. Falamos de tudo, uma conversa normal. Mas, quando ele perguntou sobre as crianças, e eu contei que estava preocupada porque o Rio de Janeiro estava numa crise de abastecimento e estavam faltando produtos básicos no mercado, ele se animou todo e disse: 'Deixa comigo, eu tenho tudo isso lá no sítio, deixa que eu trago pra você.' Eu nem achei que ele estava falando sério, mas, uns dias depois, lá vinha o Mané de volta com sacos de comida. E depois veio mais e mais..." A partir daí, Garrincha virou visita frequente na casa de Elza, mas tudo estava ainda na base da amizade – até porque Elza já tinha um parceiro oficial. Porém, ela já estava querendo sair dessa relação, independente do que estivesse acontecendo – se é que estava acontecendo – entre ela e o jogador: "Eu já estava meio desanimada com o Milton, descobri alguns defeitos dele que me incomodavam demais, então acho que eu deixei a porta meio aberta para o Mané."

Ela também estava procurando um jeito de dizer a Garrincha que estava a fim de alguma coisa além da amizade e, num dia desses de entrega de alimentos, ela resolveu se oferecer para fazer um feijão especialmente para ele. "Sempre levando na brincadeira, ele perguntou se eu sabia mesmo cozinhar. E disse: 'Lógico', até um pouco indignada. E ele continuou todo engraçadinho: 'Então eu quero provar da sua comida.' Nem respondi… E ele ainda pediu: 'Também vou querer uma caipirinha, hein!?' E foi aí que eu liguei correndo para Elizeth pedindo que ela me ensinasse a fazer o drinque." Elza não guardava nem álcool em casa, de tanto horror que tinha à bebida. Mas a amiga, que também foi convidada para o almoço, levou várias jarras de caipirinha – para o alívio de Elza e a alegria de Garrincha.

O clima estava armado, segundo Elza: "Eu já vinha sentindo uma coisinha, tinha uma vibração boa no almoço. O Milton não estava e acho que isso deixou o Mané ainda mais à vontade pra ele me chamar uma hora na varanda, dizendo meio sem jeito que queria conversar comigo. Aí ele começou a se abrir: 'Eu nunca soube o que é amar.' E eu fui pega tão de surpresa que só respondi: 'É mesmo?', como se eu quisesse cortar o assunto." Elza sabia do casamento de Garrincha com Nair, mas só pelo que ela havia acompanhado pela imprensa. Achou melhor não tocar no assunto – quem sabe ele desistisse daquela conversa? Mas ele estava mesmo a fim de conquistar a "Crioula", o apelido que lhe deu mesmo antes de sair para a Copa: "Eu tô te falando isso porque eu acho que dessa vez o amor está me chamando", sussurrou ele sem olhar direito para Elza. Na cabeça dela, só um pensamento: "Pelo amor de Deus, eu não posso me apaixonar, eu tenho muito medo. Eu tinha a certeza de que, se isso ocorresse, eu iria me dar mal. Mas o que estava acontecendo ali era muito impressionante, eu não sabia como reagir." E aí Garrincha veio com um chute certeiro: "Tô apaixonado."

Ali, no meio dos convidados, tudo que ele conseguiu ganhar dela foi um beijo rápido. "Não dava para fazer mais nada, todo mundo estava olhando." O almoço acabou e ficou a promessa de eles se verem de novo antes de a Seleção subir a serra fluminense para Friburgo, onde era a concentração. Nada foi marcado formalmente, mas, algumas semanas depois, Elza cruzou de novo com Garrincha num outro cenário: Campos do Jordão – a cidade favorita dos paulistas para passar o inverno. "Eu fui preparada para passar frio, porque todo mundo dizia que lá era gelado. Mas eu estava chiquérrima, com um vestido que o Dener tinha desenhado especialmente para essa apresentação." O evento era uma gravação de um especial do programa "Clube dos artistas", da TV Tupi, apresentado por Aírton Ribeiro e Lolita Rodrigues. "Eu não sabia bem o que ia acontecer, para mim eu ia chegar lá e cantar. Fiquei feliz porque sabia que ia ganhar um cachê para estar lá. E que o Pery Ribeiro também estava no elenco, junto com o Agostinho dos Santos – e eu gostava muito dos dois."

Como o local do show não era exatamente um estúdio de TV, mas um hotel chamado Vila Inglesa, não havia infraestrutura para a gravação. Jogadores, artistas, técnicos e uma lista seleta de convidados lotavam todos os quartos. Camarins? Nem pensar. "Para alguns artistas eles arranjaram um lugar para se trocar, mas eu, como sempre, ficava para trás. Quando vi o Mané circulando pelo hotel, fui logo falar com ele. Não tínhamos nada oficialmente e, ainda mais em público, não podíamos dar pinta de nada. Conversamos normalmente e eu contei para ele que não tinha onde me vestir para cantar. Ele não teve dúvidas: me ofereceu seus aposentos. Não tinha segundas intenções não, ou se tinha ele nem me deixou perceber. Mané estava sendo elegante, jogando seu charme: 'Você, essa grande cantora, sem um lugar só seu? Não pode... pega aqui a minha chave.' Eu sabia que ele estava de olho em mim, mas naquela noite foi respeitoso, ficou do lado de fora me esperando." Quando Elza saiu do quarto, com uma enorme saia rodada, Garrincha abriu um sorrisão. Dener Pamplona de Abreu, que já era um estilista famoso desde o fim dos anos 1950, tinha criado um modelo que realçava as curvas de Elza acima da cintura e deixava todo seu torso como que desabrochando do tecido. "Eu caprichei mesmo, porque a essa altura eu já gostava de me vestir bem e tinha condições para isso. Encomendava todas as minhas roupas de palco com o Dener e

Hugo Rocha", diz ela citando um outro costureiro muito famoso no início dos anos 1960. "Eu tenho as roupas deles guardadas até hoje!"

A gravação do show foi uma grande confusão. Naquela época, a maioria dos programas na TV era ao vivo, mas aquele "Clube dos artistas" tinha a novidade de ser gravado por uma equipe que praticamente estava aprendendo a fazer aquilo justamente naquele evento. "Eu tive que repetir minha música um montão de vezes, mas o clima não era de irritação, não. Eu estava bem feliz de estar lá, de estar ganhando para cantar, e, mais ainda, de estar cantando para o Mané. Ninguém sabia disso, mas já era tudo para ele." Tudo terminou tão tarde, e todos estavam tão cansados, que Elza nem se despediu de ninguém. Passou pelo quarto de Garrincha correndo, pegou suas coisas, nem se trocou, e desceu para São Paulo para voltar para o Rio no dia seguinte. "Não dei nem tempo pro Mané vir de novo com aquelas conversas de que estava apaixonado."

Houve outros encontros antes de a Seleção embarcar para a Copa, com diferentes graus de intimidade. "Toda vez que a gente se encontrava, ele me enchia de elogios. Mané gostava muito da Billie Holiday e ele me achava a cara dela. Acho que tinha uma coisa de voz também e assim que ele me via, pedia pra eu cantar alguma coisa para ele se lembrar da Billie. Tivemos alguns rolos antes do Chile, mas sexo mesmo, eu não queria. Tinha o tal do medo de me envolver. E eu ainda estava com o Milton. Não que Mané não insistisse. Mas a gente ficava ali, só na intimidade, mas sem transar." E foi essa atmosfera mais recatada que também predominou quando eles trocaram seu primeiro beijo em público.

Garrincha já estava na concentração com a Seleção e pediu que Elza fosse encontrá-lo em Friburgo, onde os jogadores se preparavam para ir ao Chile disputar a Copa de 1962. "Eu recebi um telefonema de um jornalista chamado Edgar Cosme me chamando para ir com ele até lá. 'É o Garrincha que está pedindo', ele repetia para deixar bem claro." Mesmo sem acompanhar de perto o futebol, ela acabou envolvida com o clima de euforia daquele campeonato por um motivo especial: um empresário uruguaio, Edmundo Klinger, havia convidado Elza para uma série de apresentações em Viña del Mar e outras cidades chilenas durante a Copa. Klinger era um nome conhecido do circuito de espetáculos na América do Sul. Elizeth Cardoso estava sempre na sua agenda, e os dois trabalhavam sempre juntos em shows de sucesso no Uruguai. Pode ser até que a própria Elizeth tenha sugerido a Edmundo o nome de Elza para promover a passagem da Seleção Brasileira pelo Chile. Para dar um peso maior à sua proposta, ele acabou dando a Elza o título de "Madrinha da Seleção", já poderosa no cargo, quando foi chamada por Garrincha para visitá-lo na concentração.

"Cheguei lá com Edgar e fiquei do lado de fora vendo os jogadores no campo treinando a partir de uma grade enorme. Quando teve um intervalo, Mané veio logo falar comigo: 'Olha só quem está aqui, a Madrinha da Seleção!' Eu já respondi com brincadeira: 'Ainda não sou madrinha de nada, não teve padre, não teve bacia nem água benta!' Mané riu e, como não era muito bom de jogar conversa fora, falou baixinho: 'Posso te dar um beijo?' Eu nem respondi. Só cheguei perto dele e ali, pela grade mesmo, ganhei um beijo bonitinho. Não teve maldade, não, pelo menos eu não me lembro assim. Era um beijo de carinho. Não tinha sacanagem. Mané podia ser bem sedutor quando queria, mas ali eu acho que ele estava mesmo sem jeito perto de mim, porque tinha muita gente em volta. Mas nem por isso ele quis perder a chance de me beijar."

Fim do treino, os dois saem para dar uma volta pela cidade. Garrincha com seu agasalho da Seleção, com aquela elegante gola alta fechada com zíper, o clássico emblema da CBD (Confederação Brasileira de Desportos) no peito, "Brasil" em letras enormes e a calça disfarçando suas famosas pernas tortas com aquela tira clara na lateral, dando a impressão de que ele era um pouco mais esguio. Elza, preparada para o frio, estava com um casaco grosso, um tanto felpudo e de botões largos, a enorme lapela espalhada pelos ombros, mostrando uma bela camisa branca e, por cima, um colar de pérolas de três voltas. Ela sabia que estava pronta para impressionar...

Ninguém que visse aquele par passeando ao longe poderia desconfiar de que aquilo era o começo de um namoro. "Eu perguntei como estavam os treinos, se ele estava animado com a Copa, coisas assim." Garrincha sabia que iria ficar um bom tempo longe de Elza, por conta do campeonato, mesmo ela estando lá, os limites da concentração não permitiriam muita intimidade entre eles. "Foi tão lindo, ele me fez juras de amor, ficou ali de mãos dadas comigo, e foi a primeira vez que falou, ainda brincando, que ia ganhar a Copa para mim."

Foi o que Garrincha precisava para vencer a "muralha" que Elza tinha construído em torno de si mesma. Ela também, a essa altura, já estava bastante apaixonada e foi nesse espírito que embarcou para o Chile, no finalzinho de maio de 1962. "Lá fui eu passar frio de novo. Eu fiz uma mala chiquetésima com as roupas de palco, mas esqueci que, durante o dia, também fazia frio por lá. E nos estádios, então? No jogo do Brasil na final, eu tive que pedir uma pelerine emprestada para a primeira--dama chilena – e eu vibrei tanto quando o Brasil ganhou que joguei aquela roupa caríssima lá para o campo!" Mas, antes da vitória, os seus dias seriam bem agitados na sua temporada chilena.

"Logo que cheguei já comecei a receber recados de que o Mané queria me ver. Eu tinha prometido para mim mesma que não ia interferir em nada. Já pensou? Se alguma coisa desse errado, eles iam falar que a culpa era da Elzinha. Minha sorte é que eu sabia que o técnico da Seleção (Aymoré Moreira) era bravíssimo, linha dura mesmo com os jogadores – e eu tinha certeza de que ele não ia deixar mulher alguma atrapalhar a concentração." Mesmo distante, Elza sabia de cada passo de Garrincha – e ele, dos dela: uma rede de jornalistas eram os informantes do casal, cujo romance ainda não estava totalmente assumido.

No seu coração, no entanto, não havia dúvidas – ela estava "caidinha". A ponto de querer arrumar briga com quem mexesse com seu Mané: "Um dia eu estava almoçando e ouvi, no restaurante do hotel, alguém chamar ele de 'aleijado'. Quando eu virei para ver, era o Stéfano (Alfredo di Stéfano, famoso jogador argentino que, naquela Copa, defendia a seleção espanhola). Fiquei enfurecida, senti vontade de chegar ali perto e dar um tapa na cara dele. Ele dizia que, como o Garrincha estava machucado, iria quebrar ele em campo, quando o Brasil jogasse com a Espanha." Felizmente ela conseguiu controlar seus impulsos – não contou para Garrincha nem mesmo quando fez uma visita, devidamente autorizada, ao jogador. "Ele estava cheio de graça comigo, mas eu não queria intimidade. Só falei para ele se cuidar e ficar bom daquele joelho, porque afinal de contas ele tinha prometido dar aquela Copa para mim." Mais uma vez ele disse que iria dedicar a vitória – se ela viesse mesmo – para Elza. Ainda deu para trocarem alguns beijos, mas sexo mesmo... não houve, segundo Elza. "Juro pelos meus filhos que me comportei, até em respeito ao próprio Mané. Se ele quisesse fazer besteira, que fizesse sozinho... Vai que o Brasil perde a Copa... O que iam falar? Que a culpa era minha! Eu tirava as mãos dele de mim e dizia pra ele se concentrar: 'Não vai perder nenhum jogo, não. Você tem a obrigação de dar essa Copa para mim.' E o Mané só ria quando ouvia isso." De alguma maneira, as palavras de Elza surtiram efeito no jogador – apesar de ele não ter marcado nenhum gol, o Brasil ganhou de virada da Espanha, desclassificando aquela seleção numa partida emocionante naquele começo de junho, no estádio Sausalito, em Viña del Mar.

Ali mesmo, Elza viveria uma de suas noites mais inusitadas, quando, depois de uma apresentação muito aplaudida – parte da sua turnê no Chile como "Madrinha da Seleção Brasileira" –, ela recebeu um recado de "um tal de Louis Armstrong" que queria conhecê-la. "Um baterista que tocava com a gente, chamado Reizinho, veio me chamar. Eu não fazia a menor ideia de quem era esse cantor

Garrincha em campo contra a seleção do Chile, em 1962.

americano – naquela época a gente ouvia mais os brasileiros e conhecia só um ou outro estrangeiro. Eu achei meio estranho e não quis ir logo de cara, mas todo mundo ficou me falando que ele era uma celebridade, um dos cantores mais famosos do mundo; então, eu fui. Quando cheguei no camarim dele, até me assustei com o tamanho daquele homem. A primeira coisa que aquela figura me fez lembrar foi do Monsueto, um sambista muito famoso na época, que eu já conhecia bem. Mas o tal do Louis Armstrong era ainda mais alto. E aí ele começou a falar e eu achei que ele estava me imitando!"

Elza Soares canta para os jogadores da Seleção, que se preparavam para a Copa do Mundo de 1962.

Elza brinca, claro, com a sonoridade bastante única que tanto ela quanto o cantor sabiam fazer com facilidade – o *scat*, aquela rouquidão afinada, que marcou tanto a história do jazz americano e agora tinha uma representante também no samba brasileiro. Mas como Elza nunca havia ouvido ninguém cantar como ela, logo achou que ele, Armstrong, estivesse "roubando" seu estilo. "Fiquei zangada mesmo e até disse baixinho: 'Olha, o negão tá me imitando.' Eu pensava assim: a gente não pode criar nada que alguém já vem fazer igual... Eu fazia isso desde pequena, com uma lata d'água na cabeça, e esse aí vem aqui, me copia e vai levar meu segredo para os Estados Unidos." A inquietação ficou ainda mais tensa porque todo mundo no camarim insistia para que Elza conversasse um pouco com ele – uma tarefa quase impossível para ela naquele momento: "Eu não falava uma palavra de inglês, ia conversar o quê? Um tradutor que estava com ele me dizia que ele não parava de me elogiar, mas tudo que eu conseguia entender era o 'yeeeeah' que ele soltava com aquele vozeirão – e que ele estava me chamando de 'doutor', pelo menos era isso que eu entendia."

Era, na verdade, uma bela confusão, que Elza conta sempre achando graça. Por causa da afinidade vocal, Armstrong teria se referido a ela como "daughter" – "filha", em português. Mas aos ouvidos de Elza, o que chegou foi "doctor" e aí ela não sabia o que dizer. "Todo mundo ria e dizia para eu chamar ele de 'father', que é 'pai', mas minha pronúncia era um desastre – e saiu alguma coisa como 'fóder', que provocou uma gargalhada geral. No fundo achei que ele estava me jogando um charme, todo elegante ali de gravata borboleta – ele era um galanteador. Tinha uma assistente japonesa que imediatamente ficou com ódio de mim. Enquanto a gente tentava conversar, ela falava muito rápido – era impossível entender. Mas eu percebia que ela estava jogando um veneno contra mim, porque me olhava com muita raiva. Especialmente quando rolou um convite para que eu fosse cantar com ele nos Estados Unidos. Aí ela ficou uma fera!"

Louis Armstrong suava muito naquele camarim: Elza se lembra de ver uma pilha de lenços de linho ao alcance da mão do cantor, que os usava constantemente para secar a testa. "Eu fiquei nervosa pra ir embora dali, não estava me sentindo bem, ainda mais depois da proposta pra cantar com ele nos palcos americanos." Se ficou tentada a aceitar, Elza disfarçou bem. Elza queria, sim, crescer na carreira, mas sair do Brasil não estava nos seus planos. E, além do que, havia Garrincha, que, com Pelé machucado e fora dos jogos, brilhava cada vez mais na Copa do Chile: "Mané já balançava o meu coração."

Os dois se viram pouco, mesmo nos intervalos entre as disputas do Brasil em campo. Mas a comunicação era intensa, porque uma rede de jornalistas, amigos de Garrincha, fazia a ponte entre os dois. "Eu sabia de tudo o que acontecia com ele, se estava bem, se tinha ficado doente... Na disputa final do título com a Tchecoslováquia me contaram que ele estava com quase 40 graus de febre – e fiquei preocupadíssima! Pensei até em não ir ao estádio, para não tirar a concentração, mas o locutor de uma rádio que era bem amigo do Mané disse que ele tinha lhe pedido um favor especial: 'Traz a Crioula pra mim!' Eu tinha que estar lá, né?" Tinha mesmo: se não estivesse, teria perdido não só um jogo incrível, como uma comemoração inesquecível. E a história do casal teria ficado sem um episódio muito engraçado.

"Com o jogo finalizado e o Brasil campeão, acabou a tensão: eu podia fazer o que quisesse. Assim, antes mesmo de os jogadores saírem do campo, eu já corri para o vestiário. Eu iria embora dali mesmo do estádio – o voo de volta para o Brasil era naquela noite. Mas eu tinha que ver o Mané, dar um beijo bem gostoso nele. No caminho até lá, quando fui me abaixar para passar um obstáculo, um policial mandou que eu parasse, mas como eu nem dei ouvidos, ele soltou um cachorro em cima de mim. E não é o que bicho veio e mordeu minha bunda? Eu podia esperar tudo naquele dia, menos isso. Peguei uma pedra que estava ao lado e joguei no bicho, para assustá-lo e fui em frente." Mas essa não foi a cena mais divertida do dia, segundo Elza. "Quando eu finalmente entrei no vestiário, aí, sim, foi a maior confusão. Aquele monte de homem sem roupa, foi uma gritaria. Vários jogadores que tinham dado em cima de mim ao longo de toda a Copa ficavam se exibindo, mas eu só queria saber de dar um beijo no Mané! Ele tirou a toalha e me abraçou pelado – eu quase desmaiei de tanta alegria. Só depois de um beijo bem demorado que eu parei e pensei: 'Onde é que eu fui me meter, meu Deus?' Mas aí já era tarde demais...", lembra com um sorriso no rosto.

De lá, Elza correu para o aeroporto, entrou num avião da Panair e seguiu para o Rio. "Fiquei esperando o Mané voltar, né? Ele me disse que a primeira coisa que faria quando chegasse ao Brasil seria me ver. E não deu outra. Quando a Seleção voltou, Mané deu um drible em todo mundo e veio escondido para minha casa na Urca. Foi nossa lua de mel. Mandei as crianças para a casa da minha mãe e ficávamos nós dois, sozinhos, juntos, namorando... que sonho! O homem mais famoso do mundo, naquela época, estava na minha cama... Eu tinha tudo para me sentir por cima, mas aí eu lembrava que eu também era muito famosa, né? Então, a gente nem ligava pra nada. Muito diferente de hoje, quando todo mundo fica louco para aparecer, mostrar que está junto e tal. Para mim bastava eu acordar do lado dele. Para o Mané, então, essa coisa de se mostrar nem passava pela cabeça. Éramos só nós dois ali deitados, transando, apaixonados. Nem havia muito dinheiro nesse momento, não tinha como a gente se exibir, ostentar. Era só carinho e amor. Ele falava: 'Você é minha mulher, Crioula, tamo junto e pronto!', e isso bastava para mim."

O caso entre os dois já era fofoca nacional, e poucas pessoas sabiam oficialmente do relacionamento. "O Edgar (Cosme) sabia, claro – foi ele que colocou a gente junto. Minha mãe também sabia – e dos meninos, não tinha como esconder. Até porque eles adoravam o Mané – eles se deram bem logo de cara. A imprensa falava, mas a gente não estava nem aí. Mané só queria saber de ficar numa bolha.

Torcida comemora o bicampeonato mundial do Chile, na Cinelândia, Rio de Janeiro, em 1962.

Só queria saber de mim. Logo depois da Copa, ele se mudou lá para a Urca comigo e não ia mais para a casa da Nair, em Pau Grande." Ao passar a viver com Elza, Garrincha não se separou oficialmente de Nair, com quem já tinha sete filhas. Elza aceitava a situação: "Eu sabia que era um casamento falido, algo que o Mané arrumou pra ele quando ainda era muito jovem, que não tinha amor nenhum." A única coisa que incomodava mesmo era a outra amante que Garrincha tinha, um caso que já vinha antes mesmo da Copa do Chile: Angelita Martinez. E a concorrência era séria...

Angelita foi uma das últimas vedetes – figuras esbeltas que dominaram o *show business* carioca por tantos anos. Corpo escultural, como se dizia, era praticamente um pré-requisito para ganhar o título de vedete. Mas, além dos quadris avantajados, Angelita tinha ainda uma arma secreta: um sorriso radiante que fisgou Garrincha assim que os dois se conheceram, numa tarde de treino do Botafogo, quando ela foi pessoalmente, vestida com uma camiseta oficial do time, cantar para o ídolo a música que tinha acabado de gravar: "Mané Garrincha". Apostando no Carnaval de 1959, Wilson Baptista compôs, em parceria com Jorge de Castro e Nóbrega de Macedo, a marchinha "Mané Garrincha" e pediram para Angelita emprestar sua voz para a canção que dizia: "Não é só café que nós temos pra vender... dribla, dribla Mané, para o mundo inteiro ver..." A música não foi exatamente um sucesso, mas mexeu com a vaidade do craque. E com a libido também. A partir de então, os dois se viram ao longo dos anos – e mesmo ainda em 1962, a relação era tão presente que Elza teve de colocar um limite: "Ela era famosa e bonita, eu já tinha visto a Angelita no teatro. Mas eu falei para o Mané – aliás muito assediado por tudo quanto era rabo de saia – que ela não era mulher para ter casa com ninguém, não era mulher de um homem só. E aí eu cobrei dele: ou lá ou cá. Não queria ficar dividindo meu homem com ninguém." Elza diz que sabia dos rumores de que, entre outros, ela tinha políticos importantes e artistas na sua lista de amantes – e foi impiedosa com o ultimato que, aparentemente, Mané respeitou. "Ele jurou para mim que tinha terminado tudo com ela. Soube que ela ficou furiosa. Mas o problema era dela. Mané escolheu que queria ficar comigo!"

Mas o problema acabou sendo de Elza, sim. Numa noite tranquila na Urca, a campainha tocou e era Angelita. "Fui atender a porta e dei de cara com ela dizendo que tinha vindo buscar seu homem. Na mesma hora eu falei para ela ir embora dali se não quisesse arrumar uma confusão ainda maior. Ela veio na minha direção e eu tive de empurrá-la para ela não entrar na minha casa." O barulho chamou a atenção de Garrincha, que veio até a porta. Segundo Elza, quando viu a cena, ele ficou assustado: "Eu falei: 'Pode entrar que eu resolvo isso.' A mulher ficou lá fora e enquanto eu tranquilizava o Mané na sala, ele me disse: 'Crioula, por favor, leva essa mulher daqui.' Depois disso, como sempre nessas situações de conflito, ele ficou mudo. Angelita sabia que ia bagunçar a cabeça do Mané. Já não era nem apaixonada por ele, aliás, acho que nunca foi. Chegou na minha casa na maldade e eu acabei também perdendo o controle. Quando saí de novo na rua, esculachei com ela. Depois fiquei até com muita vergonha do papel que eu fiz, mas, naquela hora, o sangue me subiu. Pedi ao meu filho Carlinhos que levasse aquela mulher até um ponto de táxi e dei as costas para ela. Fechei a porta e disse pra mim mesma: 'Esse homem é meu.' Foi a última vez que ela chegou perto da gente." Mas nem por isso a vida do casal seria de paz dali para frente.

Logo que Garrincha passou a morar com Elza, a primeira providência que ela tomou foi queimar todas as roupas que ele trouxe de Pau Grande, da casa de Nair. "Botei fogo mesmo, queria que ele ficasse livre de tudo, aquelas bermudas velhas, roupas horrorosas, tudo o que ele tinha. Não era só para que ele esquecesse o passado, não: aquilo tudo não era digno de um homem como o Mané. Eu queria que ele se vestisse bem, que se apresentasse de maneira digna. Mesmo contra a sua vontade: para ele, um short, uma camiseta e um par de chinelos eram mais que suficientes. Mas eu queria mais e ia comprar tudo novo." Mas, com a opinião pública se formando contra eles, graças à campanha negativa da imprensa, que pintava Elza como "a destruidora do lar de Garrincha", o simples ato de sair às ruas estava começando a se tornar arriscado.

"Mané nunca ia numa loja comigo, não tinha paciência. No começo era porque o pessoal vinha pedir autógrafo, apertar a mão dele. Ele era simpático com todo mundo, mas sua paciência era curta: mais de uma vez, ele foi embora antes de eu passar no caixa. Mas aos poucos a situação foi ficando perigosa: as pessoas queriam demonstrar a raiva que tinham porque a gente estava junto. E um dia em Copacabana foi a gota d'água. Eu estava numa loja na Barata Ribeiro, com as crianças e sem o Mané, comprando roupas para os meus filhos irem ao colégio. De repente eu percebi uma gritaria do lado de fora e, quando eu vi, já tinha gente jogando pedra na vitrine, balde d'água pela porta da loja, uma confusão. Queriam minha cabeça – foi horrível. Tivemos que sair pela porta dos fundos."

Elza sabia que as pessoas a julgavam, mas ninguém na verdade sabia de fato como era a vida do casal Elza e Mané. Os jornais e programas de rádio jogavam contra. E ela não tinha muito como se defender. "Ninguém via que naquela relação ali tinha amor, muito amor. Todo mundo só falava em dinheiro, mas da maneira errada. Mané era um cara muito assediado, afinal ele era o maior jogador de futebol na época. Só que não tinha um tostão no bolso. O Botafogo mal dava dinheiro para ele e a Justiça obrigava ele a pagar uma grana de pensão para as filhas. Mané perdeu muito dinheiro num investimento que ele achava que estavam fazendo para ele no Banco Nacional – mas era mais um golpe em que ele tinha caído. E o pouco que ele tinha economizado no futebol e o que ele tinha ganhado na Copa, Mané deixava na casa de Nair, debaixo do colchão, escondido. E sabe o que aconteceu com esse dinheiro? Estragou tudo! Aquela dinheirama toda, esfarelada... de mijo! O colchão lá era todo mijado e a urina acabou passando para as notas. Quando ele foi ver, não tinha mais nada. Mané estava duro. E durante todo o tempo em que a gente estava junto, era eu que ganhava a grana. Minha raiva era que ninguém percebia que quem estava sustentando tudo aquilo era eu. As pessoas achavam que era eu que estava me aproveitando dele, quando era exatamente o contrário. Todo o dinheiro que entrava naquela casa era meu. Mas ninguém escrevia isso." Ela tinha razão: a imprensa era contra Elza e passou a hostilizá-la abertamente.

"Eu comecei a mudar um pouco a minha atitude. Sempre que a gente saía, as pessoas caíam em cima do Mané, pedindo para ele assinar um papel, uma camisa – e eu comecei a falar: 'Você não vai assinar mais nada, essas pessoas não merecem.' Eu também me sentia machucada – só que eu era forte e não deixava ninguém perceber isso. Eu dava entrevistas, convidava os repórteres para ir lá em casa, mas, quando eu via a matéria, o texto era contra mim. Aí eu parei de aceitar convites para ir nas rádios e nas TVs. E as ameaças começavam a chegar até a nossa casa – cartas e telefonemas anônimos. Era insuportável." Essa revolta tinha impacto também na carreira de Elza. Logo depois da Copa do Chile, ela lançou dois álbuns excelentes: *Sambossa* (1963) e *Na roda do samba* (1964). Mas os convites para se apresentar foram escasseando. "Eu comecei a viajar pelo Brasil, onde as notícias ruins ainda não haviam chegado. Era terrível eu ter que deixar o Mané sozinho, porque eu já sabia que, longe de mim, ele ia beber mais do que de costume. Mas eu tinha que ganhar dinheiro. Para os meus filhos. Para nós." A situação era tão tensa que provocou um aborto natural.

"Eu não sabia que estava grávida. Para fugir da perseguição, nós aceitamos um convite do grande amigo do Mané, o goleiro Adalberto, também do Botafogo, para passar uns dias num sítio de um banqueiro que era conhecido deles. Ficava em Santa Cruz (zona oeste do Rio de Janeiro), bem longe de tudo, ainda mais naquele tempo. Foi um alívio nos primeiros dias, ficar lá, sossegados. Mas uma noite, logo depois do jantar, eu ouvi uns tiros e fiquei apavorada. Comecei a correr dali, saí correndo da varanda onde a gente estava. Corri tão depressa que nem vi onde pisei e levei um tombaço. Dei um grito enorme, senti muita dor. E quando foram me acudir, eu percebi que estava sangrando entre as pernas. Foi só ali que eu percebi que estava grávida." Segundo Elza, o dono do sítio logo se ofereceu para ir buscar um médico, mas ela recusou. "Não queria saber de ajuda, de médico, de nada. Minha única reação foi pedir pro Adalberto que procurasse umas ervas no mato, que fizesse um chá bem forte para que eu pudesse tomar. Pedi para o Mané ir junto, mas ele não queria sair do meu lado. Acho que ele pensou que eu fosse morrer. Tomei aquele chá e dormi pesado. No dia seguinte, um médico amigo do Adalberto – que ele tinha chamado, acho, a pedido do Mané, de tão preocupado que estava comigo – foi lá me ver, mas já era tarde: ele disse que eu tinha perdido o bebê."

Elza e Garrincha voltaram tristes para casa. E resolveram se fechar ainda mais – um esforço para poupar o amor deles de qualquer exposição negativa. Era raro ver Mané em algum show de Elza. Mesmo que ele quisesse assistir ao show, Elza o convencia a ficar em casa. "Minha intenção era proteger o Mané, não queria expor ele de jeito nenhum. Teve um show que fui fazer lá na Mangueira, na sede de uma marca de elevadores. Tinham me convidado para ser a madrinha. Fui com o Vicente Quintanilha, que era nosso motorista. Carlinhos, meu filho, foi também. Quando nós fomos chegando perto do local, veio uma mulher na nossa direção gritando: 'Elza, Elza, foge que estão querendo te matar.' Não dava mais para a gente voltar: a multidão já tinha vindo por trás do nosso carro também. Eu acabei entrando na casa de um casal que eu nem conhecia e fiquei lá esperando as coisas acalmarem. Só que a confusão só aumentava. E o Vicente teve uma ideia: eu sairia vestida como homem, com a roupa do dono daquela casa, disfarçada mesmo. Ele pararia o carro na casa ao lado, para ninguém perceber, eu pularia o muro sem que ninguém me reconhecesse e de lá fugiria. Eu achei que não ia funcionar, mas era a única saída – meu filho também estava lá, imagina se alguma coisa acontecesse com ele!"

A multidão, que gritava seu nome, não como fã, mas como inimiga, mal se deu conta de que, por cima de uns engradados de Coca-Cola, aquela figura saltando o muro alto era a própria Elza Soares, que entrou rapidamente no carro. Carlinhos entrou em seguida. Vicente foi dirigindo devagar, tentando passar pela multidão sem chamar atenção – Elza agachada no banco de trás. "Só quando saímos ali da Mangueira o Quintanilha falou: 'Tua vida virou um inferno, né, Elza?' E eu respondi que tinha virado um inferno, sim, mas que valia a pena: 'Eu amo o cara. E a gente tá feliz. Vale muito a pena, sim.' Porque o mais importante era que a gente tava feliz. E seguimos em silêncio para casa. Levei dias para contar para o Mané o que tinha acontecido."

Mesmo se contasse na hora o que tinha passado, Elza já sabia qual seria a reação de Garrincha. "Ele não ia nem ligar. Ia me olhar com aquela cara de quem nem tinha me escutado e ia pedir: 'Faz um peixe pra mim?' Aí, eu ia lá, cozinhava o peixe, caprichava no pirão e a gente comia em paz. Jogavam pedras na gente lá fora, mas lá dentro a gente era feliz."

em tempos de Ditadura, aposta dupla no amor

"Você é perfeita, Crioula, não precisa fazer plástica coisa nenhuma!" Elza Soares perdeu a conta de quantas vezes ouviu isso de Garrincha, mas ela estava convencida. "Não gostava do meu nariz e eu queria mexer nele, corrigir, fazer sei lá o quê. E o Mané gritava comigo: 'Pelo amor de Deus, Crioula, tira isso da cabeça!' Ele odiava a ideia de plástica, mas eu era obcecada. Conversava muito sobre isso com a Marlene e ela, lógico, dava corda." Marlene foi uma das cantoras mais famosas do Brasil, mesmo antes de Elza começar a fazer sucesso – e também era grande entusiasta dos "procedimentos", quando eles ainda nem eram chamados assim. E se tinha um lugar onde dez entre dez estrelas se submetiam à plástica, era a Clínica Pio XII. Sylvinha Telles, agora amiga íntima de Elza, também a influenciou. Sylvinha dizia em entrevistas que já tinha feito seis plásticas lá, todas sob o bisturi do doutor Urbano Fabrini. "Ele era o Pitanguy, antes do Pitanguy", brinca Elza com o cirurgião que, já no fim da década de 1960, era referência mundial na cirurgia estética.

Elza Soares, em 1966.

Assim, em 1964, Elza se internou na Pio XII para a primeira de uma série de plásticas que fez ao longo de sua vida. Uma intervenção como essa, na época, era notícia: a *Revista do Rádio*, em fevereiro de 1964, deu página inteira para o assunto, revelando até o custo da operação – pouco menos de 250 mil cruzeiros! Na entrevista, Elza admite que mexeu não apenas no nariz, mas também nos olhos: "[...] foram amendoados e um 'ossinho' saiu do pé pra dar ao meu nariz uma forma que julgo bem melhor que a anterior." A operação em si teria durado cerca de três horas e Elza, segundo a reportagem, não sentiu nada. Pelo contrário, estava ansiosa para ver o resultado: "Na hora em que meu rosto ficou livre das gazes e dos esparadrapos, só pensei em me olhar no espelho." E, pelo jeito, ficou mais que satisfeita com o que viu.

"Eu era bem jovem ainda, mas eu sempre achava que, se pudesse melhorar alguma coisa, tinha que fazer. Não me lembro se doeu nem se foi um incômodo muito grande. Eu nunca senti nada, nem nessa primeira nem nas outras que fiz. Quando é para a gente ficar mais bonita, não tem dor", explica desconversando. Mas a plástica escondia também uma rejeição que Elza sentia, um eco da sua origem simples, da menina que andava com uma lata d'água na cabeça. E não era só isso: havia também um preconceito velado, no próprio meio musical e na imprensa, que não passava despercebido por Elza. Numa notinha de fofoca na própria *Revista do Rádio*, meses antes de ela se decidir pela operação, uma carta de leitor, enviada à redação da revista, assinada por uma mulher chamada Maria Lúcia Soares, dizia: "Por que a Ellen de Lima e a Elza Soares não fazem operação plástica no nariz?" Ao passo que o Editorial da revista respondeu: "Só as próprias é que podem responder..." Ellen também era uma cantora de sucesso, estrela da gravadora rival de Elza, a RCA Victor, e era negra também. "Eu acho que, no fundo, essas operações todas, desde o início, era eu procurando meu lugar. Eu não me achava, ou melhor, não me queriam", desabafa ela, indiferente à paixão que despertava em tanta gente, inclusive no homem que vivia com ela, Garrincha.

"Eu tinha um sonho de um pássaro que cantava sozinho e era, ao mesmo tempo, um anjo negro. Todo mundo tinha seu grupinho e aquele anjo não tinha, porque era um anjo negro. E aquele pássaro, se sentindo rejeitado, começava a procurar sua identidade, o que ele era, sua verdadeira cara. Em cada ninho que ele chegava, ele era enxotado, era um anjo negro, como eu disse, um pássaro que cantava muito. E por ter esse dom, incomodava os demais cantores." O assunto mostra Elza num momento de reflexão, de confronto com um tema dolorido. A mulher que fazia e acontecia, que cantava para todo o Brasil e que tinha conquistado o coração do maior craque da nação, era no fundo uma mulher sozinha. Ao falar desse pássaro que viveu na sua imaginação, a autorreferência é explicitada: "Meus cabelos pretos e duros eram as penugens dele, e por isso ninguém queria chegar perto desse pássaro negro." Mesmo com uma voz tão poderosa e sedutora, com o reconhecimento do talento, que finalmente tinha alcançado, Elza ainda se sentia uma mulher à parte.

Se era essa "reforma" externa que faria o pássaro ser mais bem aceito, que fosse então esse o preço que ela pagaria feliz. Depois da plástica no Pio XII, é possível notar, nas fotos de Elza, uma outra postura. Um sorriso mais estudado, talvez, que combinasse melhor com o novo contorno do seu nariz. Mas era um semblante feliz. Ainda solitário, mas feliz.

Mesmo assumindo seu relacionamento com Garrincha, Elza era uma mulher disputada. Seguindo os protocolos masculinos daquele início dos anos 1960, as cantadas vinham em cascatas e depois da operação então, Elza sentiu que estava agradando ainda mais. "Sempre fui muito cortejada, mas só depois que fiquei conhecida. Uma das primeiras vezes em que me senti realmente desejada foi justamente na Copa do Chile, quando as coisas estavam começando a engrenar com o Mané. A lista de jogadores, da nossa Seleção de 1962, que deu em cima de mim, mesmo com o Mané por perto, foi grande." Acreditando no seu poder de sedução, ela começou a se produzir melhor e a opinar sobre suas roupas.

Bem diferente, aliás, de quando, no começo da década, ela teve que ouvir de dois homens como deveria aparecer na capa de seu primeiro álbum realmente importante, *A bossa negra*. "Naquela altura eu já não usava mais as roupas das madames, das clientes da minha mãe", conta ela, se referindo aos "empréstimos" que fazia, quando tinha que se apresentar, pegando, sem culpa, uma ou mais peças do cesto de roupas que tinham acabado de ser lavadas. "Mas o Ronaldo Bôscoli e o Miele é que me produziram para a capa da *Bossa negra*. Eles queriam um modelo que lembrasse a Sarah Vaughan, mas eu não tinha ideia de quem ela era. Eu perguntava por que a tal da Sarah era a inspiração deles e o Bôscoli só me respondia que eu cantava como ela, mas ninguém colocava um disco dela pra eu ouvir. Arrumaram aquele vestido florido, com o decote bem largo e as alças largas e ficavam dizendo pra eu colocar a mão assim, daquele outro jeito, com pinta de cantora americana. Eu ficava fazendo caras e bocas com aquele meu cabelo cortadinho baixo e saiu daquele jeito. Mas hoje quando eu vejo aquela foto, eu fazendo aquele bicão, eu sinto que não tinha nada a ver comigo."

"Mané não era de muito ciúme, não. Ou então, não percebia que os homens ficavam atrás de mim. Teve até pedido de casamento! Era uma coisa esquisita, essa coisa dos homens de querer casar... A primeira vez que isso aconteceu foi numa temporada que fiz em São Paulo, numa boate que, se não me engano, ficava na rua 7 de abril. Eu ficava hospedada no antigo hotel Lord, que era muito elegante e movimentado." Elza nunca tinha ido a São Paulo e ficou ao mesmo tempo espantada e encantada com tudo. "Eu sempre fui muito feliz em São Paulo, desde essa primeira vez. Fui com a família de uma amiga de que gostava muito, a Dora Camargo, que também cantava. Ficávamos ali pelo centro da cidade, cantando todas as noites – e ganhando dinheiro, que eu guardava embaixo da saia do meu vestido. Me lembro de um dia em que desci de um táxi correndo e o movimento que eu fiz deixou tudo o que eu tinha ganhado naquela noite escapar e cair no chão. O motorista abusado ria de mim e dizia: 'Olha, dona, já vi galinha botar ovo, mas tutu saindo de saia de mulher é novidade.' As coisas que eu tinha que aguentar!"

Pior ainda eram as investidas corporais. Os clientes da boate de São Paulo, segundo Elza, não conheciam limites. "Teve uma vez que, enquanto eu estava cantando, chegou um senhor muito bem--vestido, já meio bêbado, beijando minha mão e me oferecendo um enorme anel de brilhantes. Eu nunca tinha reparado nele antes, mas acho que ele ia todas as noites, porque dizia que era meu fã e que tinha comprado aquele anel pra me pedir em casamento! Eu ainda tinha um medo danado de homem e disse que não queria nada dele. O homem achou que era desfeita, partiu para cima de mim e tentou me agarrar. Foi horrível!"

Elza estava feliz, não precisava de fãs apaixonados, de nenhum homem da nobreza, de nenhum príncipe, ela já tinha o seu amor, o seu "Neném" – apelido íntimo que deu a Garrincha e que aparece com pouca frequência nas lembranças de Elza, como se ela o guardasse para usar apenas nas memórias mais queridas. Eles já tinham até uma casa, bem espaçosa por sinal, na Ilha do Governador, para onde a família se mudou depois do período na Urca.

"Eu finalmente tinha conseguido comprar uma casa do jeito que eu queria, era um sonho que eu realizei com o dinheiro do jogo do bicho! Ninguém acredita, mas eu ia juntando cada vez que eu ganhava, até que deu para comprar sozinha. Ali não tinha um tostão do Mané." O sobrado, de fato, era espaçoso: "A sala do andar debaixo era enorme, onde a gente deixava a gaiola luxuosíssima, toda redonda, que era do mainá do Mané, seu passarinho de estimação; tinha também uma baita cozinha, quartos de empregados, que eu já fazia questão de ter muitos, para dar aquele luxo todo para o homem da minha vida. E na garagem cabiam dois carros com folga. Em cima a gente tinha três quartos, mais uma sala íntima, uma copa pequena e uma varanda que cruzava toda a fachada." O muro da frente e a parede debaixo da fachada eram de pedra e emprestavam uma certa imponência ao conjunto. Tinha também um grande pátio onde Garrincha gostava de se sentar, receber amigos, esquecer do tempo. Mas a casa talvez fosse grande demais para que eles se sentissem protegidos.

"Mané um dia comprou uma arma pra mim. Foi viajar pra a Europa, jogar com o Botafogo, e quando chegou me trouxe um revólver de presente. Disse que ele andava viajando muito e que não queria que eu ficasse sozinha em casa – era perigoso. A gente continuava sendo alvo de muitos ataques na rua, na imprensa. Na Ilha, a gente estava um pouco distante da bagunça do Rio, mas, mesmo assim, a gente tinha que ficar de olho aberto para qualquer perigo." E o perigo era real, movido por uma opinião pública que tinha se virado totalmente contra eles. O motivo: a família que Garrincha havia deixado para trás, quando escolheu viver com Elza. Nair, sua mulher, tinha virado uma espécie de figura nacional: uma mulher simples, pobre, com sete filhas para criar sem pai. Aliás, oito! Enquanto estava jogando fora do Brasil, Garrincha soube que tinha tido outra filha – o que só piorou a imagem dele. E a de Elza.

O que poderia ser apenas um "ultraje moral", logo ganhou a força de uma briga judicial. O advogado Dirceu Rodrigues Mendes abraçou a causa de Nair e viu nela uma oportunidade de tirar dinheiro de Garrincha. "Um dinheiro que ele não tinha. Esse advogado do mal apareceu logo no começo do nosso relacionamento, achando que ia ganhar a maior grana fácil. Mas era tudo armado. Ele tinha seus contatos com os jornalistas sensacionalistas, e era uma história atrás da outra falando mal de mim e do Mané. Ele fazia tudo direitinho: levava a Nair com as filhas, bem malvestidas, pra andar pelas ruas e chamar a atenção, tirava fotos que poderiam emocionar as pessoas, e todo mundo odiava a gente ainda mais, já que eles exploravam essas imagens." Dirceu fez dessa história a sua "causa célebre" e conseguiu o que queria: mais de uma vez Garrincha foi condenado pela Justiça a dar quantias cada vez maiores de dinheiro para a Nair e as meninas. Cada centavo que ele ganhava ia quase todo para elas, segundo Elza, mas o que ela ganhava estava garantido, já que sua união com o jogador nem era legal: "Esse advogado tentou me 'morder' também, tentou de tudo, mas não conseguiu. Eu sabia, a gente sabia, que era tudo mentira. O que ele queria era deixar o Mané liso. E eu queria ver o Mané bem."

Elza fazia qualquer sacrifício para deixar Garrincha feliz. Até mesmo ir a Pau Grande – lugar em que o craque tinha nascido e se criado –, pela primeira vez, conhecer a mulher e as filhas. "Foi uma das experiências mais horríveis da minha vida. Eu só fui porque ele me pediu, pra que eu acreditasse como a vida dele era ruim lá, que era inclusive muito pior do que as coisas que ele me contava. Mané já tinha me dito um monte de vezes que não queria ficar com ela e, pra reforçar, olhou para mim com aquela cara de criança e disse: 'Vem comigo, Crioula, deixa eu te levar naquela tristeza.' Fui e o que vi, quando cheguei lá, eu tenho até medo de lembrar. Eu não podia acreditar que o grande Mané Garrincha, mesmo depois de já ser famoso, pudesse morar naquela sujeira. Não tinha nada – aliás, tinha só lixo pra tudo quanto era lado. Era uma pobreza extrema, aquelas meninas vestidas com uns trapos, os amigos do Mané sem camisa, andando na rua em frente da casa, barro pra todo lado. E na frente um bar bem pé-sujo que era onde ele enfiava a cara… Não cheguei a ficar nem cinco minutos nessa visita. Olhei em volta, corri pro carro e implorei ao Mané pra me levar de volta, porque aquilo era muito doído, lembrava demais o meu passado. Eu já tava em outra, não queria mais ter contato com aquilo." E ali mesmo, Elza tomou uma decisão: "Não podia deixar o homem que eu amava voltar pra aquela realidade que eu conhecia tão bem. Afinal de contas, eu também tinha saído dali. Decretei: a partir de hoje, esse passado do Mané não existe mais!"

A família de Elza e Garrincha na casa da Ilha do Governador, em 1963.

Foi na Ilha do Govenador, então, que Elza quis construir o "lar dos seus sonhos". "Mané passou a comer em mesas forradas, pratos lindos e limpos, eu comecei a dar pra ele a vida luxuosa que ele merecia – até mordomo eu coloquei em casa para ficar à disposição dele. Eu passei a investir naquele homem que eu amava tanto. Contratei um professor pra dar aulas pro Mané. Ele não dava a mínima pra aquilo. Mas pra mim era importante. Não dava pra chamar o Mané de analfabeto, até porque ele tinha uma fala boa, conversava muito bem. Só que estudo mesmo, ele não tinha nenhum. Às vezes eu achava que as pessoas olhavam pra ele como que pra um bobo da corte – me dava muita pena. Eu queria mudar aquilo. Eu queria que o Mané fosse um outro homem. Eu sabia que tinha gente que tratava ele bem na frente, mas pelas costas achava que ele fazia papel de palhaço junto comigo. Eu nem ligava: achava aquele palhacinho maravilhoso."

Nessa fantasia de uma família perfeita, uma menina chegou para ajudar muito, não só na imagem, mas também na alegria do casal. "Sarinha foi o maior presente que a gente poderia ter recebido nesse período tão difícil", lembra ela com carinho do bebê que adotaram. "O começo da história é muito triste e eu sempre fico insegura quando falo sobre isso, porque sei que esse passado pode sempre mexer com as emoções da minha filha. Ela chegou como uma criança abandonada, pelas mãos de um compadre meu, muito querido, que a encontrou na rua, embrulhada num jornal. Tinha apenas alguns dias de vida, talvez uma ou duas semanas, e quando eu e o Mané vimos aquele rostinho lindo nos apaixonamos. Nem foi preciso conversar muito: estava decidido ali na hora que o destino dela seria com a gente. Batizamos ela de Sara e a adotamos com o maior amor do mundo. E ela retribuiu trazendo uma alegria enorme para a casa. Meus filhos eram encantados com ela, mas ninguém ficava mais bobo com a Sarinha no colo que o Neném."

Os convites para shows estavam escasseando, por isso mesmo Elza não recusava nenhum deles. "Eu viajava pra onde fosse no Brasil pra trazer um dinheiro para casa." Isso incluía também modestas participações no cinema. Sua estreia na grande tela foi mais ou menos na mesma época em que apareceu na "telinha" – o começo dos anos 1960. "A Bibi Ferreira me convidava para cantar no programa que tinha na TV Excelsior, em São Paulo: 'Brasil 60'. Fiz várias participações com ela lá." Era um programa que foi ao ar nos primeiros anos da década de 1960, um misto de variedades, entrevistas, encenações e, claro, música ao vivo – um tubo de ensaio para Elza, que, no fim da mesma década, iria comandar um formato parecido em outra emissora, a Record.

Na tela do cinema, sua participação era também sempre como convidada. Sua estreia foi em *Briga, mulher e samba*, um filme de 1961, dirigido por Sanin Cherques, no qual Elza cantava uma pequena obra-prima do improviso – "Ziriguidum", engessada pelo formato do cinema de então. Ao lado de Monsueto, numa favela, ela canta com um sorriso largo e um salto alto improvável para aquele cenário: "Ziriguidum é coisa assim que só se faz com pandeiro e tamborim." A cena é só um respiro na trama pastelão, mas deixa nítida a desenvoltura de Elza diante das câmeras. Que se repetiu no ano seguinte, em O *vendedor de linguiça*, sucesso de Mazzaropi, já ator, diretor e produtor famoso. A fórmula era conhecida: uma trama rocambolesca, salteada de números musicais com grandes nomes como Pery Ribeiro, Miltinho e... Elza Soares, cantando dessa vez num animado Carnaval de rua o samba "Não ponha a mão".

Ela ainda faria mais um filme com Mazzaropi, o enorme sucesso *O puritano da rua Augusta*. Mais uma vez, Elza encara um número musical que embala uma festa "de arromba". A banda está vestida de um jeito mais jovem, como se estivesse lá para tocar um iê-iê-iê, mas, no lugar de Roberto Carlos, entra Elza, com um vestido todo bordado de contas. "Pesadíssimo, com aquela franja balançando", ri ela contando. "Mas era uma das roupas mais lindas que já usei e eu tenho ela no meu armário até hoje." Uma raridade quando a gente lembra que Elza guarda muito pouca coisa do seu passado. O tema do *Puritano* é um antigo samba de Noel Rosa que, se soava como fina ironia em meados dos anos 1960, na segunda década do século XXI causaria uma certa turbulência. Diz a letra de "O neguinho e a senhorita", sobre a "sinhá", filha da "madame", que foi morar com o "neguinho" no morro: "Gostou do samba e vive muito bem, ela devia nascer pobre também..."

Ironicamente, esse era o caminho exatamente inverso ao que Elza tinha feito: voltar para o morro não estava nos seus planos. Tudo que ela jamais havia sonhado estava ali agora com ela, na casa da Ilha do Governador. Até sua mãe, dona Rosária, estava vivendo com ela agora, ajudando a cuidar dos "meninos" já adolescentes e da pequena Sara. A convivência deixou Garrincha ainda mais próximo da "sogra": "Era um grude aqueles dois! Minha mãe era apaixonada pelo Mané e, quando eu brigava com ele, às vezes ele procurava apoio só com o olhar na figura dela. Era muito bonito de ver os dois juntos." Mas, a certa altura, nem o conforto nem dona Rosária pareciam capazes de evitar os episódios de violência, que eram motivados por qualquer discussão sobre bebida entre os dois.

"Quando ele estava mal mesmo, partia para cima de mim e eu partia para cima dele pra me defender", conta sem orgulho. A maioria das agressões, na versão de Elza, era na defensiva: "Eu mesma usava a força muitas vezes pra tirar um copo ou uma garrafa da mão dele, e ele revidava enfurecido."

A rotina do "paraíso da Ilha", então, era tensa. "Algum tempo depois de ter me dado a arma, Mané se arrependeu. Parece que se deu conta de que eu seria um perigo pra ele mesmo com aquele revólver e passou a querer esconder a arma de mim. Acho que ele pensou que eu nunca iria usar aquilo, que era só pra me dar um pouco de segurança psicológica. Mas tinha dias que eu acordava assustada, desconfiada de que tinha gente dentro de casa – pegava aquela arma na gaveta e saía pela casa. Uma manhã fui no quarto da Dilma e não encontrei minha filha na cama. Tinha esquecido que ela se levantava mais cedo pra ir à missa… e fui andando de sala em sala procurando por ela. A única vez em que eu realmente atirei foi numa madrugada que começaram a jogar pedras. Mané estava viajando e meu instinto natural era defender minha família. Mandei bala, mas graças a Deus não acertei ninguém."

Ataques assim eram comuns, infelizmente, mas em 1964 aconteceu a primeira "invasão" séria que a família sofreria. Os vidros das janelas só não quebravam mais porque eram protegidos pelas ferragens decorativas. "Era quase rotina, até que numa noite a coisa foi realmente feia", diz ela, se referindo ao episódio da noite de 20 de junho de 1964, no qual um grupo do DOPS invadiu a casa deles. Ou, pelo menos, eles diziam que eram do DOPS, Departamento de Ordem e Política Social, órgão do governo, famoso pela sua brutalidade. "Eles entraram de madrugada, sem pedir licença. Tudo foi calculado pra não se saber o que fazer. Chegaram gritando, dizendo pra todo mundo sair dos quartos. 'Põe a mão na parede! Põe a mão na parede!', falavam aos berros. Todo mundo estava dormindo, então você imagina o susto?!"

Tanques do Exército próximos ao Sindicato dos Metalúrgicos, no Rio de Janeiro, em 1964.

Garrincha demorou para entender o que estava acontecendo e sua primeira reação foi acalmar a própria Elza. "Ele ficava me dizendo pra eu me controlar, que aqueles caras eram gente boa – e eu sussurrava brava: 'Que gente boa, Neném, é gente ruim que tá aqui! Você acha que gente boa ia fazer a gente andar pela nossa casa de pijama, a essa hora da noite, com as mãos pra cima?' Dois deles ouviram e jogaram aquele olhar de ódio sobre mim. Achei melhor ficar quieta. Mané ainda tentou pedir pra que eles deixassem as mulheres, eu, minha mãe e Dilma, voltarem pro quarto. Foi como se ele não tivesse falado nada. Reviraram tudo, deixaram a casa de pernas para o ar e foram embora." Não sem antes um deles passar pela sala principal, abrir a gaiola redonda e torcer o pescoço do mainá, matando o xodó de Garrincha.

O motivo real da invasão é um mistério até hoje para Elza. Só o ódio que as pessoas nutriam pelo casal não poderia explicar tanta truculência. Como o DOPS era ligado ao Governo, praticamente sinônimo da intransigência do recém-instaurado Regime Militar – o Golpe de 1964 tinha acabado de acontecer em 31 de março – era possível que tivesse um fundo político. Mas a própria Elza descarta qualquer envolvimento nessa disputa. "Minha relação com os políticos era superficial. Ou melhor, eu era até amiga dos presidentes. Juscelino (Kubitschek), por exemplo, me adorava. Antes mesmo de eu conhecer o Mané, ele vivia me ligando pra eu ir até a casa dele cantar em alguma festa. Eu pegava o telefone e era Juscelino do outro lado – tinha verdadeira paixão por mim. Às vezes era tarde da noite e eu dizia que não podia ir até o apartamento dele na Vieira Souto (na praia de Ipanema) porque uma das minhas crianças estava doente. Ele ria e dizia que estava mandado o chofer dele e uma enfermeira pra cuidar dos meninos e da Dilma, que era sua favorita. Eu sabia que ele estava de brincadeira, mas eu ia lá, cantava e ficava horas conversando. Ele adorava ouvir as minhas histórias e dizia que se identificava com a minha mãe, porque a dele, dona Naná (que era professora primária e ficou viúva muito jovem), também tinha lavado roupa pra fora."

Elza se lembra de ter ido a Brasília logo depois da inauguração a convite de Juscelino. "Era lama pra todo canto! Eu lembro que fiquei num hotel que deveria ser o melhor da nova capital, mas eu entrei nele com meu sapato cheio de barro. Mas eu não falava nada, porque o Juscelino me apresentava a tudo aquilo muito orgulhoso. Ele era um homem muito bem-humorado e alinhado. A gente era muito chegado mesmo, a ponto de ele mais de uma vez oferecer emprego pra quem eu quisesse!" Mas o engajamento político, ela garante, não ia muito além disso. É verdade que Elza gravou um *jingle* para uma campanha de João Goulart, mas, segundo ela, foi em nome da afinidade que ela tinha com o candidato. E por uns trocados também…

"Tinha um cara que eu conhecia que fazia muita propaganda de rádio e era meu colega na rádio Mauá, o Raimundo (Nobre de Almeida), que me pediu pra gravar uma música que todo mundo estava cantando, para eleger o Jango para a vice-presidência. Eu fui pelo cachê." A música em questão era uma das melhores letras da história das campanhas políticas, composta por Miguel Gustavo e que estava no ouvido e na boca de todo mundo naquela eleição de 1960:

"Na hora de votar, eu vou jangar, eu vou jangar
É Jango, é Jango, é o Jango Goulart."

Raimundo, que era praticamente um cabo eleitoral de João Goulart, convenceu não só Elza, mas um monte de artistas do Brasil inteiro a gravar o refrão. Num disco que foi lançado em vinil, *Show do voto livre*, um time composto por ninguém menos que Dircinha Batista, Ivon Curi, Elizeth Cardoso, Jorge Veiga e Isaurinha Garcia cantou os versos para Jango. Disso nasceu uma grande amizade. "Jango era outro presidente que gostava muito de mim e sempre que eu podia ia cantar em comícios que ele fazia. Ganhei medalhas dele, eu também gostava muito do Jango como pessoa, mas nunca fiz discurso político em nome dele. Quer saber? Eu nem precisava fazer discurso político. Eu acho que eu já deixava todo mundo constrangido simplesmente por ser quem eu sou. E eu acho que quando veio a perseguição política, tinha a ver com as coisas que eu representava, as coisas que o Brasil gostava de esconder."

Veio, ainda que intuitivamente, uma consciência do que ela representava como artista e como mulher que tinha superado uma pobreza extrema. "Eu já tinha a noção de que trazia uma coisa muito forte comigo. Não precisava fazer discurso político pra incomodar. Bastava eu falar de mim, dizer quem eu era. Acho que só isso já criava um desconforto – minha história, favela, barraco, lata d'água na cabeça, mãe lavando roupa... Eu lembrava pra aquela gente que o Brasil era também aquela miséria toda. Eu me sentia como mais uma tagarela que tinha chegado ali falando coisas que ninguém deveria falar. Lá vinha eu com a lata na cabeça, cantando daquele jeito... lógico que eu incomodava." Nessa linha de pensamento, ela teve muitas chances de incomodar quem estava prestes a tomar o poder, no caso, os militares. Foram várias performances para Jango, mas sempre com música, nunca com discurso. "Pagavam bem, eu ia mesmo." O último deles ficou famoso: foi o evento do Automóvel Clube, que, com o discurso de Jango, muitos acreditam ter sido o estopim para o Golpe Militar de 1964.

"Não me lembro de nada especificamente desse show. Era mais um cachê. Mas eu me lembro do que aconteceu no dia seguinte. Veio o golpe. E aí eu fiquei assustada. Pelo Brasil. Por mim. Pela minha raça, por toda a gente miserável que estava ali e não ia ser representada mesmo, ia ser mais prejudicada ainda. E ainda tinha o Mané no meio, aquela revolta toda. Eu sentia que as coisas iriam piorar pra gente." Mas nem ela nem Garrincha poderiam imaginar consequências tão traumáticas como as que sofreram na invasão da casa da Ilha do Governador...

Todos sofreram naquela noite, inclusive seu filho Gilson. "Foi ali que ele ficou doente", desabafa Elza com um suspiro triste. "No dia seguinte que eles estiveram em nossa casa, foi ainda mais terrível. Não foi fácil pegar no sono depois das coisas que a gente passou, mas o Gilson não conseguiu pregar o olho. E eu senti que ele estava passando muito mal. Passei a noite toda com ele, meu filho tremendo ali nos meus braços, muito forte mesmo. Na verdade, ele estava tendo um ataque de epilepsia – o primeiro. Mas a gente não sabia o que era, só quando ele melhorou um pouco e pudemos levar ele no médico é que recebemos o diagnóstico. E ele levou isso pro resto da vida."

Não foi só a doença de Gilson que começou a pesar. Todos os quartos, todas as salas, os corredores – cada canto do endereço da Ilha do Governador tinha se tornado sombrio. "Era uma casa linda onde, apesar das dificuldades de fora e dos conflitos com o Mané por causa da bebida, a gente vivia muito feliz. Era gente entrando e saindo, amigos pra todos os lados, comidas, almoços, festas... Tinha até o que a gente chamava de 'o chá das bichas', que era uma delícia! Tinha um dia da semana que o Mané sempre dava uma saída para os compromissos dele e eu chamava 'as meninas' pra tomar um chá lá em casa. E era divertidíssimo! Era aquela geração de travestis poderosíssimas que já brilhava, pessoas inteligentíssimas e divertidíssimas: a Rogéria, que eu conheci ainda como Astolfo, fazendo maquiagem; a Divina Valéria, que é até hoje incrível. Todas iam lá em casa, e a gente ficava falando bobagem e rindo. Mas a gente combinava que elas tinham que ir embora antes do Mané chegar. Até que teve um dia que ele voltou antes e viu aquela farra, botou todas pra fora de casa, brincando, e elas pegaram as bolsas e saíram correndo dizendo: 'Tamo indo embora da casa do Mané de Pau Grande'... Que delícia que era! Mas depois da invasão aquilo ficou pra trás. A casa ficou feia e eu falei: 'Temos que sair daqui.' Ninguém discordou."

A bebida era, mais e mais, um problema que Elza não podia ignorar. "Não tinha um dia em que saísse de casa e que não tivesse certeza de que o Mané ia cair de boca na garrafa. Quando aqueles amigos dele iam lá, então, o Swing e o Pincel, eu sabia que ia encontrar meu homem estragado no sofá, com bermuda aberta e sem camisa.

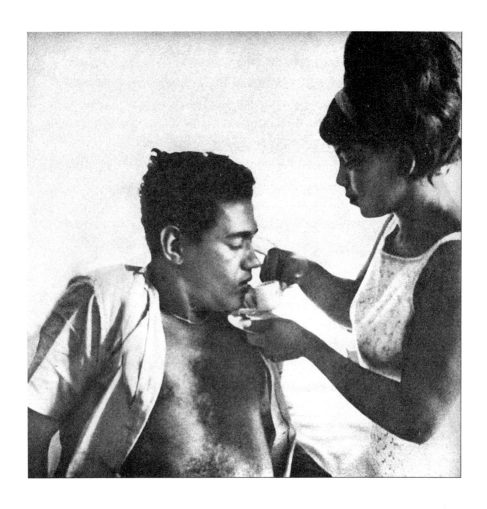

O que eu podia fazer? Meu amor por ele ainda era muito grande." Mesmo assim, Elza brigava para recuperá-lo, ou pelo menos tentar fazê-lo beber menos. Inutilmente.

Elza cuida de Garrincha, após sua cirurgia no joelho, em 1964.

O clima era pesado e um acidente de carro gravíssimo que fez com que Elza perdesse boa parte dos dentes foi o motivo que faltava para eles saírem definitivamente da Ilha do Governador. "Mané resolveu levar um amigo até um ponto de ônibus que ficava ali perto do aeroporto do Galeão (que ainda não havia sido rebatizado de Tom Jobim). Na volta, a gente estava conversando e, de repente, veio a pancada. Acho que foi pura distração, porque o Mané, pelo menos dessa vez, não estava bêbado. Aliás, era raro ele pegar o carro se tivesse bebido muito. Imagina o susto! Como em todo acidente, foi tudo muito rápido. Só sei que o impacto foi tão violento que eu fui pra a frente e bati com o rosto forte no painel. E a pancada arrancou alguns dos dentes da minha boca. Eu me lembro de olhar em volta, no chão mesmo, com a porta do carro aberta e toda retorcida, meus dentes ali... no chão. E as pessoas paravam para ajudar, prestar socorro e eu tinha medo que elas me reconhecessem, que vissem que éramos eu e o Mané, e que tudo pudesse piorar."

A vida deles era isso: viver escondidos como fugitivos! "Saímos direto do local do acidente, Mané estava bem, nós dois podíamos andar. E quando cheguei em casa todo mundo falava que eu tinha que ir imediatamente ao dentista, mas até disso eu tinha medo. Eu achava que iria ser atacada lá também. Pedi pra arrumarem um dentista que pudesse tratar de mim ali mesmo na Ilha do Governador. Aquilo não era vida – correr de tudo achando que todo mundo quer acabar com você..."

A mulher que começou a década radiante, mudando o rosto para ter o nariz com que sonhava e com a promessa de um casamento feliz, estava acuada dentro de sua própria casa. E sem vários dentes. O forte instinto de proteção dos filhos, a sua música e seu amor por Mané não a deixavam desistir de tudo. E mesmo que sua carreira e seu coração parecessem desmoronar, ela resolveu ir em frente e apostar que poderia enfrentar o que viesse de pior. E realmente o pior estava por vir!

Times Square,
Nova York,
1965.

festa de arromba, festivais e uma morte trágica

O convite era claro no seu texto: "Proibido chegar de Fusca." Elza queria que fosse uma festa chique, ou ainda, a festa mais chique que o Rio de Janeiro já tinha visto. "Todo mundo só falava mal da gente. Eu queria justamente mostrar o contrário, que estávamos muito bem, sim. Tínhamos acabado de nos mudar pra uma casa linda na Lagoa, um luxo que eu nunca imaginei que tivesse nessa vida, e queria comemorar! Achavam que o Mané estava acabado? Eu ia dar uma boa resposta para todo mundo."

As críticas e a perseguição ao casal Elza e Garrincha não tinham dado um descanso. Um casamento oficializado em abril de 1966 não ajudou muito. Foi uma cerimônia formal, se não pouco comum: o casal assinou os papéis do matrimônio na Embaixada da Bolívia, no Rio de Janeiro, pouco antes de o jogador partir para uma viagem à Inglaterra. Ela num *tailleur* branco estilo Chanel, ele de gravata preta, num elegante blazer oficial da Seleção. Houve uma pequena festa no Sábado de Aleluia, com poucos amigos. Uma celebração maior, como Elza sonhava, para mostrar ao mundo que o amor deles ia muito bem – e que estava agora

Elza e Garrincha num embarque do atleta. Eles se casaram em 1966.

oficializado – ainda levaria um tempinho para acontecer.

Elza precisou se mudar para uma casa maior até finalmente ter o cenário de seus sonhos e poder realizar a tão esperada comemoração. Navegando por tantos problemas, remando contra uma campanha negativa, ela resolveu dobrar a aposta e, no lugar de se esconder, decidiu chamar mais ainda a atenção. "As pessoas ficavam falando da gente, que nós estávamos na pior, que a gente não tinha nada, que a vida do Mané era miserável e eu queria deixar claro: o Mané não estava na merda! Pois nós estávamos morando bem, na casa que sempre havíamos sonhado e eu queria deixar isso claro em cada detalhe da festa. E saí convidando todo mundo, gente que eu conhecia e não conhecia pra mostrar que, se eu quisesse, podia dar todo o luxo do mundo pro amor da minha vida."

Assim, políticos, artistas, outros jogadores de futebol ("Menos aqueles que eu sabia que falavam mal do Mané", acrescenta Elza) – todo o mundo que era importante no Rio de Janeiro no fim dos anos 1960 foi convidado. "Até o Ibrahim Sued, que eu só tinha visto uma vez, eu chamei", diz Elza sobre o colunista social mais importante da cena carioca naquela época. "Quem não era meu amigo, mas era apaixonado pelo Mané, também entrava na lista.

Eu resolvi chamar essas pessoas pra agradar o Neném e quem sabe essas pessoas mudavam sua opinião sobre mim?"

Como a responsabilidade era grande, Elza resolveu cuidar pessoalmente dos detalhes. Escolheu os pratos que ia servir e fez questão até de encomendar o famoso pão que era feito em São João do Meriti que, como ela escreveu em *Minha vida com Mané*, era o que se via nas mesas, "em certas festas da grã-finagem local." As bebidas? Uísque "do bom", segundo Elza, e muitas garrafas de champanhe Veuve Clicquot. "Contratei um bufê que era um escândalo, e os garçons andavam todos de gravata-borboleta pelas salas, a ordem era não deixar nenhum copo vazio. Eu queria que tudo que fosse servido ali fosse o melhor que o dinheiro podia comprar." Que dinheiro? Pois é, esse era um detalhe complicado.

"Quando comecei a pensar na festa, eu tinha conhecido um homem que queria me ensinar a aplicar em ações. Eu não entendia nada daquilo, nem poupança eu tinha direito, e acabei aceitando meio desconfiada." A única coisa que Elza tinha feito até então com o dinheiro que ganhava – e que poderia ser chamado de "investimento" (com várias aspas) – era apostar no jogo do bicho. Esse "mundo das aplicações" era uma novidade misteriosa, mas ela acabou arriscando. "Mané ficava me perguntando de onde eu ia tirar dinheiro pra aquela festa toda e eu desconversava." No seu livro do fim dos anos 1960, ela conta que Garrincha, ao ver a movimentação na sua casa aumentar com os preparativos da festa, assustou-se com o entra e sai e comentou: "Crioula, a gente assim abre a falência!" Ao passo que Elza respondeu: "Que nada, Neném! Bota essa boca pra longe!"

O problema é que Elza estava contando com o dinheiro das ações, que acabou não se materializando. "Quando fui ver, procurei o cara que teria comprado as ações pra mim, mas ele simplesmente sumiu. Um dia recebi só um recado dele dizendo que tinha perdido tudo. Nem desculpas pediu... Fiquei um pouco assustada, mas eu não queria desistir da festa de jeito nenhum. Eu ainda tinha um dinheirinho guardado e fui em frente com os planos."

Como atrações musicais, Elza convidou amigos para cantar. "Chamei a Elizeth Cardoso, que topou na mesma hora. E chamei também o Cyro Monteiro, mas depois quase me arrependi de medo de ele tomar um porre fenomenal com o Mané", brinca com uma ponta de verdade. Se a festa era justamente para as pessoas olharem para o casal de maneira diferente, a preocupação com a imagem era prioridade. E isso incluía, inclusive, a roupa que Garrincha deveria usar: "Fui numa loja finíssima em Copacabana e comprei um blazer vinho e uma calça cinza pro Mané. Claro que, quando ele viu, olhou com aquela cara de quem não ia usar aquilo nunca, mas eu fiz ele me prometer que ele só desceria pra ver os convidados se estivesse vestido com aquela roupa. Inclusive o sapato, que ele não queria trocar pelo seu chinelo velho de jeito nenhum."

A própria Elza estava de *palazzo pijama* — uma escolha curiosa para alguém com 1,57 metro de altura. Ou talvez fosse justamente para parecer mais alongada, já que o modelito é composto por uma calça de seda com pernas bem longas e bocas largas e uma cintura bem alta e a parte de cima costuma ter mangas bem largas também, que ajudam na sensação de que o figurino flutua no corpo de quem veste. Deve ter funcionado, pois assim descreveu em *Minha vida com Mané* sua entrada na festa — no momento exato em que as salas da casa já estavam cheias, inclusive de expectativa: "Desci de *palazzo pijama* dentro da maior esnobação, já de mão estendida, como a gente vê nas fitas de cinema. No segundo degrau já estava arrependida de não ter comprado uma piteira enorme. Se entro de piteira em punho, eu arrasava a soçaite. E botava mulher pra desmaiar!" O comentário tem uma ironia: aquelas calças largas (de seda) do pijama devem ter dado trabalho na hora de descer os degraus do seu *château*.

"Eu já tinha usado uma roupa dessas, conselho da Norma Benguell, que era muito amiga minha. A gente tinha o corpo muito bonito e aquilo desenhava a gente que era uma beleza." Fez bela figura na entrada, provocou até um certo silêncio e a fez se sentir finalmente especial. Escreveu ela sobre o momento: "Elza do morro dominava a cidade." Mas se ela estava nas nuvens, Garrincha não podia se sentir mais incomodado. A roupa tão fina que Elza havia comprado simplesmente não combinava com ele. "A calça pegava aqui no meio das pernas dele e aquele blazer parecia uma armadura no Mané. Toda vez que encontrava com ele, via que ele estava sofrendo ali, como se estivesse engessado, sonhando com uma bermuda. Se dependesse dele, Mané andaria sem camisa entre os convidados, mas eu nem dava conversa: só olhava com aquela cara de quem não ia gostar nem um pouco se ele se trocasse."

Garrincha deveria estar era com inveja do único convidado que, segundo Elza, não respeitou seu pedido de ir vestido formalmente: o produtor cultural Carlos Imperial. "Ele era muito meu amigo e eu já sabia que colocar alguma coisa que não fosse uma camisa estampada aberta até o peito do Imperial seria impossível; então eu fiquei meio brava, mas depois desculpei." Garrincha olhava de longe também a sandália de Carlos Imperial, até que ele não aguentou e desabafou: "Quando foi umas 2h da manhã, ele se virou pra mim e ameaçou: 'Se você não me deixar tirar esse sapato, eu vou descer de cueca na frente de todo mundo.' Eu entrei em pânico e respondi que de cueca ele não descia, que eu acabava a festa na mesma hora. Mas eu vi que o pobrezinho estava sofrendo e deixei que ele tivesse liberdade pelo menos da cintura pra baixo. Mané foi até o quarto, colocou uma bermuda muito fina que eu tinha comprado pra ele, um chinelo novinho, mas o blazer eu não deixei tirar não. Ele sorriu pra mim e disse: 'Agora, sim, Crioula.' E a festa foi até altas horas da manhã."

Elza conseguiu exatamente o que queria: chamar a atenção da imprensa. O evento foi comentado por dias. Mas talvez fosse preciso uma festa dessas por semana para mudar uma coisa tão forte quanto a opinião pública. "Eu continuava fazendo os meus shows, que já não eram tantos." Fora do Rio de Janeiro, sem a marcação cerrada da imprensa, era mais fácil de Elza lotar um teatro. Mas quando era chamada para cantar para os cariocas, ela sentia a reação na própria plateia: "Às vezes eu fazia noites com vários artistas, e quando eu gravei o primeiro *Elza, Miltinho e samba* nós éramos sempre contratados pra cantar na mesma noite. Só que quando era eu que entrava no palco, eu via as madames virando a cadeira e se sentando de costas pra mim."

Os que viravam o rosto para Elza, no entanto, perdiam um grande espetáculo. De fato, *Elza, Miltinho e samba*, gravado em 1967, foi um enorme sucesso. Misturando alguns *pot-pourris* a faixas cantadas ora por Elza, ora por Miltinho, o LP entregava ao grande público o que ele esperava: a dama do samba cantando "pro que nasceu". Elza, no entanto, discordava: "Eu já queria cantar outras coisas, pedia pra gravadora me deixar solta no estúdio, pra ver o que sairia... Mas eram eles que mandavam, e o samba vendia... Então, vamos cantar samba!", desabafa com certa frustração. A repercussão foi tão grande que ela ainda gravaria mais dois volumes com Miltinho, lançados em 1968 e 1969. Isso sem contar as "variações sobre o tema": *Elza, Carnaval & samba* (1969), em que ela aparecia vestida como uma baiana de escola de samba; e *Sambas & mais sambas* (1970), uma colagem de faixas que ainda não haviam sido aproveitadas – foram dois volumes, o primeiro com o rosto de Elza na capa e o segundo com uma foto que é da mesma sessão de *Elza, Carnaval & samba*, sem mudar nem os penduricalhos nem o arranjo de cabeça.

Essa imagem da sambista incomodava Elza, que há algum tempo já queria trilhar outros caminhos. "Era sempre a mesma coisa. Eu adoro o samba, mas eu sabia que dentro de mim eu tinha um potencial pra ir muito além. Só que eu não fazia parte daquela turminha que todo mundo gostava justamente porque estava fazendo uma coisa diferente." A "turminha" é uma referência à grande geração da música popular brasileira que estava no auge – e que ganhava não só os prêmios, como também as atenções da imprensa (e de boa parte do público) em mais de uma edição do famoso Festival da Música Popular Brasileira da TV Record do fim da década de 1960. Elza brilhou logo no primeiro, em 1966: garantiu o segundo lugar para a música "De amor ou paz", de Luís Carlos Paraná e Adauto Santos. "O clima era de gritaria. Era gente vaiando, gente aplaudindo, um monte de coisa junta. Cheguei meio sem expectativas, porque sabia que a concorrência era forte. Mas eu sabia que a música era boa; então, no fim, fui confiante."

Não devia ser fácil cantar naquele clima delirante que a plateia logo de cara imprimiu. Na sua apresentação, Elza, com uma saia clara e bem justa, que cobria suas pernas até o chão, e um bolerinho todo bordado, tentava vencer, mesmo antes de os músicos entrarem com tudo na canção, a balbúrdia das pessoas que mal se mantinham sentadas. Ela começa com os braços para baixo, só balançando a cabeça, enfeitada com uma tira também bordada e brilhante como o bolero: "Quem anda atrás de amor e paz não anda bem..." Era mais uma ironia musical da carreira de Elza: ela parecia cantar sobre o que se passava na sua vida. Aos poucos o público foi se acalmando, a maioria retornou ao seu assento e Elza finalmente abriu os braços. A voz então comandou o palco. E quando a letra sofisticada e bela – "Vou sempre ter em vez de paz inquietação/ Houvesse paz não haveria esta canção" – se encerrou, lá veio Elza soltando seu improviso rouco. E lá estava toda a plateia de pé de novo!

"Eu me lembro do povo de pé aplaudindo muito. E quando anunciaram o segundo lugar, vieram ainda mais palmas. Claro que eu queria ter ganhado o primeiro lugar, mas eu fiquei triste porque nem me chamaram pra cantar de novo, já que duas músicas empataram como campeãs." Mais de 50 anos depois daquela noite, quem gosta de MPB lembra fácil as canções vencedoras: "A banda", interpretada por Chico Buarque (que é também o autor) e Nara Leão; e "Disparada" (de Geraldo Vandré e Téo de Barros), imortalizada pela interpretação de Jair Rodrigues. "O combinado era que a primeira e a segunda colocadas voltariam para o palco, mas acho que, por causa do empate, eu não fui chamada para cantar. Que eu me lembre eu até saí sem o prêmio. Toda a euforia

Elza canta no II Concurso de Música de Carnaval, no Teatro da Excelsior, em 1967.

dos bastidores, aquela conexão de amizade entre os artistas, de uma hora pra outra já não existia mais. A gente ficava torcendo, analisando: 'Meu Deus, quem será que vai ganhar?'... Mas, no fim, de repente eu me vi bem sozinha. Eu acho que eu não tinha, não sei bem como falar... Eu não tinha muita aproximação com os outros artistas. O meu tratamento, a maneira como as pessoas se dirigiam a mim, era meio diferente."

Elza se sentia deslocada: uma sensação não muito diferente da que sentia desde o início de sua carreira – a de que era vista como uma artista à parte. "Eu tinha a certeza de que não era 'da patota'. Todo mundo me respeitava, disso eu não tinha dúvida, mas era sempre como se eu fosse uma exceção. Eu era a neguinha que tinha chegado lá e todo mundo só olhava pra mim como se eu fosse boa para cantar samba e pronto. Aquele era o lugar onde eles podiam olhar pra mim e se sentir confortáveis." Curiosamente, "De amor e paz" não pode ser interpretada como um samba clássico. O arranjo ousado, apresentado naquele festival, era um desafio também para Elza, e que ela cumpriu com muita competência.

Mas quem olha as imagens da premiação mal encontra Elza no palco. No frenesi dos anúncios da classificação final, os apresentadores estavam perdidos, confusos pela algazarra da plateia. A mãe de Jair Rodrigues é chamada ao palco para um depoimento rápido: "Eu tava assistindo na minha casa, eu vi que ele ganhou! Eu vou lá dar os parabéns pra ele!", disse dona Conceição. A mãe de Chico Buarque, dona Maria Amélia, quase escondida no auditório, só consegue dar um tímido "Boa noite pra todos!" Chico e Nara cantam. Jair Rodrigues canta. A cortina vai baixando, indicando o fim das transmissões e então é possível ver Elza no fundo do palco, com dona Conceição e Jair. "Eu também não estava entendendo muito bem o que estava acontecendo. Eu não tinha pistolão lá. O Luís Carlos Paraná me procurou, mostrou a música, eu gostei e fui. Ele me animou a participar da competição. Mas na hora da premiação eu não vi ninguém. Era como se eu não participasse das comemorações. Mas eu não ia baixar a cabeça, não. Nem ia levantar o nariz. Eu tinha ido lá pra cantar. E foi isso que eu fiz", desabafa.

Dois anos depois, em 1968, Elza foi novamente premiada. A popularidade do Festival da Música Popular Brasileira praticamente obrigou a Record a criar mais premiações. Havia vitoriosos do júri popular, outros do júri especial e prêmios para melhor arranjo, intérprete masculino e feminino. Este ficou com Elza, por "Sei lá, Mangueira", de Paulinho da Viola e Hermínio Bello de Carvalho. "Eu acho que eu incomodava, sim. Nesses festivais ficava bem claro que cada um tinha seu espaço, mas eu sabia que o meu não estava garantido, que eu tinha que disputar a cada ano, como se fosse uma novata. Eu não desistia. Se tinha sido difícil chegar até lá, que direito eu tinha de largar tudo e não continuar? Não... eu já achava que ninguém derrubava a Elzinha fácil, não!"

Com uma carreira sólida já de dez anos, Elza era uma figura nacional, não só pela sua música, mas também por sua presença quase constante nos programas de TV. Das participações tímidas no começo da década, ela já era nome marcante em especiais não só na Record. Elza era uma das estrelas, ao lado de Elis Regina, Cauby Peixoto, Isaura Garcia, Agnaldo Rayol, Jair Rodrigues e mesmo Roberto Carlos, do "Especial do mês", comandado entre outros por Blota Jr. e Neyde Alexandre, mas também na TV Tupi, onde fez uma de suas primeiras aparições televisivas com Garrincha, no programa "Seu melhor momento", de Maurício Sherman e Sérgio Cabral. E também na extinta TV Excelsior, brilhando não só no "Noite de gala", transmitido do hotel Quitandinha (Petrópolis), mas também no especial "Elza, Miltinho e Samba", dirigido pelo já conhecido apresentador de rádio e TV, Flávio Cavalcanti, um programa de sucesso tão grande que deu origem à tão bem--sucedida série de discos com o mesmo nome. Ela chegou até a ter um programa só dela, na própria Record, "Dia D... Elza". "Eu fiz um contrato muito grande com a TV, era um projeto diferente. Eu trabalhava junto com o grande Germano Mathias (um sambista

Elza canta no baile do Waldorf-Astoria, em Nova York, em 1968.

que ela conhecia desde o início de sua carreira) e eu fazia questão de levar não apenas cantores, mas músicos também. E a gente inventou uma coisa de dar prêmios para os sambistas, pra destacar os artistas. Era muito gostoso de fazer! Eu nem me importava de ir e voltar toda a semana, do Rio pra São Paulo, só na ponte aérea, muito fina", lembra com humor.

Não foram muitos programas, pois um incêndio em 1969, o terceiro que a TV Record viveu na mesma década, fez com que os planos de Elza fossem repensados. "De uma hora pra outra eu não tinha mais programa. A minha situação e a do Mané estava cada vez mais perigosa e foi por isso que a gente começou a pensar seriamente em sair do Brasil." Dois fatores estavam ajudando Elza nesta decisão: um, bem negativo, era a perseguição que ela e Garrincha sofriam, com constantes ameaças; e, num sinal positivo, as oportunidades que começavam a surgir fora do país. Elza tinha ficado especialmente feliz com uma rápida passagem que fez pelo México e pelos Estados Unidos.

"Uma consagração", declarou a revista *Manchete*. Elza "quase foi carregada em triunfo", escreveu outra publicação importante,

O Cruzeiro. No começo de 1968, Elza foi convidada, então, para se apresentar num dos hotéis mais famosos do mundo, o Waldorf--Astoria, em Nova York. "Eu tinha um pouco de medo de me apresentar para os americanos. Eu sabia muito por alto que existia uma tensão racial muito grande por lá e eu não tinha ideia de como seria recebida. Mas a Mercedes Baptista insistiu muito pra que eu aceitasse, que eu seria a grande estrela da noite. Então, eu fui!" Baptista era quem tinha sido responsável pela primeira viagem de Elza para fora do Brasil, aquela do fim dos anos 1950, para Buenos Aires. Mas se aquela experiência era algo que Elza não gostaria de repetir, uma viagem para os Estados Unidos começava a parecer interessante.

Mercedes tinha sido convidada para organizar um baile de Carnaval no Waldorf-Astoria. Não seria uma coisa improvisada, mas um baile bem chique, para os americanos experimentarem um pouco da nossa festa. Isso mexeu com Elza: "Do momento em que eu aceitei até o dia em que chegamos a Nova York, eu sonhava com aquela apresentação. Eu tive um sonho até com o vestido que eu queria usar: era uma roupa meio esquisita, uma espécie de camisa de homem que ia até o pé, mas sem mangas e toda de renda, com botões do pescoço até a barra. Eu tinha um costureiro em São Paulo que era maravilhoso e pedi pra ele fazer – e ficou bem parecido com o que eu tinha sonhado."

No aeroporto do Galeão, despedindo-se de Garrincha, que não foi por conta de compromissos no Brasil, Elza se lembra da enorme excitação que sentiu ao entrar no avião. Nada do que ela tinha sonhado nem tudo que tinham contado para ela sobre Nova York tinha sido suficiente para amenizar o impacto que teve ao chegar a um dos hotéis mais luxuosos do mundo. "O que era aquilo, meu Deus? Eu só pensava: 'Olha onde é que você chegou, Elza.' Aquele era, sem dúvida, o melhor lugar que eu tinha ficado na minha vida e eu tive de me controlar pra não me sentir uma madame."

Elza não se lembra de ter passeado muito pela cidade nessa época, pois todo seu foco estava voltado para os ensaios da apresentação.

Na noite especial, os grandes salões do Waldorf-Astoria tentavam reproduzir um clima carnavalesco do Brasil, sem muito sucesso. "Não havia decoração especial", segundo O *Cruzeiro*, mas, antes do jantar, o público, entre 1.500 e 2.000 pessoas, foi presenteado com "*slides* e filmes sobre o Brasil". O baile mesmo começou com um desfile de fantasias por volta das 22h30. No relato da revista: "Quando era meia-noite, a portaria começou a impedir a entrada porque não cabia mais ninguém." Foi com essa atmosfera quente que Elza Soares entrou no palco para cantar não apenas samba, mas o melhor da nossa bossa nova, que já havia conquistado o público americano. "Eu estava escandalosa de bonita e cantei com vontade. E foram mais de cinco minutos de aplausos sem parar no fim. Eles não queriam deixar eu ir embora, e acabei cantando mais uma hora de improviso com aqueles músicos maravilhosos." A banda que a acompanhava, chamada Só Samba, era composta por Geraldo Vespar, Sérgio Barroso, o sensacional pianista Dom Salvador (que depois seguiu numa carreira brilhante para os Estados Unidos) e o grande baterista

O skyline de Nova York, década de 1960.

Wilson das Neves, que seria seu parceiro ainda por muitos anos. Era o mesmo grupo que tocaria com ela semanas depois da viagem, no Teatro Miguel Lemos, em seu show "Revolu-samba." Com todo mundo tão afiado não tinha como a noite não ser inesquecível.

A festa terminou depois das 3h da manhã, sob protestos, segundo a imprensa. Elza estava ao mesmo tempo exausta e excitada. Chegou agitada ao seu camarim e, antes de subir para seu quarto, recebeu um recado que um certo Sammy Davis Jr. queria falar com ela. E logo trataram de explicar que ele era uma das pessoas mais importantes do *show business* americano, amigo de metade de Hollywood, grande parceiro de Frank Sinatra. "Eu fiquei imaginando o que ele queria comigo e ele entrou no meu camarim me enchendo de elogios." Enquanto o tradutor corria para fazer Elza e Sammy conversarem, ela se divertia com aquela figura na sua frente, que não entendia como ela podia ter aquela voz toda sem nunca ter estudado canto. "Ele dizia que eu era um mistério e que queria viajar comigo pra França, pra me apresentar pros franceses, tentar arranjar uns shows na Europa." Uma pessoa que parecia ser sua secretária confirmava tudo e explicava que Elza poderia viajar com seu marido, que eles sabiam que era um famoso jogador de futebol no Brasil. "Cheguei até a pensar que ele estava me passando uma cantada, mas depois relaxei. Ele estava mesmo curioso com meu jeito de cantar."

Essa não foi a única proposta que ela receberia durante a viagem a Nova York. "Quem me procurou também foi um executivo de uma gravadora especializada em cantores negros." Elza não se lembra direito em nome de quem ele falava, mas era provável que fosse ligado à Motown, que ainda vivia seu auge nos anos 1960, responsável por carreiras de sucesso como as de Stevie Wonder, Marvin Gaye, The Supremes e The Jackson 5, para citar apenas alguns artistas. "Fiquei muito tentada, pois tinha muito dinheiro envolvido, uma estabilidade de alguns anos morando nos Estados Unidos. E, além disso, seria uma maneira de fugir de todas as coisas ruins que estavam acontecendo no Brasil com minha família e com Mané."

Na sua volta ao Brasil, a primeira coisa que fez foi falar com a Odeon sobre seus planos, mas, para sua decepção, a gravadora brasileira colocou um enorme obstáculo para sua saída: "Eles simplesmente não me liberaram. Me mandaram uma carta dizendo que não poderiam me dispensar, que eu ainda tinha de gravar muitos discos com eles e, com isso, vi meu sonho de morar fora indo embora. A Odeon me boicotou."

Com a esperança de uma carreira no exterior apagada, Elza tinha que enfrentar a realidade das ameaças que recebia no dia a dia e que só se intensificavam. Essa foi a sombra que, desde o início do relacionamento com Garrincha, a amedrontava. Durante muito tempo, ela acreditou que as coisas se resolveriam. Já em 1963, com pouco mais de um ano juntos, eles procuraram uma solução que não escandalizasse a sociedade: um desquite amigável entre Garrincha e sua mulher, Nair. O caso era notícia frequente nos jornais e os leitores acompanhavam o desenrolar da separação como se fosse uma novela. "Garrincha propõe desquite a dona Nair para viver com cantora Elza Soares", dizia uma das manchetes da época. "Um homem no coração de duas mulheres — todo o Brasil acompanha o dilema de Garrincha", anunciava uma reportagem especial da *Revista do Rádio*, também de 1963, que ainda dava conta de um suposto trabalho de dois pais de santo encomendado por Elza, tudo desmentido pela própria cantora. Elza tinha, sim, seus pais e mães de santo, mas destinados a outro foco: "Eles me ajudavam a me equilibrar espiritualmente com essas dificuldades enormes que eu passava."

Incendiados por reportagens como essas, anônimos mandavam cartas para o casal e chegavam a ligar para a casa de Elza: "Me chamavam de tudo, coisas pesadas, racistas", conta ela sobre os xingamentos que ouvia e que tinham a intenção explícita de humilhá-la. "Pra piorar as coisas, me convenceram a gravar uma música que falava justamente sobre uma amante... Não sei onde eu estava com a cabeça, quando topei fazer isso. Alguém da Odeon achou que seria uma boa ideia aproveitar o que se dizia na imprensa. Não foi, deu merda!", lamenta.

A letra de "Eu sou a outra" não podia ser mais direta: "Ele é casado e eu sou a outra que o mundo difama/ E a vida ingrata maltrata e sem dó cobre de lama." Os versos sobre um choro lento e arrastado não só pediam clemência daquela mulher que tinha estragado um casamento, como também fazia pouco da própria mulher traída: "Não tenho nome, trago coração ferido, mas tenho muito mais classe do que quem não soube prender o marido." Tudo ali parecia uma provocação – e o povo não perdoou. Elza, que raramente se arrepende de algo que fez na sua carreira, admite que teria sido melhor não ter gravado aquela música: "O autor insistiu, falou que ia dar certo, mas, em vez de ser tocada nas rádios, o que eu ouvia era um monte de apresentadores quebrando o meu disco no ar. Era isso, sim, quando um apresentador queria te boicotar, quebrava seu disco no meio do programa. E todo mundo quebrava os meus – menos o Haroldo de Andrade, talvez o único profissional de rádio que nunca deixou de ter respeito por mim."

No seu livro, *Minha vida com Mané*, um capítulo inteiro é dedicado ao que Elza chama de "Complô contra Elza e Mané". Escreve ela: "Em matéria de perseguição, eu e Neném somos formados através do longo curso. Num concurso a gente vencia de saída. Desde que Garrincha entrou na minha vida que venho sofrendo uma campanha sistemática de difamação e disse me disse." Uma verdadeira campanha e, diga-se, aberta, e que, de vez em quando, tirava Elza do sério. Uma pequena nota do jornal *Diário de Notícias*, de maio de 1967, dá conta de uma briga entre Elza e Dercy Gonçalves. A comediante recebeu, no programa "Dercy Espetacular" (TV Globo), a mulher de Garrincha, Nair. Irritada com o que viu no ar, Elza teria pegado o carro e ido até a emissora para tirar satisfação pessoalmente com Dercy.

Não muito diferente da sua reação ao programa de Orlando Batista, um influente comentarista esportivo, que tinha um programa na rádio Mauá. "Todo dia esse danado falava mal de mim. Aliás, falava mal de nós dois, de mim e do Mané. Ele pegava pesado mesmo, fazia os comentários e zombava da gente. Até que um dia eu não aguentei e fui até a rádio acertar as contas com ele." Ela estava no carro com Mané e disse para ele pegar o caminho até o estúdio que ela queria olhar na cara de Orlando e ver se ele teria coragem de falar as mesmas coisas. "Cheguei lá e fui logo metendo o dedo na cara dele. Nessa época eu tinha, sim, um gênio do cão e comprava briga. Eu tinha que fazer isso pra me defender, já que ninguém me defendia. Quando Orlando me viu entrando pelos corredores da rádio – o programa já tinha saído do ar –, ele não acreditou no que viu. Não adiantou muita coisa: depois de alguns dias lá estava ele falando mal de novo da gente. Mas eu achei que fiz o que eu tinha que fazer."

Mais de uma vez, ela foi dar queixa na polícia sobre as ameaças que estava recebendo. Certa vez chegou até a prestar uma queixa formal contra José Kléber Lisboa, por conta de uma chantagem que teria sofrido. Isso aconteceu num breve período em que Elza e Garrincha moraram em São Paulo, no bairro de Higienópolis. Um dia ela chega em casa e encontra uma carta que pedia 15 milhões de cruzeiros, uma pequena fortuna na época (1966), para que o casal não fosse vítima de uma campanha de difamação. O caso acabou ficando famoso porque José Kléber tinha tido um relacionamento com Angela Maria – de quem Elza era fã. Elza resolveu encarar a chantagem de frente e deu queixa à polícia e, junto com Garrincha, fez até uma acareação na frente do acusado, em abril de 1966, para ficar livre de mais essa pressão.

A tensão de viverem sempre acuados criava às vezes situações cômicas. Depois de retornarem de São Paulo, na casa onde deu sua grande festa, na Lagoa Rodrigo de Freitas, num belo dia, Garrincha resolveu adotar um animal de estimação inesperado. "Era raro eu conversar com o Mané sobre o que estava acontecendo. Ele sempre desconversava, falava que era maldade das pessoas e eu nunca sabia se ele queria só me tranquilizar ou se não tinha mesmo a dimensão do perigo que nos rondava. Mas aí um dia ele chegou em casa, me viu preocupada e me disse: 'Crioula, vamos botar uma cobra dentro de casa!' Isso mesmo: um dia a gente tava no centro, que eu e Mané frequentávamos, e alguém foi perguntar se a gente queria levar uma cobra que tinham encontrado por perto. Eu fiquei apavorada, mas, uns dias depois, Mané chegou com aquele bicho dentro de uma gaiola de aço toda bonita que ele pediu pra vir de Rezende (interior do Rio de Janeiro)."

Os filhos de Elza, que moravam com eles, tiveram pavor de cara: "Gilson não podia chegar nem perto da gaiola." Mas para Garrincha, foi como se ele tivesse descoberto outra paixão, além dos passarinhos. "Mané jogava comida pra ela, ficava horas olhando ela presa. Quando tinha visita em casa, ele colocava umas cadeiras do lado de fora e convidava as pessoas pra tomarem cerveja do lado da cobra. Ninguém aceitava, claro! E Mané ria igual a uma criança." Essa casa, uma das mais aconchegantes em que eles moraram, tinha uma curiosa torre na sua fachada, um jardim com um pé de carambola, que fazia Elza lembrar de sua infância – e até um piano alugado: ela queria que os filhos aprendessem a tocar de qualquer jeito! E foi nesta casa que o casal começou a receber os amigos – entre eles, o famoso atacante do Flamengo, Dominguinhos. "Sem querer, foi ele que fez o Mané acabar com o reinado da cobra lá em casa. Dominguinhos chegou com uma namorada nova e, quando ela viu a cobra logo na entrada, ela soltou um grito e não deu mais um passo. Não havia quem convencesse a moça a entrar. Depois de rir muito da história, Mané falou que já estava na hora de ficar livre da cobra. Ele cismou também que o bicho estava conseguindo entortar a gaiola pra tentar sair. Aí fomos lá no terreiro e devolvemos o bicho."

O endereço na Lagoa era muito bom e eles estavam muito bem naquela casa. "Desculpem a imodéstia, mas ela é a mais encantadora do mundo, tá?", declarava Elza em reportagem da época, onde mostrava os quartos e as salas bem decorados. Mas eles tiveram de entregar a casa a pedido do proprietário e mudar mais uma vez. "Fomos nos esconder em Copacabana." O apartamento, ainda mais se comparado à casa, era pequeno.

No entanto, a sensação de proximidade era até um conforto, tanto pras crianças, quanto pra mãe de Elza, dona Rosária, que já vivia há algum tempo com eles e percebia a tensão. "Eu gostava de morar ali na Tonelero, mas eu sabia que era temporário, que logo iríamos encontrar a casa dos nossos sonhos."

Se a casa era nova, porém, os problemas continuavam os de sempre. Garrincha bebendo cada vez mais, as questões legais com Nair e as filhas sempre perseguindo o jogador – e Elza, inevitavelmente, sofrendo com tudo. Quando um dia ele acordou e disse: "Vou ver minhas meninas!", Elza estranhou. "Fazia tempo que ele não ia a Pau Grande e eu não entendi por que ele precisava visitar elas justo naquele dia em que eu tinha tido um sonho que não era bom. Cheguei a pedir ao Mané para não ir, que tinha sonhado com ele cantando 'Vesti azul, minha sorte então mudou' – e eu achei que esse negócio da sorte mudando era um aviso." A música "Vesti azul", um sucesso estrondoso de Simonal, que tinha regravado a versão original de um dos primeiros nomes da Jovem Guarda, Adriana, era alto astral. Mas Elza a interpretou de outra maneira e insistiu que Garrincha ficasse em casa.

"Ah, Crioula, depois de tanto tempo, tudo que a gente já passou, você me proíbe de ver as crianças?", contestou Garrincha. "Não tô te proibindo de nada, pode ir quando você quiser, eu só achei esquisito sonhar com você desse jeito." Dona Rosária, deitada no sofá da sala, ouvia tudo e, para evitar uma discussão, se ofereceu para ir com o genro. Gilson também ouvia tudo do quarto das crianças e chegou dizendo: "Quero ir com a vovó!" "Animada, minha mãe foi arrumar a Sarinha pra ela ir junto. Quando já estava todo mundo entrando no carro, Gilson, que era botafoguense roxo por causa do Mané, lembrou que seu time jogava naquela tarde e desistiu de ir. E aí foram só os três, meus três amores, Garrincha, mamãe e Sarinha, pra visita."

Elza ficou em casa. Queria descansar para o espetáculo que faria à noite. Ela estava em cartaz no Teatro Santa Rosa, com o espetáculo

"Todos os sambas". "Eu estava aborrecida. Era um domingo chato e eu estava já impaciente porque tinha que esperar minha mãe chegar, porque ela iria ao teatro comigo naquela noite. Mané sabia disso, que ele teria que voltar logo depois do almoço pra casa. Foi crescendo em mim uma sensação de que alguma coisa esquisita estava acontecendo. De repente eu escutei assim: 'Elza, Elza', bem baixinho, e a voz parecia ser da minha mãe. Fiquei apavorada! Chamei a dona Augusta, que trabalhava com a gente, e pedi um copo d'água, quando o telefone tocou. Era alguém me procurando de uma rádio, não me lembro bem, e a notícia veio seca: tinha acontecido um acidente de carro e os três tinham morrido, Sarinha, Garrincha e minha mãe. Não sabia o que fazer. Não tinha nenhum detalhe do que tinha acontecido, perdi o controle do que estava fazendo e do que estava pensando. Quando vi, já estava andando pela rua, sozinha, a caminho do teatro onde eu estava me apresentando."

O acidente tinha mesmo acontecido: o Galaxie de Garrincha, placa GB 24-37-08, capotou três vezes depois de bater na traseira do caminhão de placa RJ 95-21-98, dirigido por Benedito Farias Sales, de 60 anos, na altura do quilômetro 4 da Rodovia Dutra, próximo a São João do Meriti. Mas essa era a linguagem seca dos jornais da época. O drama da vida real se desenrolava em cenas muito mais dramáticas. Garrincha, na verdade, tinha sobrevivido ao acidente e foi logo socorrido pelas pessoas que paravam e o reconheciam – talvez não tão rapidamente como nos seus tempos áureos, mas de qualquer maneira a ajuda veio logo e ele foi internado no Hospital Getulio Vargas. Foi essa a informação que Elza recebeu num segundo telefonema.

"Fiquei um tempo ali no camarim, completamente atordoada. Até que eu me olhei no espelho, vi meu rosto transtornado, lembrei do acidente com minha mãe – eu nem sabia no que estava pensando, então – e tive um estalo. Quem sabe não estavam mentindo pra mim? Podia ser mais um trote que as pessoas que nos queriam mal estavam passando. Voltei a pé correndo pra casa, andando pelo meio da rua como uma idiota. Quando cheguei, atendi o telefone que, como me contavam, tocava sem parar e eu soube, então, que o Mané estava vivo. Mas minha mãe e Sarinha tinham morrido." Ao mesmo tempo que a notícia de que Garrincha havia sobrevivido era um consolo, as duas outras mortes pesavam ainda mais sobre Elza. Jornalistas e radialistas congestionaram a linha de sua casa e cada um contava uma versão diferente do acidente. Elza não sabia mais em quem acreditar.

"Até que alguém me ligou pra contar que, no momento em que estavam levando o Mané para o hospital, ele ouviu alguém perguntar se não teria mais ninguém no meio das ferragens. Mané gritou de longe: 'Minha filha!' E só aí as pessoas correram pro carro e começaram a procurar. Sarinha estava lá no meio do ferro retorcido, e viva!" A filha foi levada ao mesmo hospital que Garrincha, onde foi internada em estado grave. Sarinha sofreu fraturas na clavícula esquerda e na tíbia, foi engessada imediatamente e entrou em coma. Elza partiu, então, para o Getulio Vargas.

"Era, sim, um alívio saber que o homem que eu amava estava vivo, mas eu não podia deixar de sentir uma dor imensa por ele, porque eu sabia que o Mané e minha mãe eram muito apegados. Saber que o acidente tinha matado ela deveria ser terrível pra ele, eu tinha certeza de que o Mané estava se achando um monstro. E quando finalmente vi o Mané deitado na cama do hospital, senti muita pena. Era minha mãe, que eu também amava tanto, que tinha morrido. E ali na minha frente estava o culpado pela morte dela. Mas eu só conseguia sentir pena dele. Mané estava consciente, mas com uma expressão no rosto de quem não estava ali. Era como se sua alma tivesse ido embora." Elza pediu também para ver Sarinha e recebeu a explicação de que ela não deveria ser incomodada – o repouso era absoluto, pois havia a suspeita de que ela pudesse ter uma hemorragia interna. "Tive de esperar um pouco, mas assim que liberaram, entrei no quarto e comecei a chorar. Aquela criança tão pequena, minha filha, correndo o risco de morrer. Os médicos me tranquilizaram e, quando eu cheguei perto do seu rosto, vi alguma coisa estranha no seu olho direito."

O rosto de Sarinha estava todo inchado, mas Elza percebeu que sob uma das pálpebras havia uma protuberância desproporcional. "Usando só minha intuição, aproximei minha mão daquela carinha linda e, de repente, um caco enorme de vidro pulou nos meus dedos. Foi um susto: aquele caco, que deveria ter entrado ali na hora do acidente, estava escondido no seu olho e podia ter deixado Sarinha cega. Eu acho que fiz uma operação espiritual sem saber", Elza pensou, quando chegou em casa. Sarinha ficaria bem e se recuperaria sem grandes problemas. Mané também sofrera pouco fisicamente: menos de 48 horas depois do acidente, ele já estava em casa ao lado de Elza completamente embriagado. Era o que Elza mais temia. "Minha mãe era tudo para o Mané e eu podia ver o que estava acontecendo dentro dele. O homem que eu amava tinha matado a minha mãe, e eu não conseguia sentir raiva. Parecia que eu tinha uma pedra de gelo dentro de mim. Eu só lembrava da história do Mané, de tudo que já tinha acontecido na vida dele, tanta tragédia, tanta coisa que tinha dado errado e agora mais essa. Eu é que não ia condenar ele por isso!"

Elza não quis ir ao enterro de dona Rosária. "Eu já não gosto de velório, ver aquele corpo ali frio, estendido, de alguém que já não é a mesma pessoa. Eu queria preservar a lembrança de minha mãe viva e alegre, como eu a conheci, nos bons momentos. Mas o Mané, eu acho que foi e voltou arrasado." Com o acidente, às dificuldades que ela enfrentava com a bebida de Garrincha somava-se agora a depressão do seu marido. "Parecia que ele nunca mais sairia daquele estado. E eu comecei a achar que era até pior que os porres que ele tomava. Porque, nesses casos, eu sabia que uma hora ele ia parar de beber e voltaria ao normal." Mas a melancolia que Garrincha sentia pela morte de dona Rosária não passava tão fácil. Ele tinha sido atingido por uma profunda depressão.

"Foi isso que fez com que ele tentasse se suicidar pela primeira vez. Ele entrou no banheiro, abriu o gás e foi isso... Eu sabia que ele andava esquisito. Mané já tinha aquele olhar perdido, de quem não estava prestando muita atenção em nada. Mas, nos dias que vieram depois do acidente, ele parecia estar um pouco mais distante, dava pra ver claramente que ele se desligava da gente, no meio de uma conversa. Por isso, no dia em que ele demorou um pouco mais no banheiro, eu chamava o nome dele e ele não me respondia, eu fui logo dando uma bundada na porta que estava trancada. Bunda grande é boa também pra essas coisas! Fez um barulho enorme, a própria porta quase que estourou na parede. E veio aquele cheiro de gás forte. Chamei a dona Augusta pra me ajudar a arrastar aquele homem pesado, que já estava sem os sentidos, e me tranquei com ele no quarto chorando e rezando pra que ele estivesse bem."

Internar Garrincha, depois do ocorrido, não era uma opção. "Eu queria curar o Mané em casa, se a gente colocasse ele num hospital, eu tinha a impressão de que ele nunca mais se recuperaria. Sem contar que iam falar mal de mim, que eu abandonei ele, que eu que tinha feito ele se matar. Não, eu não queria que ninguém soubesse disso, eu não precisava mais de nenhuma notícia ruim. Tratei dele em casa mesmo, cozinhava as comidas que ele gostava, levava tudo pra ele na cama, e dizia baixinho no ouvido dele que as coisas iriam melhorar, que ele iria jogar fora do Brasil, que eu faria muitos shows lá fora, tentando passar só coisas positivas."

E veio a ideia de procurar um novo lugar para morar, essa casa, sim, a que eles sempre tinham sonhado. Com o dinheiro da primeira parcela de um contrato poderoso que Elza tinha fechado com a TV Record, em São Paulo, ela pagou metade do valor de uma casa, no Jardim Botânico, a mais suntuosa em que já havia morado. Mudou-se para lá confiante de que as coisas iriam melhorar. Era mais uma promessa de felicidade, como ela mesma escreveu em *Minha vida com Mané*: "Nossa casa do Jardim Botânico nasceu pro Mané. Tem árvores como ele gosta e passarinho como ele aprecia. Árvores em penca e asas à vontade. Porque Mané é mateiro."

O próprio livro foi escrito nas primeiras semanas em que eles se mudaram para lá. "Nós queríamos dar uma resposta para as pessoas que tanto nos criticavam. Estávamos juntos há sete anos, já tínhamos passado por muita coisa, boa e ruim, juntos, e a gente tava ali, firme e forte. Eu escrevia um pouquinho toda noite, bem livre, sem um roteiro. Escrevia o que tinha vontade de escrever. Não mostrava nada pro Mané, que nem gostava de ler, mas ele tinha aprovado a ideia, e a gente até brincava que a capa do livro seria uma foto minha e dele pelados na nossa cama, com as bundas pra cima, lindos e soltos, sem ligar pra opinião das pessoas." Faltavam uma Djanira ou um Benjamin Silva, como Elza escreveu no livro, mas esse luxo podia esperar até que ela tivesse um "tutu". "Por enquanto, o quadro mais pomposo que tenho é o de Mané Garrincha vestido com a camisa canarinho", declara Elza no capítulo "Entre árvores".

A nova euforia do casal foi a maneira que eles encontraram não para esquecer, mas para diminuir a dor da ausência de dona Rosária. Elza tinha uma casa de luxo para onde voltar depois dos seus shows e mergulhar numa banheira de espuma relaxante. Garrincha tinha espaço para curtir seus pássaros. E muitas festas aconteceram para contar para o mundo que tudo ia bem, pelo menos na superfície. Mas esse mesmo cenário de tanta alegria aparente foi palco de um evento marcante que fez com que Elza pensasse que, se houvesse alguma saída, se ela e Garrincha pudessem ter algum futuro, seria fora do Brasil.

11 fora do Brasil, uma vida perfeita como um cenário de Cinecittà

"Um dia de amor para mim vale mais que cem anos", cantava Gianni Morandi, no topo de seus pulmões e das paradas das rádios italianas, naquele janeiro de 1970 – podia bem ser a trilha para receber Elza Soares no aeroporto de Roma. A viagem, afinal, era mais um gesto de amor, a tentativa de uma mulher apaixonada de reconstruir a imagem do homem que amava. Sustos e ameaças à parte, além de uma desculpa para sair das intimidações que sofria no Brasil, Elza estava decidida a reabilitar Mané Garrincha, seu grande amor – e achava que na Itália teria mais chances de conseguir isso.

"Eu temia pelos meus filhos, pelo Mané, por mim mesma." A casa era bem ali ao pé do Corcovado, num cantinho que ficou conhecido como o "Suvaco do Cristo", pois se localiza bem embaixo do braço da estátua do Cristo Redentor, que protege a cidade com seus braços abertos. Mas eles estavam longe de ter sossego naquele recanto. Era o fim de 1969 e os ataques ao casal continuavam intensos. "O telefone não parava de tocar na minha casa e, quando eu ia atender, ninguém falava nada: essa era a tática deles."

Elza não sabia quem exatamente queria assustá-la, mas motivos não faltavam. A opinião pública, que, mesmo depois de anos, ainda não se conformava com sua união com Garrincha, insistia em rejeitá-la. E havia um resquício de perseguição política por conta do envolvimento de Elza com o presidente João Goulart, deposto pelo Regime Militar em 1964.

"Eu comecei a ter medo, sim, e tinha que aguentar tudo sozinha. O Mané fazia aquele tipo que não tinha muita noção das coisas – era uma criatura boa e pra ele tudo isso era uma bobeira, eu que estava me preocupando demais." Segundo Elza, sua frase favorita era: "Deixa, Crioula, isso passa!" Mas Elza sabia que a situação era delicada e que ele também, no fundo, percebia isso. Toda a vez que ela saía para fazer algum show, não subia no palco tranquila. "Chegava em casa e via Mané com aquela cara de assustado. Ele disfarçava, mas eu sabia que ele também tinha noção do que estava acontecendo. Ele chegou a ir mais de uma vez na delegacia. Chegava lá e fazia a alegria dos guardas que estavam de plantão – era o Garrincha visitando eles! Mané pedia, então, proteção, eles diziam que iriam investigar, dar uma atenção, mas tudo continuava igual."

As ligações ficavam cada vez mais frequentes, os ataques da mídia, mais constantes. E veio, então, a tentativa de sequestro. "Nunca soube direito o que aconteceu naquela noite, mas foi de assustar qualquer um." Elza voltava com Garrincha de um espetáculo que fazia no Teatro de Bolso e eles aceitaram a carona de um casal de amigos, o jornalista Arthur José Poerner e a esposa Érica. Saindo do Leblon, em direção ao Jardim Botânico, ao entrar na avenida Afrânio de Melo Franco, o carro em que eles estavam foi fechado por um JK vermelho e um Aero Willys preto. "Foi uma gritaria danada, eles queriam que a gente entrasse no carro deles, acho que tinha um que estava com revólver." Ninguém desceu do carro, mas, segundo uma reportagem do jornal *Correio da Manhã* (de agosto de 1969), Garrincha, num gesto de coragem, teria aberto a porta e jogado um dos homens para longe. Aproveitando a situação, José Poerner saiu em arrancada.

Elza e Garrincha chamaram seus advogados para pedir orientação de como se proteger. A ameaça, agora, tinha rostos e revólveres. "A gente até segurava. Mas eu tentava proteger as crianças, não queria que esse clima de tensão chegasse nelas. Já bastava o que eles sofriam no colégio, com piadinhas, gente insultando meus filhos. Só que eu pressentia o momento em que tudo ia estourar." E o ultimato chegou um dia numa carta anônima colocada embaixo da porta da casa do Jardim Botânico. Ela não se esquece do texto curto, escrito numa letra caprichada, que decretava simplesmente: "'Vocês têm que deixar o país em 24 horas!' Não tinha assinatura, não tinha marca no papel, não tinha nada, só aquela sentença feita pra gente se sentir acuado. Estava claro que eles não queriam mais a nossa presença aqui no Brasil." Seu envolvimento com Garrincha já tinha uns oito anos – sete vivendo juntos. Mas os problemas legais de Garrincha com a pensão para suas oito filhas com Nair não deixava o público aceitar aquela relação. "Já estávamos juntos havia tanto tempo e a polêmica continuava – na verdade, nunca houve trégua. Mas aquele bilhete foi a gota d'água. O próprio Mané que nunca dava importância a nada disso decretou: 'Vamos embora!' E eu comecei a levar a sério uma proposta de shows no exterior que havia recebido."

Franco Fontana era um empresário já de sucesso em Roma, amigo do então famosíssimo ator italiano Vittorio Gassman – que o havia indicado para administrar a carreira da atriz Anna Magnani. Fontana enveredou pela carreira de produtor musical num teatro famoso bem no centro de Roma. Comandava um espetáculo muito popular: "I lunedì del Sistina" ("As segundas do Sistina"). Procurou Elza Soares para uma temporada de apresentações, e a proposta era tentadora: Elza se apresentaria no mesmo palco em que Fontana levou artistas como Miles Davis, Amália Rodrigues, Ray Charles, Oscar Peterson, Ella Fitzgerald – e, apaixonado por música brasileira, também já tinha colocado artistas como Chico Buarque e Toquinho na sua prestigiosa noite de segunda.

"Quando recebi a primeira proposta, fiquei na dúvida. Mudar de país era mudar de vida, um desafio enorme. Ao mesmo tempo em que eu queria tirar o Mané daqui, dar uma nova chance pra ele, eu achava que ele também já estava bastante fragilizado, por conta de bebida – enfim, não sabia como ele resistiria a essa mudança", recorda Elza. Mas aí veio o tiroteio...

"Eu me lembro que tinha sido um dia tranquilo – não tinha show naquela noite e eu fiquei em casa com as crianças. Logo depois do jantar, eu coloquei todo mundo pra tomar banho e dormir – uma rotina normal. A casa já estava tranquila, e eu e Mané já estávamos nos preparando pra dormir também, no nosso quarto, quando veio o primeiro tiro. Graças a Deus Mané estava lúcido, porque eu tinha ficado em casa, ele não tinha bebido..." O que aconteceu em seguida foi meio confuso: lá fora, o segurança Milton Neves, que Elza conta que o Botafogo havia cedido ao Mané, gritava: "Não desce, não, Elza, não desce, não, que tá tendo tiro!" Logo em seguida Elza ouviu mais um grito do segurança e pensou: "Ele levou uma bala." "Abracei o Mané bem forte e fui correndo olhar as crianças, que felizmente não tinham acordado. Alguns tiros atravessavam os vidros das janelas e furavam as paredes – e teve um que abriu ao meio a tampa do piano que tínhamos em casa. Não ouvimos vozes nem nada – eu acho que eram dois homens, mas não dava pra ter certeza de quantos eram. Ouvimos mais tiros e percebemos que eles estavam dentro de casa. E aí que vem o estranho: não levaram nada. Fugiram pelo jardim, pularam pro terreno do lado, que estava abandonado. E houve um silêncio, mais assustador que a barulhada. Só quando escutamos um carro sair em disparada, tive coragem de descer na sala com o Mané. O segurança estava bem, mas tão assustado quanto a gente. Encontramos tudo revirado, vidro no chão e as marcas das balas. Ninguém faz ideia de como ficamos apavorados mesmo. Eu e Mané não dormimos mais. E pela manhã já tínhamos tomado a decisão: iríamos o mais depressa possível pra Itália."

Para agilizar a saída, primeiro foram Elza e Garrincha. Ela não tinha certeza se queria mesmo ficar por lá, mas a ideia era ficar, se tudo corresse bem com os shows e com a possibilidade de uma carreira para Garrincha. Dando tudo certo, eles então levariam as crianças. O casal embarcou em 23 de janeiro de 1970, chegando numa Roma fria, bem no meio do inverno. Elza havia levado seu melhor figurino para brilhar no Teatro Sistina. Acostumada a se apresentar só no Brasil, as roupas não eram exatamente para o frio. Sua primeira preocupação foi comprar um belo casaco de peles e uma jaqueta de couro para Garrincha. "Era importante, sobretudo pro Mané, se apresentar bem para a imprensa, que imediatamente mostrou ter uma enorme curiosidade pelo ídolo do futebol."

Franco Fontana alojou o casal num hotel modesto perto do teatro, chamado Imperiale – que, apesar do nome, não impressionou a cantora. "Era confortável, mas não tinha luxo nenhum. O Mané nem ligava, e eu também estava tão contente de ter saído daquele pesadelo em que a gente vivia que, num primeiro momento, o lugar onde nos hospedamos era o menos importante. Eu estava preocupada com o show, não tinha certeza de que iria agradar o público italiano e foquei no que iria apresentar no Sistina. Queria escolher um repertório que misturasse o melhor do nosso samba com um pouco de bossa nova. E, se possível, até uma pitada das novidades que eu via nos festivais em que eu tinha me apresentado. Não queria decepcionar aquele público que ainda não conhecia a minha voz."

Nem precisava ter se preocupado tanto: sua estreia foi um sucesso. O Sistina já tinha um público cativo, mas o carisma de Elza certamente colaborou para confirmar que o investimento de Franco não havia sido em vão. Com os 1.500 lugares, na plateia e no balcão, lotados, Elza desfilou seu repertório selecionado e enlouqueceu os italianos. "Era muito boa aquela sensação. Ao mesmo tempo em que fui tão bem recebida, estava vendo meu trabalho ser reconhecido, não tinha a pressão que eu vivia no Brasil – vivia a liberdade de

poder andar pelas ruas de Roma tranquila. Havia muito tempo que não me sentia assim: livre! Eu podia sair com o Mané na rua e ninguém ficava apontando pra gente, fazendo comentários. Ele era reconhecido nas ruas – como eles eram loucos pelo Mané na Itália, meu Deus! Mas eu passeava sem ser incomodada e isso ajudou a fazer desses nossos primeiros dias alguns dos mais felizes que tivemos juntos!"

Elza e Garrincha em Roma, em 1971.

Mesmo no frio, Roma é um dos lugares mais encantadores do mundo. Elza estava como que em estado de graça: tinha dinheiro, estava sozinha com o homem que amava e ia descobrindo aos poucos as ruas estreitas e ocres do centro antigo da capital italiana. Durante os dias, passeava pelos monumentos históricos – a Fontana di Trevi e a Piazza Navona, onde fica até hoje a Embaixada Brasileira (que Elza frequentava bastante), eram os lugares favoritos dela. E, em noite de espetáculo, Elza brilhava diante daquelas cadeiras forradas de camurça vermelha e bege, nas quais praticamente ninguém ficava sentado ao fim de sua apresentação: "Eu punha todo o mundo pra dançar!"

A princípio, a temporada era de algumas semanas. Alguns convites para se apresentar em outros teatros pela Itália começaram a aparecer num primeiro momento, mas ela não estava segura se seria o suficiente para eles se manterem na Itália por algum tempo. Garrincha tinha convites para clubes que nem desconfiavam que a bebida fosse um problema real na vida do antigo craque. Elza pensava nas crianças, que tinham ficado no Brasil, e a saudade já estava apertando. Enquanto ponderava se trazia ou não os filhos, o destino apressou sua decisão – de maneira um tanto drástica. "Eu tinha deixado as crianças em casa, no Jardim Botânico, com o Raimundo, que era uma pessoa de confiança com quem eu trabalhava desde os tempos do Teatro João Caetano. Mas um dia eu recebi uma ligação dele, dizendo que eles haviam sido expulsos de lá", diz ainda assustada. Havia uma dívida grande a ser quitada com relação ao imóvel e esse pagamento já vinha sendo adiado por um bom tempo. Elza contava com a segunda parte do contrato que tinha fechado com a TV Record, mas que não deu em nada, quando a emissora sofreu mais um incêndio – tinha sido justamente a primeira parte desse pagamento que ela tinha usado para dar o sinal da casa do Jardim Botânico.

"Eu achava que, ganhando algum dinheiro na Itália, a gente poderia pagar parte disso e negociar o resto." Mas o proprietário, talvez desconfiado da viagem do casal, acelerou uma ação de despejo e, de um dia para o outro, os filhos dela estavam na rua. "Fiquei desesperada e pedi ajuda aos vizinhos. Pedi que Raimundo conversasse com eles, pra que as crianças tivessem pelo menos onde dormir. E logo tratei de ir ao consulado pra pedir ajuda com as passagens, pra que eles fossem me encontrar em Roma."

De tão desesperada que estava com a situação, Elza chegou a pensar em voltar para o Brasil. "Eu não sabia o que poderia acontecer com eles – aquelas crianças já tinham sofrido tanto... Mas eu sabia que voltar naquele momento não seria bom pra ninguém, muito menos pro Mané, que parecia mais tranquilo. A bebedeira continuava, mas eu estava mais próxima dele. O melhor seria que a gente continuasse por lá. Seria melhor se as crianças fossem nos encontrar."

Era hora de buscar um apartamento, então, para abrigar toda a família. Vieram convites para mais shows e isso, claro, significava mais dinheiro entrando. Num estranho alinhamento (novamente) com a parada de sucessos italiana – que coroava Adriano Celentano, o grande campeão do Festival de Sanremo (Festival da canção italiana) daquele ano, com a música "Chi non lavora non fa l'amore" ("Quem não trabalha não faz amor") –, Elza e Mané pareciam viver uma nova lua de mel: trabalhando e se amando. "Aluguei um apartamento num lugar incrível, na Via Veneto, bem perto do Sistina. Três quartos, com espaço pra todo mundo. Eu sempre gostei de ter uma casa bem arrumada e não ia ser em Roma que ia relaxar." Com o dinheiro que ia ganhando, Elza se deu o direito de comprar móveis de luxo e decorar o apartamento para receber todo mundo. "Eu gostava de dar jantares, chamar jornalistas pra que eles pudessem ver como o Mané estava bem... Um dos primeiros amigos que fiz lá foi um cantor muito conhecido, Nino Ferrer. Ele também gostava do Mané e me ajudava a convidar as pessoas pra jantares e festas lá em casa – era uma maneira de nós dois ficarmos mais conhecidos."

O craque Amarildo, que tinha jogado com Garrincha na Copa de 1962, chegou a passar por lá. Ele já morava há mais de seis anos na Itália, tinha mulher e filho europeus e ficou todo entusiasmado, quando soube que seu parceiro estava na cidade. Infelizmente ele só provou da hospitalidade de Elza uma única vez. De passagem pelo Brasil em 1971, ele disse que tinha até deixado seu telefone e endereço com Garrincha, mas não teve retorno. "Por umas duas vezes procurei por ele, mas não o encontrei", contou ao *Correio da Manhã*. "Parece que o Mané e a Elza andam viajando demais." Mas a verdade, como Elza sabia bem, é que Garrincha só saía de casa para beber. "Cansei de buscar ele nos bares perto de casa. E depois que eu já tinha avisado tudo que era dono de boteco da vizinhança que não era pra vender bebida ao Mané, ele começou a ir mais longe. Tinha dia que ele nem voltava para casa, e eu ficava desesperada."

Garrincha, porém, gostava de ir à casa do embaixador brasileiro da época, Thompson Flores, e de sua esposa, lugar em que Elza era, com frequência, convidada a se apresentar informalmente. Eles eram presenças constantes nos jantares do casal na Piazza Navona. Elza não raro assinava a noite com uma rodada de samba. "Tudo isso fazia parte do meu esforço pra que o Mané circulasse, pra que as pessoas soubessem que ele estava ali, na ativa e bem." Mas Garrincha mesmo não ligava nem um pouco para isso. "Mané gostava de ver o Chico", lembra Elza. Chico, naturalmente, era o Chico Buarque, que também morava com sua mulher, a atriz Marieta Severo, em Roma nesse período. "Eles foram extremamente generosos com a gente e nos acolheram de imediato. O Chico sempre foi um apaixonado por futebol, então imagina que maravilha que era pra ele poder conviver com um ídolo como o Mané. Eu também era amiga do Chico – e como o Franco Fontana já trabalhava com ele, sua recomendação foi importante pra eu estar ali cantando no Sistina. Eu sou muito grata ao Chico por tudo – amo esse cara! E Marieta era meu ombro amigo, sempre me dando ouvidos. Quando as coisas apertavam, quando eu tinha dúvidas de onde aquela aventura toda ia dar, era Marieta que parava pra me ouvir e me aconselhar."

"O Mané não gostava de sair – pra ele era uma obrigação, a não ser que fosse pra tomar um copo, e aí tinha que ser longe de mim. Eu era a 'relações públicas' e ele sempre foi o mais introvertido. Eu tinha comigo essa coisa de receber em casa." Fora as festas – e algumas raras aparições na TV –, Elza gostava de levar uma vida caseira em Roma. "Quando meus filhos chegaram, eu fiz o possível pra que eles tivessem uma vida normal, como se eles estivessem morando no Brasil. Sarinha, por exemplo, eu botei numa escola francesa – e fiz questão que todos eles aprendessem italiano. Foi ela que ensinou o pouco de italiano que o Mané sabia falar. Eu tentava aprender um pouco também, fazia aulas com a embaixatriz, que tinha se tornado minha amiga, e me virava como podia nas ruas de Roma."

Seus filhos pareciam gostar da experiência. "Eu cozinhava pra eles, café da manhã, almoço e jantar. A Dilma também me ajudava bastante, já tinha uns 17, 18 anos e era bem companheira, especialmente nas coisas de casa. Gilson vivia na rua, mas eu nem me preocupava, porque eu sabia que ele estava sempre numa igreja – nunca vi um menino gostar tanto de igreja assim. Ele era muito católico, acho que se apoiou um pouco nisso, quando chegou lá. E ele ia por conta dele, já que eu mesma não ia muito às igrejas de Roma. Mas ele ficava encantado, ia ao Vaticano várias vezes – entrava lá e ficava rezando. Dilma é que ficava louca, porque tinha dia que ele demorava pra voltar, e todo mundo ficava preocupado. Ela ameaçava: 'Eu vou colocar o almoço na mesa meio-dia, e, se

Elza, Garrincha, Dilma e o baterista Mandrake, no apartamento da Via Bevagna, em 1971.

você não estiver aqui, não vai ter comida quando você voltar!', ela falava brava. Mas eu sabia que ele estava bem."

Quem mais gostava de Roma era Carlinhos, o filho mais velho, que chegou à cidade no auge dos seus 20 anos. "Ele era um menino lindo, fazia o maior sucesso e acho que ele sabia disso e aproveitava. Carlinhos chegou a ser capa de revista e lembro até que um dia ele chegou em casa contando que tinha recebido convite pra fazer um filme", conta a mãe orgulhosa. O ano estava passando bem, o verão já estava chegando – Roma estava até mais parecida com o Rio de Janeiro, pelo menos na temperatura. Tudo caminhava bem.

Depois da euforia dos primeiros meses, porém, as coisas começaram a emperrar. Elza acha que sofreu com a reação da própria comunidade artística italiana. A não ser por Ferrer, ela não tinha ficado amiga de nenhum outro cantor ou cantora – Mina, Ornella Vanoni, Rita

Pavone, Patty Pravo: a década de 1960 tinha sido dominada por essas vozes, mas nenhuma delas havia se aproximado de Elza. Elas se esbarravam muito raramente, numa aparição de TV ou nos bastidores de algum festival. Mas Elza não se sentia entrosada: "Eu acho que tinha gente que achava que uma estrangeira não podia chegar e fazer sucesso na Itália. Eu não entendia bem como isso estava acontecendo, mas havia um movimento dos artistas italianos contra quem chegava, e a imprensa ajudava. Quando dei entrevistas dizendo que tinha fechado uma grande turnê com o Franco Fontana e que meu cachê era alto, dali a dois dias tudo tinha dado para trás." O valor, de algumas dezenas de milhares de dólares, provocou ultraje nos artistas. "Vieram ameaças de que eu não poderia cantar lá por muito tempo, porque eu não tinha visto, era estrangeira, e eu comecei, mais uma vez, a ficar com medo." As despesas do casal a essa altura já eram altas e a solução foi viajar para fazer shows avulsos noutras cidades. "Eu não parava de cantar, fazia um teatro atrás do outro – me apresentei no Teatro Lirico de Milão, no Festival de Palermo, em Nápoles, onde aparecia uma oportunidade eu ia, sempre morrendo de medo de que o Mané, comigo longe, caísse na bebedeira."

Na lembrança de Elza, Garrincha não parava de beber, jogando contra ele mesmo, indiferente aos esforços de Elza para ajudá-lo. Numa delicada articulação, que envolveu o consulado brasileiro em Roma e várias autoridades no Brasil, Elza se orgulha de ter conseguido uma espécie de emprego para Garrincha junto ao Instituto Brasileiro de Café. "Ele não precisava fazer muita coisa: só ir a algumas feiras e encontros internacionais, onde o Brasil queria vender sua imagem de grande produtor e exportador de café, e aparecer como 'embaixador do café' ou alguma coisa assim. Mas quem disse que o Mané ia nos compromissos?", recorda Elza com alguma mágoa. "Eu não tinha que cuidar apenas da minha carreira, mas também da dele, aliás, como sempre."

Mais de uma vez, ela recebeu ligação de organizadores dessas feiras querendo saber por que Garrincha não tinha aparecido a um determinado compromisso. "Ele saía de casa dizendo que ia pra Gênova, Palermo, sei lá onde era a feira, só que ele não ia. Na primeira vez, fiquei desesperada: eu não tinha ideia de onde ele poderia estar e só fui descobrir muito tempo depois que o Mané não tinha embarcado no avião, como a gente tinha combinado – tinha ficado bebendo, esqueceu de tudo e, com vergonha de voltar pra casa, foi dormir num hotel. Era horrível, eu me sentia péssima, tinha que buscar ele, trazer pra casa e ainda inventar uma desculpa pro IBC. Tinha muita gente importante que não queria que o Mané tivesse esse emprego, tinha muita gente querendo tirar isso dele. Não lembro direito quanto dinheiro ele ganhava, mas era uma grana que entrava – e, se eu não fazia show, numa semana, fazia falta. Eu tinha certeza de que, de uma hora pra outra, ele seria cortado do emprego. E lá ia a Elza cantar pra pôr comida em casa..."

Como sempre, ela não desistia fácil. "Eu procurava qualquer oportunidade. O Chico me ajudava sempre com indicações para shows – e se não me engano foi ele que também me apresentou pra gravadora RCA Victor de lá, onde eu acabei gravando em italiano." A música brasileira, muito por conta do sucesso da bossa nova, era bastante respeitada em toda Europa, e especialmente na Itália, mas era pouco ouvida. Ornella Vanoni, em 1967, gravou uma ótima versão de "Tristeza" (de Niltinho e Haroldo Lobo) e fez algum sucesso com ela. Mas havia um espaço enorme a ser desbravado e esse papel caberia a Elza. Para uma primeira experiência, as canções escolhidas foram um clássico – "Máscara negra", de Zé Kéti; e uma aposta numa faixa mais recente, mas que já era um sucesso no Brasil desde a década de 1960, "Que maravilha", uma parceria de Toquinho com Jorge Ben Jor.

Se "Máscara" era um cartão de visitas com um sotaque de Carnaval,

"Che meraviglia" era o veículo perfeito para apresentar uma artista especial como Elza. Numa versão que, por vezes, parece ainda mais sedutora que a original, a voz de Elza está suave e envolvente. O arranjo é simples, um pé no samba e outro, na bossa, com sopros que traziam ecos do pop dos anos 1960 na própria Itália. Ela canta praticamente sem sotaque algum e dispensa até a rouquidão "à la Louis Armstrong" que era sua marca registrada. Era um veículo perfeito para o público italiano se apaixonar por Elza, como os brasileiros. Só que não foi bem isso que aconteceu. "Eu continuava achando que os artistas de lá não podiam admitir que uma estrangeira viesse pegar o lugar deles. Todo mundo me tratava super bem, quando eu chegava pra cantar em algum lugar, mas no fundo eu sabia que existia uma barreira. A gentileza era superficial." E as rádios italianas acabaram não tocando essa pequena obra-prima.

"Por conta desse disco, eu consegui participar de um programa de rádio, que levava os artistas pra apresentações, numa espécie de carreta pra cidades perto de Roma; muitas vezes, a gente fazia mais de um show por dia. Chamava-se 'Canto giro', e a ideia era sair cantando por aí. O Ben Jor, acho, foi em alguns deles. Mas eu nem ganhava dinheiro com isso – como não tinha empresário, fazia por qualquer quantia, apostando que abriria outras portas pra mim."

Outra oportunidade surgiu quando Ella Fitzgerald convidou Elza para ser sua substituta numa turnê que a cantora americana fazia pela Europa, cantando músicas de bossa nova. "De repente, num restaurante chiquérrimo de Roma, estávamos sentados numa mesa eu, Jorge Ben Jor, Trio Mocotó, a própria Ella, o empresário Franco Fontana e Garrincha. Tudo aconteceu porque Naná Vasconcelos, que já era o percussionista mais famoso que o Brasil tinha exportado até então, tinha ligado pra Ella, que era sua amiga, e tinha sugerido que eu a substituísse, enquanto ela fazia uma operação de catarata. Ela me disse que o próprio Naná tinha dito que nenhuma outra cantora poderia cantar no lugar dela – só eu! Aí, acho que alguém mostrou alguns discos meus pra ela, que então quis me conhecer." Foram vários shows pela Europa, apresentações que já estavam marcadas com mais de um ano de antecedência. "As pessoas achavam meio estranho quando viam que não era Ella que estaria no palco, mas aí eu começava a cantar Jobim e as pessoas iam gostando. No fim, era aplaudida de pé! Eu tinha assistido a uns dois shows de Ella antes de assumir a turnê, mas eu não queria imitar ela não, fui mesmo pra ver ela cantar... e era uma maravilha!"

No verão de 1971, Elza ainda foi convidada, por Flávio Cavalcanti, que tinha um dos programas de maior audiência no Brasil naquele começo de década (na TV Tupi), para participar de um especial que seria transmitido ao vivo do Cassino de Estoril, ao lado de Lisboa, em Portugal. Garrincha também era convidado, numa rara entrevista para o Brasil. "Foi um sucesso também. Mané, como sempre, não gostava muito de aparecer, mas foi bom pra que as pessoas no Brasil, especialmente as que especulavam que nós não estávamos bem, vissem que a vida na Europa era boa. E era essa imagem que eu queria passar." O programa teve grande repercussão no Brasil e Elza ficou contente de ter participado.

Mas Elza não sentia que sua carreira ia bem. A questão, para Elza, é que ninguém a encarava, mesmo depois do sucesso dos seus shows, como uma artista de respeito. "Para a imprensa, eu era ainda a mulher do Mané." Logo nas primeiras entrevistas que deu na Itália, sentiu que a reação dos jornalistas não havia sido muito boa. Pautados pelas reportagens que chegavam do Brasil, e que eram extremamente negativas para ela, Elza se viu diante de um verdadeiro interrogatório, como se tivesse que provar, àquela altura, que seu amor por Garrincha era verdadeiro, que ela não era uma oportunista. Todo seu esforço para tirá-lo do esquecimento, para que ele segurasse aquele emprego no IBC, para que ele tivesse uma vida normal... era sempre frustrado.

"Eu cantava meu samba, fazia meus shows, circulava pela Itália, mas o povo me conhecia mesmo por causa do Mané. Não tinha jeito, eu era 'a mulher do Garrincha' e eu tinha que carregar essa fama." Só que o próprio Garrincha, num comportamento que Elza já conhecia bem, parecia sabotar qualquer plano de carreira. Como em um jantar que ela organizou para os dirigentes do Avellino, um time que transitava pela série C italiana, mas com pretensões de crescer, especialmente com a ajuda de um craque como Garrincha, ou, pelo menos, era o que eles achavam. "Era uma chance maravilhosa. Fiz um jantar de comida brasileira, preparei uma recepção pra impressionar todo mundo mesmo, contratei garçom e tudo." Só que, quando os convidados chegaram – entre eles o presidente do Avellino, Antonio Sibila –, e Elza servia ainda os primeiros drinques, veio o sinal de que a noite não sairia como ela tinha planejado...

"Mané apareceu na sala no maior pileque. Não tinha como disfarçar... E as pessoas levaram um susto. Imagine ir à casa de um grande jogador, que você quer contratar como a salvação do seu clube, só que ele está caindo de bêbado dentro da sua própria casa." O jantar em si, dali em diante, foi um desastre. Garrincha, segundo Elza, mal conversava e sua vontade era que tudo terminasse. "Quando bati a porta, depois que eles saíram, caí num choro, como não acontecia comigo há muito tempo. Eu estava me sentindo muito mal, porque vi a chance de ele ser contratado indo embora naquele momento. Eu sabia que essa era a oportunidade de ele ter um grande salário, não me lembro da quantia, mas era impressionante. Só que foi tudo pela janela!" Inevitavelmente veio a discussão, mais uma. E Elza mais uma vez enfrentava Garrincha num estado alterado. Ela garante que não havia agressão. Mas a situação era insuportável.

Elza fazia o possível para acreditar que estava vivendo um sonho fora do Brasil, mas sua felicidade era superficial, não ia além da fragilidade das fantasias de um cenário de Cinecittà, o grande estúdio cinematográfico que àquela altura já havia deixado sua marca no imaginário do cinema mundial. Muito além dos sonhos de uma vida perfeita, porém, a realidade sempre se impunha para reafirmar que eles estavam longe de resolver seus problemas. Um acidente na cozinha de sua casa era mais uma prova disso – Elza sofreu uma queimadura terrível, e ela só faria a plástica para corrigir quando voltasse ao Brasil. "Era mais um jantar que Dilma estava preparando e naquela noite ela inventou de fazer um rosbife. Eu estava cochilando e ela veio me acordar pra pedir ajuda, porque a peça de carne era muito grande. Fui pra cozinha ainda acordando e só me lembro de pegar um garfo e tentar virar a carne. Mas enquanto uma mão segurava a panela de mau jeito, a outra tinha aquele rosbife pendurado num garfo. A peça acabou se soltando e caiu no próprio caldo que estava na panela, com manteiga bem quente e… veio tudo no meu rosto. Por reflexo, larguei tudo e fechei os olhos. Foi a sorte, porque eu poderia ter perdido parte da visão." Com a mãe gritando de dor por causa da queimadura, Dilma ficou apavorada, sem saber o que fazer. Foi correndo procurar uma pasta de dente, um improviso caseiro, na verdade: aplicar dentifrício na pele queimada não adianta nada, quando não piora a situação.

Quando a dor passou, Elza percebeu o engano: "Aquela pasta secou e ficou grudada no meu rosto. Eu tentava tirar, passando óleo pra pele e outras coisas que eu usava pra tirar maquiagem. Acabei ficando com o rosto todo marcado." Por que ela não foi ao médico? "Eu tinha medo de tudo. Se alguém descobrisse, se aquilo vazasse pra imprensa, as pessoas iam se virar contra mim. Era esse tipo de coisa que passava pela minha cabeça. Eu só fui fazer uma plástica pra consertar aquilo muito tempo depois, quando já tinha voltado pro Brasil. Fora o medo, eu achava que isso sairia uma fortuna lá, então fiquei bem quieta, me recuperando aos poucos."

Os únicos médicos que Elza frequentava eram os que lhe davam uma esperança de que Garrincha pudesse parar de beber. "A primeira vez que ele topou ver um médico pra tratar desse assunto foi na Itália. Eu ainda não sabia que o alcoolismo era uma doença, naquela época a gente não tinha esse tipo de informação. Então, eu vivia levando ele em médico, sim, tentando descobrir alguma fórmula mágica que fizesse ele largar a bebida." Mas

Garrincha permanecia uma criatura solta, ainda que estivesse meio deslocado e longe do Rio de Janeiro. "Quando ele saía, era pra ir à casa do Chico – eles ficaram realmente muito amigos. Mas tinha vezes que eu pegava o Mané na porta de casa, de bermuda, chinelo e sem camisa, com uma gaiola na mão, levando um dos seus passarinhos pra passear." A paixão de Garrincha pelas aves viajou com ele para a Itália – o que para Elza era um misto de alegria e preocupação. "Eu gostava de ver o Mané com os passarinhos, era uma coisa que o acalmava e o deixava bem feliz. Mas eu não podia deixá-lo sair na rua daquele jeito. Já pensou? O Mané com aquela gaiola passeando sem rumo, no meio da Piazza di Spagna?"

A vida começou a ficar bastante difícil. Por breves momentos, Elza viveu em Milão e em Torvaianica, sempre para dar uma chance ao Mané – no primeiro caso, com relação ao IBC, cuja sede era em Milão; e no segundo, era o futebol que o levou até a cidade costeira, jogando pelo Lazio, em mais uma promessa que não deu em nada. E, quando Elza começou a se desesperar, ela recebeu uma carta de Chico Xavier, o grande médium do Brasil. "Lógico que eu já tinha ouvido falar dele, sempre fui muito ligada ao espiritismo, mas nunca tive a chance de estar pessoalmente com ele. Por isso, minha primeira reação foi ficar bastante assustada quando uma menina que eu também conhecia bateu na minha porta em Roma e disse que tinha uma carta do Chico para mim." Assim que a menina foi embora, Elza aproveitou que estava sozinha em casa e foi abrir o envelope: "Como tudo que vinha daquele homem de luz, era uma carta que trazia muita paz. Mas ele dizia que sabia de todas as coisas ruins que eu estava passando e que sabia também que eu era responsável por tudo aquilo. E que, por isso mesmo, ninguém além de mim poderia encontrar uma nova saída. Ele me inspirou a refletir bastante sobre a minha vida com o Mané, a família que eu estava criando lá. Aquela carta foi uma coisa muito importante para mim."

Roma e todas as promessas de viagem à Europa já não pareciam ser a solução. "Eu comecei a achar que estava na hora de voltar.

Muitas coisas passavam pela minha cabeça. Havia uma vontade de gravar novamente no Brasil. Eu sentia que meus filhos também não queriam mais ficar lá. E, além disso, eu pensava no meu marido. Chega de esconder o Mané. Se a gente retornasse, eu pensava, o Brasil finalmente iria reconhecer o Mané. Ou, ainda, eu e o Mané. Eu achava que, depois de tudo que a gente tinha passado, eles – imprensa, opinião pública – iriam perceber tudo que eu tinha feito por ele. A gente seria, finalmente, recebido como um casal. A gente não tinha mais grana. Eu estava infeliz, tudo tinha ficado muito chato. E, então, decidi: a gente iria embora!"

Assim como um convite para se apresentar foi decisivo para que Elza se mudasse para a Itália, foi a promessa de um grande show no Brasil que serviu de alavanca para trazê-la de volta ao Rio de Janeiro. No fim de 1971, o empresário Abelardo Figueiredo foi até Roma para convencer Elza de que ela seria a grande estrela do seu Brazil Export Show – um espetáculo com temporada já confirmada no Rio de Janeiro e em São Paulo, com promessa de uma turnê internacional. Se a proposta era irrecusável, mesmo se ela estivesse bem na Itália, na fase em que estava então, foi ainda mais fácil aceitar. "O mais difícil foi arrumar dinheiro para as passagens do Mané e das crianças. Tivemos que fazer uma vaquinha entre os amigos, o Chico e a Marieta até estavam no meio e foi isso que acabou ajudando. Se não desse certo, eu ia inventar uns shows, sei lá... Eu teria feito qualquer coisa para voltar – já tinha colocado isso na minha cabeça."

Naquele dezembro de 1971, toda a Itália cantava uma música chamada "Pensiero", de um grupo superpopular chamado Pooh. E as letras desse outro sucesso, involuntariamente, também podiam descrever bem o que se passava pela cabeça de Elza: "Não fique preso aqui, meu pensamento: encha-se de sol e viaje pelo céu." E no que pensava Elza? Na ideia de se reinventar. "Eu queria mudar essa mulher. Eu sabia que era forte, não precisava mais fugir do Brasil. Eu sempre soube me virar, sustentar minha família, meu marido – tudo sozinha. Por que não encarar essa volta? Sou pequenininha, eu brincava, mas quando é preciso eu sei como crescer", diz ela confiante. E foi nesse espírito que ela desembarcou no Rio de Janeiro no fim daquele ano.

"As crianças", como Elza se referia aos filhos e filhas, já até mais que adolescentes, "foram na frente; eu e Mané ficamos por último." Nem tinha muita coisa para ajeitar. Como sempre em sua vida, largar uma etapa significa não olhar para trás, não levar muita coisa de um ciclo que acabou: "Trouxe algumas roupas na mala e olhe lá!" Elza desembarcou com Garrincha no aeroporto do Galeão em 10 de dezembro de 1971 e já tinha gente esperando, além dos fotógrafos e da imprensa: "Nosso advogado, Ernesto Dória, já estava lá pra nos levar pra um hotel em Petrópolis, onde ficamos nesses primeiros dias. Eu pedi que ele fosse buscar a gente, porque não sabia direito como seríamos recebidos. E ele era um homem muito bom, sempre nos ajudou muito, tanto a mim quanto ao Mané. E eu sabia que ele nos levaria pra um lugar seguro. O grande Paulinho da Costa (um dos melhores percussionistas brasileiros, hoje residente nos Estados Unidos) veio comigo da Itália, junto com sua namorada, a Arice, que depois virou sua mulher. Eles foram para o hotel com a gente e eu até ajudei a fazer uma ponte entre eles e a família de Arice, que ainda não sabia que eles estavam juntos. Nós éramos muito amigos, eu e o Paulinho; e eu gostava demais daqueles dois. Ajudei nessa união com muito carinho."

Elza, de fato, parecia mais segura em vários sentidos, não apenas como conselheira sentimental. Para que esse seu retorno desse certo, era preciso também que sua carreira voltasse a engrenar. De cara, assim que pisou no Brasil, recebeu uma homenagem do Museu da Imagem e do Som do Rio: foi eleita pelo conselho do museu "Embaixadora do Samba". No discurso da cerimônia, perto do Natal de 1971, Elza chegou até a chorar, quando foi agradecer o título, segundo reportagem do *Correio da Manhã*: "Esse diploma representa muito pra mim, porque não foi fácil, pra uma ex-lavadeira, uma ex-operária, uma criulinha de 1,57 metro, mas 10 de coragem, divulgar a nossa música, tão desconhecida, no exterior." Esse orgulho renovado que Elza havia trazido da Itália parecia que ia dar frutos. Antes mesmo do "Brazil Export Show", ela esquentou sua garganta com duas semanas de shows lotados numa boate chamada Number One. Elza estava feliz de voltar a cantar na sua terra.

Ela já pensava também num novo disco, que marcasse seu retorno de maneira diferente. E a inspiração surgiu como que por acaso. "Eu estava no carro do meu advogado, quando ouvi no rádio um cantor com uma voz linda. Fiquei apaixonada e logo quis saber quem era. Não demorei a descobrir, o próprio locutor anunciou seu nome: Roberto Ribeiro. Na mesma hora falei: 'Quero gravar um disco com esse cara!' E fui atrás!" Logo nos seus primeiros dias no Brasil, Elza procurou a gravadora para saber de suas perspectivas, mas tomou um susto.

"Bati na Odeon não tinha nem uma semana que eu estava no Brasil, mas quando cheguei lá descobri que todo o repertório que seria pra mim eles tinham dado para a grande aposta da gravadora naquela temporada: Clara Nunes." Para Elza foi um golpe especialmente cruel, porque Clara era uma amiga, que já no fim dos anos 1960 frequentava sua casa. "Ela me procurou quando eu morava na Ilha do Governador. Clara estava começando a cantar, chegando de Minas, e queria uma indicação. Fui eu que a apresentei pro Milton Miranda, que era meu produtor na Odeon. E, quando ele a ouviu cantar, a contratou na mesma hora. Fiquei tão feliz, ela era muito querida. De casa mesmo. Ela se encantou com Carlinhos, meu filho, e ele ia sempre com ela pro estúdio acompanhar as gravações. Eu sabia que ela teria uma carreira. Mas não imaginei que seria desse jeito. Quando eu voltei da Itália, o lugar dela era o meu."

Essa era uma Odeon bem diferente daquela que a abraçou no começo da carreira. Mais de 10 anos e muitos LPs depois, Elza não encontrava mais as pessoas que a representavam. "Logo que entrei na gravadora, conheci André Midani, um diretor brilhante que me deu muita força." Midani, executivo que passou por vários selos, gravou sua história na trajetória de vários artistas da MPB e é, até hoje, reverenciado pelo mercado. Elza tinha um carinho especial por ele: "Sempre foi um homem culto, que sabia exatamente como a gente podia mostrar o potencial com a nossa música." Mas nesse início dos anos 1970, ele não estava mais lá para receber essa nova Elza que queria mais uma vez se reinventar.

Nos seus planos de reconquistar seu espaço musical, ela teria que brigar sozinha para gravar com Roberto Ribeiro. "Nos demos bem logo de cara e me lembro da gravação de *Sangue, suor e raça* como uma grande diversão." Mas a ideia da parceria não foi aceita imediatamente pela gravadora. "Cheguei na Odeon e disse que, como eu não tinha mais repertório, queria voltar pro samba. Lembrei a eles que *Elza, Miltinho e samba* (1967) tinha sido um grande sucesso, e que queria fazer uma coisa nesse sentido, só que com o Roberto." A reação, segundo Elza, foi péssima: "Eles me perguntavam: 'Quem é esse Roberto Ribeiro?' Diziam que ninguém conhecia ele, que não iria dar certo. Mas insisti até que eles fizeram um teste, ninguém acreditava que fosse dar certo. A desculpa era que Roberto era um cantor de escola de samba, apenas um puxador, e que não iria funcionar no estúdio."

A insistência de Elza chamava a atenção. Alguma coisa realmente havia mudado naquela mulher. Ela não estava mais disposta a aceitar tudo o que a gravadora, ou as pessoas em geral, impusessem. Voltou decidida a ter uma voz e não apenas diante do microfone. Se para fazer com que a Odeon aceitasse Roberto Ribeiro já foi trabalhoso, dividir a foto de capa com ele, então, parecia um desafio ainda maior. "Pra mim só fazia sentido lançar um disco com o Roberto se ele estivesse na capa comigo. Por isso programei uma foto com nós dois, num cenário belíssimo. Fomos pra aquele clube de golfe que tem em São Conrado e fizemos um ensaio que ficou maravilhoso. Escolhi a imagem de capa, mas novamente a gravadora colocou obstáculos. Diziam que ele era feio, que não venderiam nenhum disco com ele na capa. Eu bem sabia o que estava acontecendo e parti em sua defesa. O que eles não queriam era mais um preto estampado na foto."

Esse foi mais um momento marcante para definir Elza como uma nova mulher, uma mulher que tinha voltado com outra força. A defesa de Roberto Ribeiro foi tão apaixonada que a família do cantor, num documentário sobre a carreira dele, chamou Elza para contar esse episódio. Ela lembra: "Foram me procurar pra um depoimento, porque parece que uma das últimas coisas que Roberto teria dito antes de morrer foi: 'Elza me defendeu...' E foi isso mesmo que aconteceu. Fui pra gravadora e rasguei meu contrato. Eles diziam que ele era muito feio, mas eu já desconfiava que fosse preconceito. Até que eu ouvi um diretor dizendo: 'Não quero esse nego feio e sujo na capa!' Aí fiquei maluca! Entrei naquele escritório dizendo: 'Se ele é um nego feio, o que eu tô fazendo aqui, então?' Se eles queriam que eu continuasse lá, tinha que ser com ele também."

Deu certo! O LP saiu do jeitinho que Elza queria e foi um grande sucesso. "Eu apostei tudo e fiz isso não em nome da arte, mas do emprego. Aquilo pra mim era uma questão de como ganhar dinheiro nesse retorno ao Brasil. E foi muito bom, vendemos muito, fizemos alguns shows juntos. E a gravadora teve que se dobrar: reconheceu o talento de Roberto e eles trabalharam juntos depois. Acho que logo depois ele gravou um disco com a Simone (*Brasil Export 73 – Agô Kelofé – à Bruxelles*). Eu me senti cheia de coragem pra enfrentar aqueles brancos engravatados da gravadora. Tava podendo!", brinca.

Só faltava ela colocar essa força, essa decisão, essa vontade de se impor também na sua vida pessoal. Porque a vida com Garrincha, se já não estava bem na Itália, aqui degringolou ainda mais. Quem sabe se ela desse um filho ao amor de sua vida as coisas não melhorariam? Quem sabe...

12
um filho e a necessidade de recomeçar mais uma vez

"Eu sabia que era um menino..." A possibilidade de que estivesse grávida de uma menina nem passava pela cabeça de Elza. "Eu nem tinha mais desejo de ter filhos, mas eu tinha a esperança de que um moleque ia mudar a vida do Mané." Sua ilusão era a de que um garoto daria uma virada na vida do já desgastado ídolo do futebol brasileiro, seu companheiro de quase quinze anos.

"Quando pensei nessa possibilidade, mergulhei de cabeça. Sabia que não seria fácil, pois eu tive um problema nas trompas. Eu tinha consciência de que teria de encarar um tratamento pra engravidar de novo. Então, procurei os melhores médicos, tomei umas injeções, fiz repouso – tudo que eu podia fazer pra dar finalmente um filho ao Mané eu fiz. Inclusive namorar muito!" – diz Elza com certa malícia. Seria mais um descendente a se juntar às oito filhas que Garrincha já tinha, do seu primeiro casamento com Nair – seria o nono descendente reconhecido até então, do grande jogador. A conta era quase a mesma para Elza, que já havia dado à luz a seis filhos (dois

Elza e Juninho, em 1977.

mortos ainda na primeira infância) e ainda tinha adotado Sarinha com Garrincha: sete filhos no total. Mas não era exatamente o projeto de um herdeiro que seduzia Elza. O que ela queria é que Garrincha deixasse de beber. Sua nova gravidez era uma espécie de barganha.

Desde que voltaram da Itália, em dezembro de 1971, Elza estava empenhada em fazer com que Garrincha largasse o álcool. O que, na vida do jogador, foi sempre um adversário a ser driblado, a essa altura já era um componente inseparável de Garrincha. Com a volta para o Brasil, as esperanças de que ele pudesse mudar se reacenderam no coração de Elza. Tudo já estava combinado, desde a Itália, com o empresário Abelardo Figueiredo, conhecido, não sem motivo, como o "Rei da Noite". Atores, atrizes, cantores e cantoras dos anos 1950-1980 tiveram parte de suas carreiras impulsionadas pelos espetáculos de Abelardo, cujo nome era uma garantia de sucesso, tanto no Rio como em São Paulo.

Sua ideia, desde o começo dos anos 1970, era chamar Elza de volta para ser protagonista de uma superapresentação que fazia parte do projeto "Brazil Export Show". Era exatamente a oportunidade que ela estava esperando para voltar, já que isso representava alguma segurança financeira. "Não tínhamos juntado muita grana na Itália, mas o que trouxemos dava para segurar por um tempo." O dinheiro que recebeu adiantado por esse show também ajudou. E a expectativa era a de que entrasse mais, já que a estreia no Canecão teve grande sucesso. Mas o tal "Export Show" não vingou em São Paulo, o espetáculo foi recebido sem entusiasmo e os planos de uma turnê pelo Brasil, e talvez até um giro pelo mundo, acabaram sendo cancelados. Para garantir a vida boa e os pequenos luxos com os quais ela tinha se acostumado, foi preciso que Elza se desdobrasse em apresentações. Podia ser uma temporada curta numa boate carioca ou uma breve temporada cantando sambas a bordo de um transatlântico de turismo – o *Eugenio C*, que ia pelo Atlântico entre Rio de Janeiro e Acapulco. O que aparecesse, Elza aceitava.

Elza precisava investir mais na sua carreira como cantora. "Eu cheguei gravando o *Elza pede passagem* (lançado em 1972) e logo já estava fazendo shows pra promover este trabalho também. Nunca ganhei dinheiro com discos: como no passado, eles eram importantes pra garantir que eu pudesse ser convidada pra mais shows – e aí, sim, o dinheiro entrava. Era a renda da bilheteria que eu levava pra casa todo dia." E era com seu repertório de sucessos do passado e novos sambas que ela ia pondo dinheiro em casa.

Elza voltou com uma necessidade ainda maior de se reafirmar como artista: "Eu precisava que as pessoas soubessem quem eu era – quem era Elza Soares, e que eu não era simplesmente a mulher do Garrincha." Esse pensamento a acompanhava desde sua partida do Brasil para a Itália, Elza acreditava que lá a associação de sua imagem à do ídolo do futebol seria um pouco mais neutra. Seu desejo era que o mundo (a Itália e o Brasil) passasse a reconhecê-la não como a mulher à sombra de um grande jogador, mas alguém que era, ao contrário do que todo mundo pensava, a figura mais forte naquela relação: a mulher que protegia, sustentava, reabilitava e que, de certa maneira, dava sentido à vida do atleta adorado por todos.

Não foi isso que aconteceu durante sua viagem, claro. A idolatria a Garrincha, naquele país que também é louco por futebol, ofuscou ainda mais a artista Elza Soares. Mas de volta ao Brasil, tudo seria diferente – ou pelo menos era nisso que ela acreditava. Elza mais uma vez renovava sua capacidade infinita de achar que as coisas podiam ser melhores.

"Mané ficou feliz de voltar. Aqui, ele sabia por onde podia andar, em quais matas podia entrar pra ver seus passarinhos, onde podia pescar sem se preocupar com nada. Eu tinha certeza que, assim que a gente retornasse ao Brasil, nossa vida iria se transformar. Não teríamos mais aquele isolamento que sentimos na Itália – a gente ia ser mais feliz…" E, de fato, na lembrança de Elza, esses primeiros meses no Brasil foram uma espécie de paraíso. "A vida com o Mané melhorou porque, se ele estava contente, eu também ficava contente. Claro que não deixei de vigiá-lo nem de acompanhar seus passos de perto. Pra mim, era como se fosse um filho, que exigia cuidados constantes. O problema era que ele recebia essa proteção muito mal, não gostava desse meu controle. Ele achava que eu era muito chata, os 'amigos de copo' simplesmente me odiavam. Eu nem ligava, podiam falar o que quisessem! Eu não admitia que ele bebesse e eu saía proibindo tudo mesmo, proibindo botequim, proibindo bebida em casa. Tinha dia que eu era o cão…"

Garrincha, claro, resistia a essa "guarda monitorada" de Elza. Continuava escondendo bebida pela casa toda e até pelo jardim: "Tinha dia que eu achava que aqueles canteiros tinham mais garrafas do que flores." Mas ela se mantinha firme na ideia vã de que só com uma linha dura o afastaria da bebida: "Tinha amigo dele que até me xingava. Não fazia diferença pra mim. A prioridade da minha vida àquela altura era cuidar dos meus filhos e do Mané. Aquela era minha casa e quem mandava ali era eu!" Só que, como a própria Elza admite: "Era muito difícil segurar o Mané…"

Na tentativa de reabilitar Garrincha, Elza pensou grande. Por um breve período, ela foi proprietária de uma casa de shows e fez dela um palco para o seu Mané brilhar. "Aquele homem que eu vi jogar futebol, que era uma coisa de louco, que sempre mexeu com os fãs e deixava qualquer sala em que entrasse em choque… Eu tinha que fazer alguma coisa." O projeto, no entanto, era mais ambicioso que simplesmente colocar Garrincha e Elza no palco. Juntos eles compraram um espaço chamado "O bigode do meu tio", em Vila Isabel, para ser a vitrine de um show que seria a grande promessa de renovação. A casa já era um sucesso da noite carioca, misturando boa música com uma carne saborosa, e eles descobriram que o dono a queria vender.

O proprietário do Bigode era Joffre Rodrigues, filho do grande Nelson Rodrigues, dramaturgo, jornalista, cronista e escritor – uma figura fundamental do imaginário e da cultura brasileiros. Elza, que já tinha ido lá com Garrincha várias vezes para ver shows de amigos como Elizeth Cardoso e Jorge Ben Jor, convenceu Garrincha de que seria um bom negócio comprar o lugar, a princípio como um investimento. Mas isso era uma desculpa. "Eu fiz aquilo pelo Mané. Eu não curtia cuidar de um negócio, não tinha a menor paciência nem jeito pra cuidar de uma casa noturna. Ele, eu já sabia que não daria conta de administrar nada. Então, hoje eu admito que foi uma loucura. Eu só queria um lugar decente, digno, onde as pessoas pudessem comer uma boa comida e ainda assistir a um bom show. E percebessem finalmente que o Mané era uma boa pessoa e não apenas um beberrão."

Assim surgiu, em meados de 1974, o La Boca – o Bigode rebatizado. E já estreou com um show de nome improvável, mesmo para a época: "O demônio da Copa no Show da Vida" – talvez até pegando carona num programa de sucesso que estreara havia menos de um ano na TV Globo, chamado "Fantástico: o show da vida". A música, claro, ficava por conta de Elza – e mais uma *crooner* chamada Lorena, destaque dos roteiros teatrais de então. O que Elza queria era um espetáculo simples, num clima gostoso: "Na minha cabeça era como se as pessoas que fossem lá se sentissem jantando em casa comigo e com o Mané, sem frescura, um papo descontraído, uma carninha boa, música, nada demais." Mas eles teriam de caprichar para ter a casa cheia, pois as noites cariocas de meados dos anos 1970 eram cheias de opções de entretenimento.

Chacrinha sacudia a boate Sucata com 15 chacretes rebolantes. Marisa Gata Mansa voltava em cartaz na Fossa. Mas, segundo a coluna "Show da cidade", do *Correio da Manhã*, era no La Boca que personalidades como Sansão – árbitro brasileiro que chegou a apitar jogos na Copa de 1970 – iam se divertir, um pouco pela fama que o próprio lugar já tinha, graças à gestão de Joffre Rodrigues, e um pouco pela curiosidade natural das pessoas de ver aquela dupla no palco. Elza já era uma estrela estabelecida, que chamava público. E a oportunidade de ver Garrincha de perto era ainda um grande atrativo para muitas pessoas. Teria sido melhor conferir sua presença no campo, mas só testemunhar sua passagem no palco já estava muito bom para matar as saudades.

Ele, Garrincha, não fazia lá muita coisa – a não ser aparecer ao vivo depois de uma colagem de imagens de momentos gloriosos da sua carreira para um bate-papo semiensaiado com o repórter e amigo Pedro Paradella. De alguma maneira, fosse pelo suingue de Elza ou pelo carisma de Garrincha, a noite funcionava.
Tanto a apresentação de Elza quanto a aparição do craque eram aplaudidíssimas. Só que, nos bastidores, a situação era sempre tensa. "No começo eu tinha mesmo o maior prazer de fazer aquele show e eu tenho certeza de que o Mané também se divertia. Só que ele não tinha compromisso com nada, né?! Depois de algumas semanas ele começou a dar aqueles 'perdidos' e eu nunca sabia se ele apareceria ou não. Mané nunca faltou, pelo menos não que eu me lembre. Mas era sempre uma emoção saber se ele entraria no palco ou não."

Fora o medo de Garrincha estar muito bêbado para se apresentar, ainda tinha a questão da roupa, que ele detestava colocar.
"De chinelo e bermuda é que eu não ia deixar ele entrar no palco", lembra Elza meio brava. "Eu tinha que insistir pra ele botar a roupa, que não era nada demais: uma calça, uma camisa social e um sapato. Mas ele odiava aquele 'uniforme'. Era um sacrifício pra ele, tadinho. A calça então, tinha dia que ele jogava longe e dizia que não iria usar – e eu mesma tinha que enfiar as pernas dele, abotoar e fechar o cinto, se não ele entrava em cena com o joelho de fora!" Não demorou muito para Garrincha tomar horror daquilo. Quem ia lá para ver o ídolo não percebia a tortura pela qual ele estava passando. Mas, no fundo, aquilo era mais uma desculpa para ele beber. "Tinha dia que mal dava para entender o que ele falava na conversa com o jornalista."

Mas o show ia em frente, num aparente sucesso. Só que o dinheiro não estava entrando – ou ainda, não estava fluindo como o esperado. Como ninguém ali tinha experiência de administrar coisa nenhuma, o La Boca só perdia dinheiro e ia acumulando contas a pagar. O show, mesmo num dia ruim de Garrincha, até podia estar ensaiadinho; a comida era gostosa e a bebida era farta; mas todo o negócio estava funcionando totalmente no improviso. Com dívidas e mais dívidas, eles foram despejados menos de um ano depois de abrir. Era mais um projeto que não dava certo. Para a decepção de Elza, que viu afundar mais uma tentativa de reabilitar o homem que amava.

"O Mané não precisava de nada daquilo. Ele tinha um jeito simples de viver, ele queria ficar tranquilo, com os passarinhos dele. Não ligava pra nada – a não ser pra bebida." Elza conta isso não sem um certo ressentimento, sobretudo pelas inúmeras coisas que fazia para agradá-lo. Por exemplo, Garrincha não deu a menor bola para a Mercedes que Elza comprou para ele, para ver se o deixava mais feliz. Foi uma surpresa – que saiu pela culatra. "Tinha deixado o carro novo estacionado na garagem e quando ele chegou com o dele, velhinho, não entendeu nada. Fui chegando de mansinho pra ver sua reação, mas vi que ele estava louco comigo, gritando mesmo: 'Eu não preciso de uma coisa dessas!'", ela se lembra ainda magoada. Elza já havia entendido que seu marido era um homem simples. Se não eram os bens materiais que tirariam ele da bebida, o que mais ela poderia fazer?

Ela precisava descobrir algo que pudesse driblar aquilo que, tanto tempo depois, ainda estava pesando sobre o casal: uma "nuvem escandalosa" que pairava sobre Elza e Garrincha. A maldição daqueles primeiros anos, antes da Itália, parecia que não era mais tão pesada, mas os resquícios dela ainda eram fortes e Elza sentia isso de muito perto. "Sentia, sim, um pouco de preconceito em certas rodas. Os puritanos..." É como ela chama até hoje as pessoas que a acusavam moralmente de ter destruído a primeira família de Garrincha: "Por baixo da mesa, eu sei que continuavam falando mal de nós. Muita gente vinha com aquele sorrisinho falso, mas eu sabia que não estavam nem aí pra mim. A diferença é que eles não desconfiavam que eu tinha voltado mais forte da Itália. Eu me sentia segura o suficiente pra tapar a boca de toda aquela gente." Elza levava adiante a certeza de que queria mudar — o que ficava claro na frase que ela repetia para si mesma toda noite: "Voltei, sim, tô aqui, com licença!"

Garrincha, quando era convidado para jogar em alguma partida especial, ganhava alguma coisa, mas quem sustentava a família mesmo — e isso ficava cada vez mais claro — era Elza. "Mané não tinha noção de dinheiro. Aliás, eu não me lembro de ele ter me pedido um centavo em nenhum momento de nossa vida de casados, até porque ele não gastava com nada. A não ser bebida, mas essa ele ganhava dos amigos que tinham prazer em ver o Mané ficar daquele jeito." Quando ele fechou um contrato com um time de estrelas do passado no futebol, o Milionários, foi o mais próximo que ele chegou de ter alguma renda. Garrincha disputava partidas amistosas pelo Brasil com outros veteranos de campo, mas o fato de ele estar fora de casa — embora isso significasse algum dinheiro e uma atividade para a cabeça dele — virava uma preocupação a mais para Elza, que perdia o controle sobre ele.

"Eu gostava mesmo quando ele ficava comigo, quando eu podia ver onde ele estava." Dentro de casa, ela podia monitorar Garrincha. Mesmo assim, ele conseguia dar uma escapada para um bar. Elza perdeu a conta de quantas vezes saiu na noite procurando por ele até achá-lo largado numa mesa de fundo num botequim. "Doía ver o homem que você amava caído no chão, só de bermuda, muitas vezes com a braguilha aberta, quase inconsciente. Eu me lembro de ver ele encolhido, com as mãos fechadas, como se não fosse capaz de se levantar." Mas, por mais que ela sofresse a cada episódio desses, seu instinto maternal seguia falando mais alto: "Eu era uma mulher que amava aquele homem, então eu chegava com carinho, falava baixinho, abraçava, tirava ele dali, levava pra casa, dava banho... e tentava levar a vida como se não tivesse acontecido nada." Quanto tempo ela iria aguentar aquilo, ninguém podia prever.

"Era aquela história do médico e do monstro, sabe? Quando não tinha álcool no meio, Mané era o homem mais doce do mundo." Elza lembra como ele era carinhoso com seus filhos – e adorava fazer bagunça com as crianças: "Ele brincava de fazer aposta com Carlinhos, Dilma, Gilson, que era o único que chamava ele de pai. Todo mundo prontinho pra ir à escola, todos lindos com o uniforme impecável – porque eu fazia questão que eles tivessem uma ótima apresentação. E aí o Mané dizia: 'Quem cair na água ganha um dinheiro pro lanche!' E era aquela loucura!" Elza só via os filhos correndo para a piscina e ela sabia que eles iam chegar atrasados na primeira aula do dia. "Era a maneira dele de ser carinhoso..."

Mas tinha também o lado do "monstro". "A gente brigava quando ele bebia e aí ele ficava com raiva." A frase de Elza esconde uma ironia: como Garrincha bebia todos os dias, as discussões eram frequentes e esquentadas, mesmo na versão atenuada daquela que estava do lado de cá de seus insultos e até de supostos bofetões. "Mané nunca subiu a voz comigo, porque eu mesma não deixava: a minha era sempre mais alta. Ele levantava o tom e eu já vinha de longe dizendo que ele não faria aquilo comigo, não ia me puxar de novo pra um bate-boca." Só que a briga acontecia de qualquer maneira. Garrincha, como conta Elza, podia ser bastante agressivo com as palavras: "Apesar de não dizer um palavrão dentro de casa, o que acontecia era que ele virava um palhaço: na sua bebedeira, ele debochava de quem estava perto, fazia piada com a cara dos outros e, do jeito dele, caprichava pra humilhar. Mas nunca com palavras sujas..."

Aos rumores de que as discussões chegavam à agressão física, Elza se defende: "Muitas vezes eu partia pra cima dele, não pra machucá--lo, pelo contrário, mas pra escorá-lo, porque eu sabia que ele ia cair. Ou então eu me via num corpo a corpo com ele tentando pegar uma garrafa de álcool." Aí, sim, como reação, segundo ela, sobrava um gesto mais pesado para Elza, uma mão que descia forte no seu rosto ou um braço que a empurrava para longe. Mas ao lembrar-se disso parece que a memória vem junto com o resquício daquele amor e ela justifica: "Não era ele que fazia aquilo, era a maldita bebida." É difícil para Elza, mesmo décadas depois desse relacionamento, admitir que ela sofria abusos físicos de Garrincha. Eles aconteciam. Ela consente no calar. Os amigos sabiam. As crianças eventualmente testemunhavam. Era estranho ver como Elza, uma mulher tão forte, ainda se submetia a isso. Revidava, é verdade. Mas nenhuma agressão, até então, tinha cruzado o limite que a fizesse terminar a relação. Sua esperança de viver o sonho de uma família feliz parecia mais forte que todas as evidências violentas do seu dia a dia.

"Eu tinha força dentro de casa porque eu mantinha as crianças e tudo ali era fruto do meu trabalho, dos meus shows, da minha música. Então quem mandava era eu!" E essa relação de poder ficou ainda mais forte quando as filhas de Garrincha vieram morar com o casal, em 1975. Com a morte da primeira mulher do jogador, Nair, suas seis filhas mais novas, com idades que iam dos 11 anos aos 18, se mudaram para viver com eles. "A decisão de elas virem foi minha e foi fácil convencer o Mané." Apesar de tudo o que aconteceu, de toda a campanha que Nair e seu advogado, Dirceu Rodrigues Mendes, fizeram, Elza teve um gesto nobre. "Eu não queria que elas ficassem abandonadas sem mãe. Achei que era hora de esquecer o passado, especialmente porque a imprensa tinha construído aquela imagem de que ele havia sido um péssimo pai, que não ligava a mínima pras filhas, e que eu tinha destruído a família dele... Se alguém fosse mudar aquilo, tinha que ser nós mesmos. Então eu disse: 'Traga todas que eu tomo conta!'"

Para a Elza dos anos 1960, essa ideia parecia inimaginável: ela tinha ódio das sentenças que exigiam a pensão e que eram articuladas pelo advogado numa enorme campanha que envolvia também a opinião pública e que a própria imprensa abraçou. A Elza de 1975 era, ela insiste, uma mulher diferente. O fantasma da "mulher que destruiu uma família feliz", que tinha transformado Elza num alvo de *haters* décadas antes dessa expressão entrar no vocabulário corrente, tinha que ser afastado. "Não aguentava ver meu nome nem o do Mané nas manchetes sensacionalistas..."

Abraçar as filhas do Mané poderia reverter isso. Porém, mais que uma preocupação de Elza com sua imagem, o que a moveu foi seu infinito instinto maternal. "Eu me lembro de quando elas chegaram em casa, me olhavam assustadas e levou um bom tempo até elas se acostumarem com a minha figura." Elas tinham, naturalmente, medo daquela mulher – que a imprensa, o doutor Dirceu e eventualmente a própria mãe pintavam como uma megera. Elza tinha que tomar cuidado para que elas não a vissem como uma madrasta vingativa e trabalhou rápido para que essa imagem nem tivesse tempo de se fixar na imaginação das meninas. E como ela conquistou suas enteadas? Com carinho e uma pitada de sedução e autoestima.

"Elas chegaram muito maltratadas." Apesar do dinheiro que a Justiça fez Garrincha dar à mãe delas – dinheiro que saía muitas vezes da renda da própria Elza –, a vida que elas tinham era muito simples, inclusive na aparência. "Eu cuidei do visual daquelas meninas, comprava roupas, levava elas no cabeleireiro, eu mesma pintava o rosto delas, ensinava truques de maquiagem, queria que elas se sentissem bonitas. Chegava até a fazer concurso de beleza, com desfile e tudo, colocava biquíni nelas, pedia pra elas desfilarem pra mim..." E, durante um bom tempo, Elza cuidou também da educação das meninas: como fazia com seus filhos, ela supervisionava de perto as aulas e o rendimento das filhas de Garrincha na escola. "O dinheiro era meu e eu que decidia como iria gastá-lo. E eu resolvi gastar com elas", explica Elza que conclui triunfante: "No fim, eu conquistei as meninas, uma por uma!"

Na mesma medida em que Garrincha era desorganizado, ou, digamos, desconectado da questão do dinheiro, Elza sabia

Elza Soares se apresenta no Teatro Opinião, na década de 1970.

exatamente quanto entrava em cada show que fazia: "Eu cuidava de mim. O show acabava e eu ia até a bilheteria conferir quanto tinha arrecadado." Elza não tinha um único empresário, pelo menos não num esquema mais profissional – coisa que ela só conquistaria décadas mais tarde. "Cada show era uma pessoa diferente que resolvia a questão da grana comigo: eu contava nota por nota, ali mesmo no caixa, guardava tudo num envelope, colocava dentro da bolsa e ia para casa feliz."

Nas várias casas que Elza e Garrincha moraram nesse período, a lotação chegou perto das 20 pessoas. Parente, amigos – e às vezes até amigos de amigos – podiam passar longas temporadas com o casal. E eram tratados como realeza! "Eu gostava mesmo de ter todo mundo em volta", admite ela, mais uma vez evocando seu lado mãe – não apenas dos filhos e do marido, mas de todo mundo que ela resolvesse trazer para o seu círculo íntimo. E Elza fazia questão de viver bem. "Eu botei mordomo pro Mané, motoristas pras crianças, a geladeira estava sempre cheia, almoço e jantar eram sagrados, com todo mundo sentado em volta da mesa", brinca Elza, numa referência velada a um passado quando, lá nos anos 1950, ela não tinha nem certeza de que ia ter o que dar para seus filhos comerem no dia seguinte... "E todo mundo que trabalhava lá tinha que chamar ele de seu Garrincha. Não queria intimidade. Eu mesma não fazia questão de ser tratada de dona Elza, mas ele tinha que ser seu Garrincha."

Foi nesse clima de relativa prosperidade que surgiu, então, a ideia de dar um filho para Garrincha. Que era, como ela não esconde, uma estratégia maior para fazê-lo parar de beber. Ela já havia tentado de tudo – até a famosa promessa de se apresentar com a cabeça raspada, que, obviamente, não teve resultado algum, não fez com que ele largasse o copo. "Todo o mundo ficou chocado com a minha careca, mas eu não fiz com essa intenção – a de provocar os outros, de criar uma polêmica. Era, sim, pro Mané deixar o copo de lado – parece uma coisa boba, mas eu achava que podia dar certo. Só que aí eu gostei da ideia. Amava me olhar no espelho e ver que estava bonita com aquela cabeça toda exposta, diferente, sem medo de me mostrar", conta ela com uma autoestima certamente bem mais alta do que a daquela Elza que havia se submetido, dez anos antes, à primeira operação plástica para "acertar" seu nariz.

O visual, então, parece ter sido bom para sua imagem – sua aparência careca com uma blusa branca de uma manga só, o pescoço envolto por uma gargantilha de metal (e outras joias), o nariz de uma elegância geométrica, os olhos inquisitivos e sua boca brilhando num meio sorriso é uma das imagens mais icônicas do pop brasileiro da primeira metade dos anos 1970. Mas desafiou a sua fé: Garrincha continuava bebendo cada vez mais, revezando garrafas que escondia pelas estantes, pelos móveis e canteiros da casa. Sem saber mais o que fazer, Elza tentou uma última estratégia.

"Eu estava muito desesperada e achei que essa cartada seria definitiva. A cena aconteceu mesmo, não é invenção: eu cheguei depois de um dia em que a gente tinha brigado demais e perguntei se ele seria capaz de me prometer que, se eu lhe desse um menino, um filho homem, ele largaria a bebida – e ele respondeu que sim", diz Elza, acrescentando que se encheu de esperança. Se Garrincha tinha prometido fazer sua parte, era melhor que ela corresse para fazer a dela. E, então, Elza foi procurar os tratamentos. Além do problema nas trompas, ela já estava com mais idade e mais de duas décadas haviam se passado desde a última gravidez. Ela sabia que tinha um caminho complicado pela frente e as primeiras tentativas não foram muito animadoras. Mas, quando finalmente veio um resultado positivo – ela estava, sim, grávida e muito feliz –, Elza fez questão de contar para Garrincha de um jeito especial.

Em meados de 1975, eles estavam morando com toda a família – que incluía as filhas de Garrincha – em São Paulo, num raro período de paz. "Desde os anos 1960 me apaixonei pela cidade, sempre tive as portas abertas pra ir adiante com minha carreira no cenário paulistano." Compromissos profissionais levaram Elza a mais uma temporada paulistana, longe das grandes gravadoras – que até hoje têm seus escritórios principais no Rio. Não que ela estivesse muito preocupada com essa distância. Seu contrato com a Odeon havia terminado recentemente – uma separação desagradável da casa que lançou sua voz lá no fim da década de 1950, onde ela se criou e desenvolveu sua arte. Foi um divórcio difícil: gravadora e artista já não se entendiam mais com relação a repertórios, as vendas de seus últimos lançamentos não iam bem, e Elza se sentia ainda mais desprestigiada do que naquele tempo em que estava começando a cantar e tinha que brigar para ganhar seu espaço como a única cantora negra de sucesso no elenco da Odeon.

Ter um contrato com a gravadora, naquela altura, ainda era algo importante, ao menos para garantir uma agenda de shows. Com a relação entre a Odeon e Elza azedando, ela foi procurada pela novata Tapecar, também no Rio de Janeiro, para gravar novos trabalhos – o primeiro saiu em 1974, com o nome simples de *Elza Soares* (o mesmo título do disco anterior, sua despedida da antiga gravadora). A despedida da casa que a acolheu por tantos anos foi amenizada. A Tapecar estava entusiasmada com Elza e, logo

Elza Soares, em 1977.

depois desse lançamento, já a chamou para um projeto ainda mais ambicioso, que a conectaria de volta com o gênero que a consagrou: *Retorno ao samba* tinha que ser um disco perfeito para coroar essa ressurreição artística de Elza.

Como ela estava morando em São Paulo, foram necessárias várias viagens entre São Paulo e Rio para essas sessões no estúdio. E foi numa dessas escalas cariocas que, num quarto do Hotel Olinda, até hoje situado de frente à praia de Copacabana, Elza deu ao marido, que viajava com ela, a notícia da gravidez. "O Mané ficou meio sem reação. Eu falei: 'Tô grávida!' E eu acho que ele ficou meio assustado." Na verdade, Garrincha estava era desconfiado. Claro que ele sabia das tentativas da mulher de engravidar, mas como nada tinha dado certo até então, quem garante que seria daquela vez? Podia ser só um truque para ele parar de beber. Mas Elza tratou logo de afastar essa suspeita e fazer Garrincha acreditar que ele seria pai de novo. E dessa vez… de um menino! "Fiquei sentada ali na cama com ele um tempão, fazendo carinho, e dizendo que o 'filho do Neném' ia finalmente chegar. Eu estava chutando, mas lá dentro do meu coração eu tinha essa certeza de que vinha um garoto, até porque eu já era mãe de meninos, então eu sabia como era…"

Sua lembrança é de uma gravidez bem tranquila. "Eu estava no paraíso: esperando um filho do homem que eu amava e, melhor de tudo, Mané ficou todo esse período sem colocar uma gota de álcool na boca, pelo menos quando estava comigo. Não me lembro de tê-lo visto com um copo enquanto esperávamos pelo nosso filho." Elza estava confiante. Mesmo com a barriga crescendo, ela não perdia o estilo: seu rosto perfeito nem parecia inchado e suas formas eram realçadas em modelos geométricos e simples. Era possível achar que ela estava até mais bonita desde que anunciou a gravidez. E com uma energia recobrada.

Elza continuou a fazer shows, numa agenda sempre exaustiva. Terminou seus contratos em São Paulo e resolveu voltar para o Rio de Janeiro, para ter seu filho perto de todo mundo que conhecia. Ainda fez alguns shows logo depois de mais essa mudança, incansável. Internamente, porém, estava mais tranquila, porque tinha a certeza de que ia chegar em casa e encontrar seu marido, que não precisaria sair pela noite catando Garrincha num novo bar: o ídolo encarnou um "futuro papai" dedicado, que deixava a "futura mamãe" muito orgulhosa.

"Foi o Mané que fez quase que sozinho o enxoval." Elza se lembra de ver o marido chegando em casa várias vezes com uma roupinha ou alguma coisa para o quarto do bebê. "O Juninho (como ela se refere ao filho que nasceria logo depois) foi uma criança esperada com alegria. Eu mesma estava mais preparada pra ter essa criança, financeira e emocionalmente." A lembrança remete ao contraste das condições em que nasceram seus outros filhos, na mais completa miséria, sem saber se as condições básicas para criá-los seriam alcançadas — o que nem sempre aconteceu. Mas com o Juninho seria diferente. Não só Garrincha estava envolvidíssimo na gravidez, como os outros filhos de Elza, já mais velhos, participavam dessa expectativa: "Pro Carlinhos era como se fosse ele que estivesse recebendo um filho seu, e a Dilma, meu Deus, eu nunca vi aquela menina tão animada!"

E foi nesse clima de total alegria que Juninho chegou no dia 9 de julho de 1976. A cesariana foi sem sustos, apesar do tamanho do bebê: "Ele nasceu forte e imenso, um molecão bem grande, com quase seis quilos — chegou bem chegado, com nove meses completos." Quando a gente lembra que Elza não é uma mulher grande, as proporções de Juninho ficam ainda mais impressionantes. As lembranças desse nascimento são recheadas de alegrias. Ela ainda meio baqueada da sala de parto recebendo o filho no colo, a incrível semelhança dele com o pai, o instinto maternal de Elza nas alturas, as roupinhas que estavam separadas para os primeiros dias do bebê — tudo parecia um sonho. Até o momento em que Garrincha chegou ao hospital.

Ele não estava presente quando o parto aconteceu, mas assim que soube do nascimento, depois de tomar um porre, ele correu para a maternidade e chegou tropeçando até a porta do quarto em que Elza descansava. Quando ela viu Garrincha entrando, sua alegria desmoronou. "A reação dele quando soube que, finalmente, era pai de um menino? Tomou um pileque!", conta uma Elza até hoje indignada. "Chamou seus amigos de copo e encheu a cara. Me contaram que ele tinha até esquecido de ir ver o filho, de tanta cachaça. Mas no final ele chegou lá, parou na porta, me olhou com aqueles olhos encharcados, e eu pensei na mesma hora: ele quebrou a promessa." Ela entrou em pânico: "'Neném, eu disse, eu não estou acreditando... Olha o seu estado! Eu não sei nem como você chegou até aqui.' Mas ele nem me ouvia. Tudo que ele conseguia me dizer era que estava feliz. 'Eu sei como você está se sentindo...', eu respondia. O problema era que ele estava excessivamente alegre, tanto que encheu a cara naquela tarde... e não parou mais de beber."

O que mais deixou Elza passada foi ela ter percebido que ele não sentia a menor culpa pelo que tinha feito. Foi uma decepção muito grande, que só foi um pouco atenuada pela cena do primeiro encontro entre pai e filho. "Eu pedi para as enfermeiras trazerem o bebê de novo e, quando Juninho chegou no quarto, todo embrulhadinho nas mantas e veio para o meu colo, eu olhei bem no rosto do Mané e vi uma expressão que não me esqueço até hoje: era o retrato de um amor muito grande. Ele ficou completamente louco com o menino e queria pegá-lo de qualquer maneira, bêbado daquele jeito. Eu tentei ser firme e não deixei o Juninho ir para os braços dele, porque eu tinha medo de que, no estado em que ele estava, o bebê pudesse cair no chão. Mas no fim eu vi que não podia tirar dele a alegria desse momento. Entreguei o Juninho a ele, mas por dentro, em silêncio, eu rezava: 'Deus, por favor, escora esse homem porque, se ele cair com o meu filho, eu não sei o que vou fazer.' Era ao mesmo tempo uma cena emocionante e apavorante!" Durante cada minuto que Garrincha ficou com o bebê, Elza viveu o suspense de não ter certeza de que a criança voltaria para seus braços inteira. Mas o retrato que ficou era o da ternura entre pai e filho. "Eu nunca tinha visto o Mané numa relação de carinho com alguém como naquele momento nem mesmo com suas filhas."

Informalmente, o Brasil batizou o menino de Garrinchinha – apelido que vinha não só do pai, como de seu registro em cartório. "Desde que engravidei, apostando que seria um menino, queria botar o nome Garrincha nele." Ironicamente, para um país que coleciona nomes tão inesperados como o Brasil, os pais quase não conseguiram registrá-lo como Manuel Garrincha dos Santos Júnior. "Eles diziam que aquilo não era nome, era apelido." Segundo Elza, foi preciso que eles apelassem para um amigo importante em Brasília para que Juninho pudesse ter oficialmente o nome tão sonhado. "Eu tinha muito orgulho desse Garrincha, aquele homem que emocionou o Brasil inteiro e até o mundo. Eu queria que nosso filho tivesse o nome dele – era mais que uma homenagem, era uma prova de carinho e respeito. O Mané, por ele, não fazia diferença, esse era um orgulho que ele mesmo não tinha. Ele não pensava em futuro. Tentava não ligar pro passado... Se estivesse cuidando dos passarinhos, ele era um homem feliz, só com sua bermuda e suas gaiolas. O filho, claro, veio somar alegria, num primeiro momento."

No fundo, o garoto nem precisava ter o nome do pai: ele era a cara do Garrincha! Nas fotos em que aparece ainda com apenas algumas semanas de vida, fica mais do que claro que a genética ali tinha trabalhado forte. Além disso, desde o momento em que ele chegou em casa, ele já ganhou apelidos da família: Júnior, Juninho. Garrincha, a essa altura da vida, homem de poucos sorrisos, aparece nas primeiras fotos com o filho sempre com uma expressão de paz. Estão os dois sempre com uma cara tranquila. Elza, também, nessas primeiras imagens, com o novo filho, está quase sempre de turbante, mas é difícil reparar em qualquer coisa além dos olhos daquela mãe que mal disfarçava o prazer de ter entregue o que havia prometido.

Infelizmente, como ficava claro a cada dia, só ela havia cumprido a promessa. Depois daquele dia na maternidade, a bebida voltou com força na vida de Garrincha – para o desespero de Elza. Sua preocupação só era aliviada nos melhores e mais tranquilos momentos do dia, a hora em que amamentava seu pequeno. "Eu consegui amamentá-lo normalmente, não tive o menor problema pra ter leite, ao contrário das primeiras vezes em que dei à luz." Seu corpo parecia que sabia que o menino que havia chegado tinha um enorme apetite: "Juninho era muito faminto!" E Elza, sempre hiperativa, seguiu sua rotina normalmente. Mesmo com a criança pequena, fez uma breve pausa na agenda de shows, mas seguiu com as gravações de um novo álbum (mais um pela Tapecar). Elza nem pensava duas vezes antes de levar o Júnior para o estúdio. A opção – deixar o filho em casa com o pai – era assustadora.

"Eu tinha medo de que Garrincha pegasse o bebê. Garrincha já não tinha controle dos seus movimentos nem da sua força." A bebida fazia da simples atitude de carregar o filho no colo uma temeridade. Todo mundo na casa cuidava dele: Carlinhos e Dilma eram especialmente carinhosos e percebiam o perigo que o pai representava para a criança. "Eles simplesmente adoravam o Mané, encaravam ele como um pai mesmo. Tinham respeito e amor por ele. Quando chegou minha primeira neta, Vanessa, Mané também esbanjava carinho. Quem via de longe podia imaginar que ele era a mais inofensiva das criaturas – e era mesmo. Mané era incapaz de fazer uma coisa ruim pra um ser humano. Só que, sem querer, ele era um risco pro nosso filho que tinha acabado de nascer."

Com a bebida fazendo parte da rotina, voltaram também as brigas. A situação que os dois viviam, porém, nunca era discutida em família. "Eu nunca deixava que nossa vida pessoal entrasse na conversa com meus filhos." Eles presenciavam discussões fortes, viam cenas degradantes de Garrincha com a bebida, mas Elza nunca deixou espaço para que isso fizesse parte da vida da família, das conversas quando todos estavam juntos. "Eles eram crianças!", explica Elza, quase querendo esquecer que o próprio Carlinhos já tinha passado dos 20 anos. "Para mim eram crianças, e tinham que ficar no lugar delas."

Se Elza tinha esse espírito superprotetor com os filhos mais velhos, imagine com o caçula que acabara de nascer. E, por isso mesmo, os momentos de contato físico entre Juninho e Garrincha eram, para ela, assustadores. "No começo, eu ficava gelada de imaginar que o menino pudesse simplesmente escorregar dos braços dele, já que o próprio Mané não ficava de pé. Ele vinha sempre querendo pegar o Juninho e eu tentava desconversar até ele desistir e sair pra tomar umas. Mas tinha horas que eu cedia e via coisas horríveis, por exemplo, ele pegava o Júnior e dizia que ia soltá-lo no chão." Elza, com razão, se desesperava. Ela se lembra de ouvir mais de uma vez Mané dizer: "Eu vou jogar ele pra você, segura aí!", como se Juninho fosse um brinquedo ou uma bola – e Elza saía apavorada para pegar o menino dos braços dele. As brigas, por conta disso, terminavam constantemente num clima péssimo, a ponto de Elza começar a ter medo, não por ela, mas pelo seu filho.

A gota d'água foi um dia em que ele, muito bêbado, pegou Júnior por uma perna, de cabeça para baixo, no alto da escada da casa onde moravam, gritando: "Vou jogar, vou jogar, olha que o menino vai cair!" Foi o que bastou para que Elza decidisse de uma vez por todas que iria sair de casa, deixar Garrincha. "Dentro de mim, eu sabia que ele não iria jogar a criança, era só uma brincadeira besta mesmo, brincadeira de bêbado, mas eu era mãe, como não ficar preocupada? Eu disse: 'Basta!' Não queria mais aquilo pra minha vida. Foi o limite! Eu percebi que cuidava de dois bebês e finalmente disse: 'Chega! Vou cuidar de um só!'"

Ao longo dos anos com Garrincha, especialmente depois da volta para o Brasil, Elza viu seu amor pelo marido se transformar aos poucos em pena. Tudo o que ela havia feito nesses últimos tempos – tentar levantar a carreira dele, enchê-lo de mordomias, proporcionar uma vida confortável e até tentar motivá-lo com um negócio (a boate) — tudo aquilo tinha sido um esforço enorme para tentar tirá-lo da possível depressão, mas tudo tinha sido em vão. E ela já não aguentava mais. Venceu o instinto de sobrevivência, que sempre foi a coisa mais forte que Elza trouxe dentro de si. "Fiz a mala e fui embora. Olhei bem na cara do Mané e disse: 'Pode ficar aí, levando a sua vida, eu vou cuidar da minha, dos meus filhos'", recorda ainda com emoção. "Naquela despedida, nem dó dele eu tinha mais. O amor já tinha ido embora fazia tempo. Eu fui cansando e chegou uma hora em que eu apenas desisti."

Como em quase todas as mudanças de sua vida, Elza foi em frente e não olhou para trás. "Levei o Júnior pra um apartamento em Copacabana, ali no número 200 da rua Barata Ribeiro. Os outros filhos viriam logo em seguida — num primeiro momento eles nem sabiam que eu tinha tomado essa decisão, era como se eu tivesse saído por uns dias pra fazer um show. Mas eu já tinha decidido pela mudança. Aluguei um espaço ruim, num lugar horroroso... Abandonei a mansão em que morávamos em Jacarepaguá, mas eu não estava nem um pouco arrependida. Eu estava é me sentindo aliviada." Pelo menos por enquanto, Elza respirava tranquila, ou, como ela prefere pontuar: "Eu me sentia acordada!"

"Mané não podia imaginar que eu iria largar ele, que ele não teria mais aquela mulher pra cuidar dele. Foi um susto muito grande e eu sabia que ele tinha ficado muito mal. Só que eu tinha certeza de que tinha feito a coisa certa, e que eu não poderia voltar atrás. Eu também estava ciente de que isso teria um preço — a sociedade àquela altura já havia mais ou menos aceitado nós dois como casal, ou pelo menos não dava mais tanta importância pra nossa história. Eu estava desfazendo aquela coisa bonita que me esforcei tanto pra construir — a família dos meus sonhos, o homem que eu amava. Mas eu tinha que pensar em mim, se eu quisesse dar o melhor pros meus filhos." A perspectiva de um futuro decadente ao lado de Garrincha a assustava mais que tudo: "Eu ficava imaginando como seriam meus dias dali pra frente, uma figura triste, de chinelo de dedos, sem ter nada, tudo que eu tinha conquistado eu acabaria perdendo — já pensou que coisa horrível? Eu passar o resto da minha vida catando sobras de comida para mim e para os meus filhos? Nã, nã, ni, nã, não!"

Terminar o casamento com Garrincha foi provavelmente o gesto mais corajoso que Elza tinha feito na sua vida até então. "Eu era, enfim, Elza Soares, sabia o papel que eu tinha, o que aquilo representava. Eu era uma mulher que tinha construído tudo aquilo com muito custo — e tudo o que eu não queria ver era a minha vida sendo destruída. A autodestruição do Mané passou a ser um obstáculo. Não existia amor que pagasse aquilo que a gente estava vivendo."

Foi então que Elza descobriu o espelho. "Sozinha com meu filho, num banheiro úmido de um apartamento apertado na Barata Ribeiro, eu olhei pro espelho e disse: 'Eu tô viva!' Era isso que eu precisava ouvir de mim mesma: que eu existia, que eu podia me perguntar o que eu queria fazer da minha vida." Desde então, esse é um exercício que ela nunca deixou de fazer. Ela brinca — ou vai ver até que é sério — que dorme com um pequeno espelho na sua mesa de cabeceira. Porque a qualquer momento ela pode acordar e ter de se questionar: "Elza, o que você está fazendo de você, mulher?"

Naquele fim dos anos 1970, Elza achou que tinha a resposta, mas novas perguntas, cada vez mais difíceis, não parariam de aparecer. E o espelho onde ela se encontrou partiu-se em inúmeros pedaços.

um amigo, uma língua, renascimento...

O saguão do antigo Hotel Hilton, no centro da cidade, era imponente. Mesmo antes da época dos grandes hotéis que combinam luxo e design, no começo dos anos 1980, era o Hilton que se destacava. Outro hotel importante de São Paulo naquela década, o Maksoud Plaza, ainda estava consolidando sua reputação, ao ficar famoso por ter sido "o hotel em que Frank Sinatra cantou" – em referência ao show que "A voz" fez lá em 1981, sua última apresentação no Brasil. Mas ainda era no Hilton, que vivia um de seus melhores momentos, que as grandes estrelas da MPB ficavam. E, naquele espaço poderoso, entrava timidamente Conceição. "De vez em quando ela aparece!", Elza gosta de brincar...

Conceição é Elza, quando Elza não é Elza. Ela explica: "Nos momentos mais difíceis, quando eu estou mais perdida, é ela que toma conta de mim. Eu esqueço que sou a Elza Soares. Eu fico procurando respostas para os problemas que enfrento. E a Conceição se aproveita disso!" Ela surge em várias etapas da vida de Elza, todas ruins. E uma das piores foi justamente essa, entre o finalzinho

São Paulo, na década de 1980.

dos anos 1970 e o começo dos anos 1980, quando a carreira de Elza parecia ter acabado. "Eu achei que estivesse me despedindo da música." E a pessoa que Elza procurava no Hotel Hilton nem desconfiava que ela estava lá para contar exatamente essa história: que sua trajetória tinha chegado ao fim, que ela não tinha mais forças, que tudo tinha mudado e que ela não queria mais continuar.

Para quem ela estava guardando essas palavras? Para Caetano Veloso, que logo ao abrir a porta de seu quarto no Hilton, onde estava hospedado para uma temporada de shows em São Paulo, encontrou Elza aos prantos. "Eu parecia uma louca, já cheguei com os olhos cheios d'água. Não estava nada bem, e o que eu queria mesmo era desabafar com alguém com quem eu tinha convivido tantos anos. No meio do choro, eu dizia: 'Minha carreira acabou mesmo, Caetano, pra mim não tem mais nada, eu não estou conseguindo achar o meu lugar mais. Por isso eu vou parar de cantar.'" Caetano reagiu como qualquer um que tivesse acompanhado a trajetória de Elza por pelo menos duas décadas: com uma cara perplexa e certa indignação. "O quê?" Ele deu um longo abraço nela, pediu que se sentasse e a acalmou: "Vamos conversar."

Não era fácil entender o que estava acontecendo. E a própria Elza não consegue, até hoje, explicar muito bem como ela chegou lá. A onda ruim começou logo depois da separação de Garrincha. "Os primeiros meses foram difíceis naquele apartamento horrível da Barata Ribeiro." Elza sempre fez questão de morar bem, de ser bem servida, de se cercar do luxo que nunca imaginou que iria ter. Mas, nesse período, abriu mão de tudo isso para se concentrar na sua liberdade e no seu filho. E, se possível, esquecer o Mané... "Eu estava muito fragilizada, mas não queria manchar a imagem dele." O assédio dos jornalistas, segundo ela, foi menor do que imaginava. Mesmo assim, quando a notícia da separação chegou à imprensa, mesmo com o coração e o corpo machucados, seu instinto maternal falava mais alto e ela se recusava a dar entrevistas que maculassem a imagem do homem que ela amou por tanto tempo e que era pai de seu filho. "Eu saí de toda a história muito mal, destruída, mas saí amando, ou melhor, eu não sabia se era amor ou se era pena. Eu estava muito confusa, mas não queria ver a caveira do Mané. Estava separada dele, mas, mesmo assim, eu sabia que aquele homem estava se acabando, dava pra ver que a saúde dele estava indo embora. Esse era um assunto sobre o qual eu preferia não falar."

Garrincha, claro, não aceitou muito bem a separação e por várias vezes foi procurá-la, sempre alterado. "Eu tinha certeza de que o que ele queria não era amor, mas alguém que cuidasse dele, porque ninguém dava conta da bebedeira. Eu nunca dei chance de ele se aproximar e ficava assustada porque ele insistia sempre com muita violência. Teve uma vez até que ele arrombou a porta do meu apartamento e eu tive de fugir." O caso foi tão grave que envolveu a polícia: "Eu comecei a achar que a minha vida estava correndo risco. Fui a uma delegacia em Copacabana e pedi proteção, mas eles disseram que eu tinha que fazer um exame de corpo de delito e que Mané poderia parar na cadeia por isso. Achei aquilo tudo uma crueldade. Não era isso que eu queria para o homem que eu tinha amado tanto. Acabei não registrando ocorrência nenhuma." Além da sua própria segurança, sua grande preocupação era sempre defender o Júnior. "Quanto mais violento o Mané vinha, mais eu tinha certeza de que estava fazendo a coisa certa em afastar meu filho do pai, para o bem daquela criança." Garrincha ficou sem ver o filho por um bom tempo. "Ele queria muito, insistia, mas eu tinha medo. Não era por mim, não. Nem pensava em voltar. Amei muito aquele homem, mas, como tudo na minha vida, quando eu tomo uma decisão... está tomada. Mas era pelo futuro do meu filho que eu evitava o contato."

Era complicada a situação de Elza. Como justificar para uma criança que seu pai não estava com ele? A própria figura de Garrinchinha era meio perturbadora para aquela mãe, especialmente por causa da semelhança entre pai e filho. "Era meu próprio filho, eu o amava muito, mas não tem como esconder que era muito complicado pra mim olhar aquela criança e ver o próprio rosto do Mané no meu colo", lembra Elza de maneira dolorida. Além da alegria natural de criança, quando vestia o uniforme do Botafogo e brincava com a bola, Garrinchinha mexia com a memória que Elza tinha de um Garrincha dos tempos em que a bebida não havia ainda tirado sua vitalidade e inocência. Era uma tortura muito forte sentir-se tão próxima e, ao mesmo tempo, tão distante da felicidade que ela mesma havia sonhado.

"Eu conversava muito com o Júnior, acho que eu levava a situação numa boa. Até porque, depois de algum tempo, ele não perguntava muito mais sobre o pai. Ainda assim, fazia questão de falar que o pai era um jogador de futebol famoso e que, por conta disso, ele tinha que viajar muito, por isso nunca estava em casa. Nunca deixei faltar nada para o meu filho, nunca deixei faltar para filho nenhum. Mas não tinha como permitir uma aproximação do meu filho com o Mané, para o bem dele. Mesmo distante e com o coração destruído, eu não me permitia falar mal do Mané na frente do menino. Isso não! Eu dizia que era um homem muito bom, explicava com detalhes a carreira do pai, falava do passado de glória dele, das conquistas, dos jogos na Copa do Mundo. E terminava sempre dizendo que um dia ele teria muito orgulho daquele pai."

Essa superproteção, porém, só aumentava a confusão dos seus sentimentos. Em raros momentos, ela não resistia e fraquejava. Por exemplo, quando no Desfile das Escolas de Samba do Carnaval, em 1980, Elza viu Garrincha num carro da Mangueira e chegou a sair correndo do camarote para tentar falar com ele. Seu Mané fazia uma figura triste, sentado na frente do carro alegórico, como um zumbi, com um colar havaiano – que chamou a atenção de toda a imprensa e dos fãs. "Foi horrível ver ele daquele jeito. Minha vontade era tirar ele dali, ou pelo menos dar um abraço nele. Mas os seguranças não me deixaram passar e acho que foi melhor assim, senão eu daria mais motivo pra ele acreditar que existia uma chance de voltarmos. Depois de tanto tempo de minha vida dedicado a ele, de todo o carinho, da maneira como abracei as filhas dele, depois que a mãe morreu, os sacrifícios que eu fiz... e ele não mudava! Ali estava o Mané, bêbado como sempre. O meu prêmio tinha sido esse: descaso, falta de consideração. Não dava, né? Muita gente insistia também pra que a gente voltasse, mas ninguém podia entender como eu estava me sentindo por baixo."

Elza tinha ainda mais um motivo para não querer voltar: "Ele tinha lá aquela mulher." Aquela mulher era "a outra", uma estranha ironia com o passado da cantora – que tinha gravado, nos anos 1960, uma música com esse nome, quando a personagem da canção era ela mesma... Essa nova "outra" chamava-se Vanderléa e tornou-se mais uma personagem controversa numa relação amorosa que já estava bastante confusa, mesmo antes da separação. Elza sabia há muito tempo que Garrincha tinha essa amante, viúva de um outro jogador de futebol, Jorginho Carvoeiro. E ela mesma admite que teve suas aventuras: "Eu tinha, sim, um namorado, alguém que conheci, quando ainda era casada com o Mané, o Gérson." Ele era seu produtor musical, Gérson Alves, com quem trabalharia no álbum de 1980, *Elza negra, negra Elza* – uma parceria muito boa e feliz, na lembrança da cantora. "Eu tinha que arrumar minha vida, procurar algum apoio, pra dar um jeito nas coisas." Acuada, estava novamente depositando suas esperanças, profissionais e afetivas, na música: "Apostei alto nesse disco, mas as coisas não aconteciam do jeito que eu esperava", conclui decepcionada.

Era uma realidade: seus álbuns não vendiam como antes, apesar de um repertório de boa qualidade. *Elza negra* – cuja capa traz seu rosto forte com um turbante vermelho, olhando firme para a câmera, como que em desafio para quem quer que apostasse numa derrocada musical – tem faixas ótimas como "O porteiro me enganou", um samba com um clima de malandragem dos tempos em que ela começou a gravar, ainda naquelas parcerias com Moreira da Silva. Sempre em sintonia com seu tempo, tinha uma colagem bem-humorada das coisas que o Brasil falava do próprio cotidiano naquela virada de década (de 1970 para 1980): "É um tremendo sarro, bicho, saca só, vou só te dar um toque, papo sem mancada, estou numa melhor, que eu tô muito doido, tô numa pior..." Os dois últimos versos, ironicamente, podiam descrever também o que se passava pela cabeça de Elza.

Sem sucessos nas rádios, os convites para shows foram escasseando. Por isso foi com o maior entusiasmo que ela aceitou, em 1980, um convite para participar do Projeto Pixinguinha. Muito popular e de prestígio, era um evento cultural promovido pela Funarte que resgatava e fazia circular a boa Música Popular Brasileira pelo Brasil, desde o fim dos anos 1970. Nessa sua estreia, Elza dividia o palco com Leny Andrade e o percussionista e cantor Mestre Marçal. Ao viajar pelo Brasil, o show passou por Campo Grande, Cuiabá, Manaus, Belém e Rio de Janeiro – e Elza resgatou um pouco de sua autoestima. Era, de certa maneira, uma validação da sua arte e mais uma tentativa de afirmação de seu talento. E um dos pontos altos do espetáculo era justamente a faixa de abertura de *Elza negra*, que mais uma vez fazia, nem tão sem querer assim, um retrato autobiográfico da cantora. O nome da canção era "Como lutei" e seus versos de abertura: "E pra chegar ao ponto que eu cheguei, como lutei, como lutei..."

Nessa mesma letra, Elza cantava: "Já briguei briga de foice, já remei contra a maré, hoje em dia tenho grana pro cigarro e pro café." Outro eco fiel da sua vida, não fosse por um detalhe: enquanto a estrofe seguia falando de amor – "com meu bem sempre do lado me fazendo cafuné" –, Elza continuava solitária. Mesmo com Gérson ao seu lado, ela se sentia só. "Quer dizer, não estava sozinha, eu tinha um companheiro maravilhoso. Mas sabia que tinha um espaço maior pra preencher. E eu tinha que sair procurando." Elza então mudou-se, mais uma vez, para São Paulo, onde tinha alguns poucos convites para se apresentar. "Fui morar no Brooklin, só eu e meu filho, num apartamento pequeno, que era o que dava pra pagar."

Praça da Sé, São Paulo, década de 1980.

Era a única opção para ela: alugar um cantinho, se recolher e pensar no que fazer. Mais uma vez ela estava deixando tudo para trás — não só o casamento e possivelmente a carreira — a própria casa enorme em que ela morava em Jacarepaguá, no Rio de Janeiro, já não era mais dela: o empresário de Elza na época, com quem ela tinha algumas dívidas, acabou ficando com o imóvel. Talvez, longe do Rio, ela se visse finalmente livre das investidas muitas vezes brutais de Garrincha. Quase deu certo...

Antes de sair do Rio, Elza havia aceitado um convite para conversar com Francisco Horta, nome influente do futebol carioca — ele tinha sido presidente do Fluminense entre 1975 e 1977. Horta era também grande fã, amigo de Garrincha e decidiu procurar por Elza para tentar uma reaproximação. "Ele também era meu amigo e era muito querido. Mas eu sabia o que ele queria e custei pra marcar esse encontro. Quando a conversa começou, ele veio com o assunto de que Mané precisava de mim, que seria bom se eu pudesse dar esse apoio pra ele, quem sabe até uma tentativa de morar junto de novo? Horta me contou que estava procurando um jeito de arranjar um emprego para o Mané, mas que, no estado de abandono em que ele estava, seria impossível alguém dar essa chance pra ele. E, quem sabe se eu ficasse novamente com ele, as pessoas não olhariam diferente para o Mané e ele teria uma chance?!"

A primeira resposta de Elza foi um não, coerente com a decisão que havia tomado. Mas, pouco antes de partir para São Paulo, ela disse a Horta que tentaria, sim, conversar com Garrincha, mas que teria que ser em São Paulo. A ideia até era boa: reencontrá-lo num "território neutro", tentar fazer uma conversa um pouco mais lúcida. Sua história com Gérson já tinha ficado um pouco estremecida com a notícia de que ela se mudaria do Rio. Por que não dar uma chance? Horta, então, mandou Garrincha para São Paulo e ele foi se reunir com Elza num hotel no centro da cidade. Júnior foi também. "Foi um encontro estranho. Eu estava feliz de rever o Mané, mas ele não tinha condições." Pai e filho se reencontraram depois de anos, mas foi, segundo Elza, um encontro sem emoção. "O Mané já chegou bêbado e bebeu ainda mais. Tudo terminou como eu sabia que terminaria: com um porre enorme! Eu mal dormi naquela noite e fiquei muito preocupada não só com o estado de saúde dele, mas também com as coisas que ele me dizia. Mané estava cismado, achava que estava sendo perseguido."

Elza não conseguiu descobrir de onde vinha aquele medo. "No dia seguinte, pegamos um trem, pois o Mané não tinha condição de voltar para o Rio sozinho – eu não queria, mas senti que tinha a responsabilidade de acompanhá-lo. E ele continuava a falar de perseguição. Não me parecia um daqueles delírios de bebida. Cheguei a pensar que ele estava mesmo com a cabeça a prêmio. Mas, toda a vez que eu perguntava algum detalhe, ele desconversava. Foi assim a viagem inteira. E, quando nós chegamos ao Rio, a imprensa toda estava esperando a gente. Fui dar atenção aos repórteres. E, aí, olhei para o lado e Mané de repente sumiu!"

A curiosidade era grande: essa era a primeira vez que os dois foram vistos juntos, desde a separação, mas o tumulto na descida do trem só serviu para assustar um Garrincha que já estava se sentindo acuado. "Eu acho que ele foi tomado por um medo enorme. Na hora em que desceu do vagão e viu aquele povo, sua reação foi sumir. O Mané fugiu de tudo, dali mesmo, da estação. Uma hora eu estava lá com ele, passando a mão na sua cabeça, tentando acalmar ele, sentindo que ele estava doente, que não estava nada bem. De repente, eu dei um descuido e... cadê ele?"

A primeira coisa que Elza pensou: "Ele deve ter ido pra casa da outra mulher!" Ela falou, então, com alguns repórteres, disfarçou sua própria confusão e, como sempre, não olhou mais para trás. Pegou um trem de volta para São Paulo no mesmo dia. Essa foi a última vez que veria o homem mais importante de sua vida: "Eu não tinha ideia que essa seria a despedida. Só tive notícias dele, quando soube que tinha morrido." Elza nunca mais o procurou. As dificuldades que estava enfrentando trouxeram outras questões mais importantes para o seu dia a dia: Garrincha tinha passado para um plano secundário na sua vida. Agora, sua prioridade era arrumar dinheiro para cuidar de Garrinchinha.

Até que Elza recebeu um telefonema. "Era um jornalista me ligando, acho que eu conhecia ele, se chamava Edgar. Foi uma conversa meio confusa, ele queria minha opinião sobre a morte do Mané, parecia que ele sabia que a notícia já tinha chegado até mim, mas eu levei um susto enorme: era ele quem estava me contando naquela hora. Eu desconversei. Não estava acreditando muito no que ele dizia. Ou, talvez, eu não quisesse acreditar... Era aquilo: você sabe que vai acontecer, um homem naquele estado de saúde, uma hora ia acabar tendo alguma coisa mais séria. Não era possível um corpo aguentar tanto abuso. Mas, quando chega a notícia, você não quer acreditar, não quer achar que é verdade. Mesmo de longe, eu desconfiava que a situação era ruim, mas morrer? Era isso mesmo? O Mané tinha morrido?"

Elza Soares, em 1985.

Logo começaram a vir outros telefonemas. Elza ligou o rádio e a TV. Quando tudo se confirmou, ela ficou em estado de choque: "Eu me senti muito triste, triste mesmo. Veio o choque e, depois, eu acho que fiquei meio doida, desconectei. Como é que se administra uma coisa dessas? Uma vida inteira juntos, um monte de coisa linda e de coisas terríveis também. O que eu ia dizer? Como eu responderia às pessoas que estavam me procurando?"

Sem saber como reagir diante de uma dor tão grande, Elza escolheu a reclusão: "Pensei em ir ao enterro, mas eu enfrentaria uma situação muito complicada, cruel mesmo. Todo mundo ficaria em cima de mim, então optei por não aparecer. A vontade de estar com ele, de ver o Mané pela última vez, era muito grande. Eu já tinha tido, naquela altura da minha vida, outros namorados, mas ele era diferente – era meu homem. Eu iria desmoronar se visse ele ali deitado num caixão. Sem falar que as consequências da minha presença lá não seriam boas. Eu tinha que pensar também no meu filho – meu Deus... como seria se eu chegasse com o Júnior naquele velório? O garoto ia ficar assustado com tanta gente querendo tirar uma foto dele, iria chamar muita atenção. Eu não queria que ele sofresse."

Acostumado com a distância do pai há anos, Garrinchinha talvez nem tivesse condições de entender o que estava acontecendo. Ainda mais que Elza não quis contar imediatamente para o filho sobre a morte do pai. "Já era triste demais ver meus filhos mais velhos, do primeiro casamento, chorarem pela morte do Mané, que eles consideravam uma figura paterna. Quando o Alaordes morreu, o pai de sangue deles, todos eram muito pequenos. Esse foi um luto que eles não viveram. Então, era o Mané a figura forte que eles tinham na memória e por isso eles ficaram tão tristes, muito tristes mesmo, quando souberam da notícia. Por isso eu quis contar para o Júnior um pouco depois, com calma. Uma criança nem entende direito o que é a morte, teve de ser aos poucos, pra que ele não sofresse também. Acho que ele não sofreu tanto. Ou se sofreu, transformou aquela tristeza em paixão pelo futebol – como aquele menino gostava de uma bola..."

A vida dava mais um motivo para Elza entristecer. "Eu vivia um luto, sem poder vivê-lo. Para o meu filho eu tinha que ser forte. Para o resto do mundo, indiferente. Não tinha ninguém com quem eu pudesse chorar. O que me segurou a essa altura foi o amor que eu tinha pelos meus filhos." Mas todas as turbulências do seu coração e a morte de Garrincha contribuíram, de alguma forma, para afastá-la ainda mais do mundo da música. Era um show aqui, outro ali...

Ainda em 1983, no ano da morte de Garrincha, Elza foi convidada mais uma vez para participar do Projeto Pixinguinha. Dessa vez, subiria ao palco com uma lenda do samba, o compositor baiano Batatinha. Apesar de não dividirem o palco o tempo todo, a maioria das músicas que Elza cantava era da autoria de Batatinha, que já havia emplacado vários sucessos no gosto popular, há décadas. Talvez por isso a turnê tenha sido muito bem-recebida por onde passou: Niterói, Brasília, Salvador, João Pessoa, Recife, Natal e Fortaleza. Aliás, foi lá, em entrevista ao jornal O *Povo*, que ela deu detalhes de um projeto ambicioso: um musical sobre Garrincha. Na matéria, Elza dizia: "Falarei do que Mané gostava, de como ele era, de todas as coisas que ele valorizava." A tirar por suas palavras, a concepção do espetáculo já estava em pleno andamento, com as músicas compostas por Gérson Alves, com quem ainda estava se relacionando, e um nome já escalado para interpretar Garrincha nos palcos – Jairzinho, um dos jogadores consagrados na Copa de 1970, mas que nunca tinha tido nenhuma experiência de cena. "Eu acho que ele tinha muito a ver com o Mané", disse ela ao jornal, "posto que jogaram juntos e defenderam a mesma camisa." O papel de Elza, claro, seria certamente vivido por ela mesma...

Garrincha, no entanto, só ganharia um musical pouco mais de trinta anos depois de sua morte – numa montagem do consagrado diretor americano Bob Wilson, que teve estreia em 2016. Aquele esboço que estava na cabeça de Elza era tão fantasioso quanto a outra declaração que havia dado ao jornal: "Sempre tenho uma agenda superlotada." Nada poderia estar mais longe da verdade. Não só sua agenda estava bastante disponível, como sua carteira vivia vazia. "Quando aparecia um show, eu comemorava, mas não estava pintando nada. Eu precisava de dinheiro pra criar meu filho e já não contava com cachês de nenhum show. O melhor plano que apareceu foi trabalhar numa creche, que ficava perto de casa, pra ganhar algum salário e ainda economizar com o Júnior: ele poderia passar o dia comigo."

Elza não estava nem um pouco feliz de ter que trabalhar na creche. Não pela função em si – sempre há, como ela insiste, dignidade em qualquer ocupação. Mas um trabalho assim remetia à vida dura que vivera antes de se tornar uma cantora profissional, às inúmeras humilhações que sofreu trabalhando na casa dos outros. Os tempos de doméstica, dos maus-tratos que sofreu na casa de pessoas ricas, deixaram marcas profundas em Elza. Na creche, ao menos, ela seria respeitada como uma funcionária. Para alguém que se acostumou ao longo de uma carreira de sucesso a brilhar nos palcos por muitos anos, esta era uma solução dolorosa, que ela não sabia se estava preparada para enfrentar.

Dias antes de começar na creche, porém, Elza recebeu uma rara proposta para uma apresentação. Seria uma ótima notícia, não fosse por um pequeno detalhe: o convite era para cantar num circo, no interior de São Paulo. Seria um palco ou um picadeiro? Elza nunca tinha se apresentado num circo. Ficou pensando com tristeza: "Elza Soares, que já cantou na Europa, no Waldorf-Astoria em Nova York, que enchia o Canecão no Rio... cantando num circo." A necessidade de ganhar dinheiro, no entanto, falou mais alto que o orgulho: "Parei pra refletir. Eu não podia achar que um show assim fosse menos digno. Eu era e sou uma artista, eu não posso me recusar a mostrar o meu trabalho. Fui!" A experiência, infelizmente, foi tão ruim e traumática, que sua memória, que é geralmente prodigiosa, fez questão de apagar os detalhes daquela noite. "Não me lembro em que cidade era, a não ser que fomos para o interior de São Paulo, umas duas horas de carro. Não me lembro se cantei no picadeiro ou num palco pequeno. Era só um circo de lona bem sem graça, os músicos do próprio circo, e eu lá mandando meus sambas."

Quando Elza entrou no palco, entre uma apresentação e outra do circo, o anúncio de seu nome não puxou mais palmas que as dos números de acrobacia. Era mais uma atração da noite. "Nem sei se as pessoas me reconheceram, só sei que estava lá pra ganhar um cachê. Era pra cantar? Então, fui lá e cantei. Mas eu tenho na minha memória a sensação de sair triste do circo. Eu pensava: 'Era só mais um show.' Mas não era só isso: 'Era a decadência.'" Era um ponto realmente baixo na sua carreira. Àquela altura, ela estava convencida: tinha chegado ao fim. "Era o ponto final...", pensou Elza no caminho de volta para casa.

Mas, chegando a São Paulo, cansada e humilhada, Elza se lembra de ter reparado em algumas faixas e cartazes o anúncio do show de um amigo seu que estava em turnê pela capital paulista: Caetano Veloso. "Eu lembrei logo do Bineco, que trabalhava com Caetano e era muito meu amigo. Eu tinha guardado o telefone dele em algum lugar. No dia seguinte, liguei pra ele. Disse que estava me despedindo da música, que estava muito desiludida, que minha situação estava horrorosa e, o mais importante, que eu queria dar um beijo no Caetano e dizer tudo isso a ele. Nós sempre fomos muito próximos, desde os anos 1960, na época da Tropicália. Eu tinha certeza de que ele iria me ouvir." E foi isso que ele fez naquela tarde no antigo Hotel Hilton.

No quarto luxuoso em que foi acolhida, ainda com o rosto molhado de lágrimas, Elza expunha para um Caetano atônito a sua situação. Constrangida, ela não teve coragem de contar sobre sua apresentação no circo. "Disse que ninguém me chamava mais pra nada, que minha situação estava muito ruim e que, como artista, eu não existia mais. Estava desesperada! Imagina eu explicando para o Caetano que eu não ia bem porque a MPB estava numa fase muito ruim. Eu sabia que não era bem isso: vários artistas estavam numa onda de sucesso, como o próprio Caetano. Nossa música vivia um momento maravilhoso. Gal Costa, Ney Matogrosso, Milton Nascimento – shows que lotavam teatros em todo o Brasil. Eu que não estava bem, e a culpa era minha." A conversa continuou meio truncada: "Caetano me perguntou o que eu estava fazendo em São

Paulo e respondi que estava com meu filho e que tentaria fazer alguns shows, sem entrar em detalhes, mas que naquele momento eu estava tentando emprego numa creche."

A reação de Caetano foi de pura indignação. Como ele contou para a própria Elza numa entrevista que fez com a cantora para o jornal O *Globo*, em março de 2016, Caetano achava que essa era uma "decisão impensável". Lembra Caetano: "Falei veementemente que não dava, que não era possível. Ela é de uma potência criadora. É um esteio para o Brasil. Desde que apareceu, já apareceu com aquela afirmação do talento, da personalidade, com uma visão de mundo aguda. Então, puxa, isso não se joga fora." Elza sabia de tudo isso, só não estava conseguindo enxergar o seu talento naquele momento. "Numa crise, eu me isolo muito. Tinha poucos amigos em São Paulo, eles eram, então, minha família. Todos perceberam que eu tinha me afastado, me procuravam e eu dizia que estava tudo bem. Mas não estava, eu estava escondida dentro de mim. Em períodos assim, entro em hibernação."

Caetano, contudo, não ia deixar que Elza hibernasse por muito tempo. "Ele me disse pra não pegar o emprego na creche, que eu me organizasse, voltasse para o Rio e que quando chegasse lá procurasse por ele, que ele teria uma surpresa para mim. Fiquei animada e pensei mesmo em retornar. Ainda mais que eu tinha um convite pra uma participação especial no projeto 'Seis e Meia', do Albino Pinheiro." Albino era um produtor cultural conhecido e muito querido na cena carioca e esse seu projeto já era uma instituição. Nomes consagrados e artistas jovens, mas nos quais Pinheiro acreditava, se apresentavam às 18h30 no palco do Teatro João Caetano, no centro do Rio, com ingressos a preços populares e muito sucesso. Elza, então, fez as malas mais uma vez. Não tinha certeza se voltar para a cidade que consagrou Garrincha seria o melhor para seu filho, mas era necessário mais uma vez arriscar.

Elza e Caetano, em julho de 1986.

"Fui então fazer uma temporada no 'Seis e meia'. Peguei meu filho e voltei para o Rio de Janeiro, morando de favor na casa do Nélio, um amigo que sempre me acompanhou, desde os anos 1960. Eu estava lá na casa dele, quando um dia recebi um telefonema do próprio Caetano dizendo que passaria lá no João Caetano depois da minha apresentação pra me pegar. A surpresa estava pronta e ele queria me mostrar. Perguntei que tipo de surpresa era, mas ele fez mistério. Nesse dia, Gilberto Gil estava se apresentando no Canecão, casa lotada. Caetano me pegou no teatro, me levou pra assistir ao finalzinho do show do Gil e ficamos um pouquinho no camarim falando com ele, que eu não encontrava há um bom tempo, mas que também era muito querido. De lá, nós saímos pra gravadora e, quando chegamos, ele me disse: 'Tá aqui, pra você, vamos gravar isso?' Era a música 'Língua'... que foi um dos presentes mais lindos que eu ganhei em toda minha vida."

Caetano já estava com essa música em gestação quando Elza o encontrou no Hotel Hilton. Encaixar o talento dela numa letra engenhosa era um elogio e uma elegia ao nosso português e parecia natural. A música tornou-se um destaque do ótimo álbum *Velô* (1984), de Caetano. E quem ouvia Elza cantar aquele estranho refrão – "Flor do Lácio Sambódromo Lusamérica latim em pó, o que quer, o que pode esta língua?" – tinha a certeza de que ela tinha voltado.

"Eu acho que Caetano já fez parte dessa música pensando em mim, porque a força daquela letra era exatamente o que eu estava precisando pra dar aquele impulso e voltar. Gravei, foi um sucesso enorme, e as portas começaram a se abrir de novo. Acabou creche, acabou tristeza, acabou fase ruim. Eu podia olhar de novo para o meu filho e ter certeza de que eu poderia cuidar dele. Olhei mais uma vez no espelho e disse: 'Voltei. Elza Soares, toma vergonha na cara, teu lugar é aqui!' E aí tudo começou a mudar."

Nesta nova fase, Elza foi tomada de euforia – novas gravações e parcerias estavam ali na esquina, esperando para acontecer. O Brasil todo parecia descobrir uma nova energia na sua música, junto com a alegria e a ousadia do rock carioca, o engajamento dos sons que vinham de Brasília e com o punk sujo e genial que jorrava dos bueiros de São Paulo. Elza estava pronta para mais um renascimento.

A Conceição, que reinava no *lobby* do Hilton, ia para o segundo plano, sem reclamar demais. Elza estava no comando – se bem que era impossível dizer por quanto tempo. Novas (e ainda mais tristes) tragédias estavam para acontecer na vida dessa mulher, e logo, logo seria a Conceição que, mais uma vez, levaria Elza para o labirinto.

14. diante do pior, tudo menos coitadinha

"tem certas coisas na vida que a gente fica pensando... Eu tenho muito medo de... É tanta coisa que a gente faz pra se achar..." Numa história tão cheia de certezas, Elza revela finalmente algumas reticências. E não são poucas. "Eu acho que eu estava fora de mim... Que eu não existia mais... Pra mim, não tinha mais vida, existência... Quem era aquela Elza?" Mesmo as interrogações, importantes de serem colocadas nesse período que ela atravessava, pareciam assinalar suas inquietações com reticências: "Como falar disso? Ou ainda, devo falar?"

Todas as dificuldades que Elza Soares já tinha passado em sua vida não a haviam preparado para o que aconteceu em 11 de janeiro de 1986. A morte do seu filho com Garrincha, que ela chama carinhosamente, até hoje, de Juninho – nunca de Garrinchinha – é uma dor inominável. Mesmo assim não é a parte de sua vida sobre a qual ela tem mais dificuldade de falar. Do acidente que matou Manuel Garrincha dos Santos Júnior, ela fala. Com dor, muita dor. Mas fala.

Nova York, 1991.

"No dia do acidente, Júnior ainda me ligou da casa das irmãs, em Pau Grande. Estava todo animado ao telefone: 'Mãe, vou levar um presente pra você, um cachorrinho que eu consegui aqui pra mim!' Eu nem sabia que ele queria tanto um cachorro, e isso até me pegou de surpresa. Mas o que eu mais lembro era que ele estava muito feliz de ter ido lá. Era uma ocasião especial: a primeira vez que ele iria visitar o lugar onde o pai nasceu, com todas as irmãs juntas." Juninho nunca havia insistido para ir até a casa das irmãs. Elza, mesmo depois da morte de Garrincha, em janeiro de 1983, falava muito pouco com seu filho sobre o pai. Mas, de vez em quando, batia uma curiosidade nele. O menino, já com quase dez anos, naturalmente tinha muitas perguntas sobre Garrincha – não só sobre seu pai, mas também sobre o grande ídolo do futebol.

"Ele gostava muito de uma bola, mas eu não estimulava. Não é que não quisesse uma vida como a do Mané para o Juninho. A imagem que eu tinha de um jogador de futebol era a do pai dele, sempre explorado, sem conseguir ganhar dinheiro, mesmo com o talento que tinha. Eu queria que Juninho crescesse pra ser o que ele quisesse ser. Da mesma maneira que eu não insistia pra ele cantar ou ser artista como eu, também não forçava nada pra ele se meter com futebol. Mas o menino gostava de uma chuteira – fazer o quê?", brinca Elza. Todo seu esforço, ela insiste, era para proteger Juninho, pois já considerava pesado demais ele crescer à sombra de um pai ausente, ainda mais de alguém tão famoso quanto Garrincha. "Eu não sei se o futebol era uma herança bem-vinda. Eu tinha minhas dúvidas. Eu queria mesmo que ele estudasse, mas, se o futebol estava chamando..."

Sempre que podia Juninho estava na praia, com um grupo de amigos, batendo uma bolinha, num time bastante improvisado, irregular e inconstante, que ele e seus amigos batizaram de Garrincha Futebol Clube e ainda deram o apelido de "Alegria do povo", em mais uma referência ao pai-ídolo. "Todo orgulhoso, botou o nome do Mané. Era só uma garotada jogando na areia. Até que

Garrinchinha no colo do preparador físico e treinador, Paulo Amaral, na década de 1980.

brincavam direitinho. Juninho era muito agitado e gostava bastante de esporte. Adorava nadar, não só no mar, quando a gente ia à praia, mas na piscina também. Eu o coloquei na aula de natação, e ele não perdia uma. O professor só elogiava e dizia que ele ainda iria ganhar medalha em olimpíada! Mas dava pra ver que a paixão dele era mesmo o futebol. Acho que um dos dias mais felizes da vida dele foi quando a gente foi visitar o Botafogo, ele vestido com o uniforme e tudo – tiramos um monte de fotos, Juninho era uma alegria só. Aliás, ele não tirava a camisa do time por nada desse mundo, tinha dia em que eu tinha que brigar pra ele não dormir com a camisa toda suja."

Uma pelada divertida com os amigos, uma espécie de ensaio para um jogo em homenagem a Garrincha era o que eles planejavam fazer no aniversário da morte do craque, 20 de janeiro. Júnior estava todo animado naquela manhã de um sábado quentíssimo com sua ida para Magé. "Uma das irmãs tinha ligado dizendo que estariam todas juntas e que Juninho poderia levar uns amigos pra jogar futebol. O menino ficou doido, queria ir de qualquer jeito." Mas tinha uma coisa estranha na excitação do garoto: "Ele dizia que queria ver onde o pai estava enterrado. Eu fiquei meio desconfiada de que uma das irmãs tivesse colocado isso na cabeça dele, porque o Juninho nunca tinha me pedido isso. No fim, acabei deixando ele ir – achei que, se ele queria ver o túmulo do pai, era porque já tinha maturidade pra isso."

Se Juninho foi mesmo ao cemitério de Raiz da Serra, em Magé, ele nunca teve a chance de contar o que sentiu por lá. No caminho de volta, na estrada Rio-Magé, o motorista que levava Garrinchinha e seus amigos para casa perdeu o controle do Opala, placa MR 8565, que era da Elza, derrapou, quebrou a proteção da ponte e caiu em direção ao rio Imbariê. Antes da queda, porém, a porta do carro se abriu e, com o impacto, Juninho foi lançado nas águas, que o levaram. O socorro não demorou a chegar, mas as primeiras buscas não encontraram o menino. Seus amigos que estavam no carro sofreram ferimentos leves: Marcelo, Marco Rogério, André Renato e João Carlos, que tinham ido jogar bola com ele, voltaram naquela noite para suas casas, depois de uma rápida passada pelo hospital Nossa Senhora Auxiliadora, em Piabetá. Só Garrinchinha continuava desaparecido.

O motorista foi liberado sem maiores complicações. Luiz Guedes, nome que Elza não pronunciaria nunca mais. Ele sequer falou com Elza naquela noite. "Nem que tivesse me procurado eu teria tido forças pra olhar na cara dele. Só muito tempo depois me contaram que ele estava dirigindo bêbado. Acho que anda por aí até hoje, não quero saber", lembra Elza com amargura. "Naquele dia, quando ouvi a notícia do acidente pelo rádio, eu simplesmente apaguei." Elza tinha um show no Parque Lage, com o Trio Elétrico de Dodô e Osmar, que foi obviamente cancelado. Ela se fechou, sem falar com ninguém – Glaucus Xavier foi seu porta-voz no momento da tragédia. "Elza está fechada para balanço", dizia ele aos repórteres que imediatamente inundaram a porta do prédio, no Leme, onde ela morava então. "Glaucus, com quem eu vivia na época, tinha paixão pelo Juninho, e a gente tinha passado aquela tarde juntos. Nosso apartamento era uma cobertura, a gente ia fazer um churrasco, mas o tempo deu uma virada logo depois que meu filho saiu, e nós resolvemos comer ali perto de casa mesmo. O céu estava meio esquisito, de chamar a atenção, mas eu estava feliz pelo Juninho ter ido se conectar com o passado do pai e resolvi aproveitar o dia com Glaucus."

Glaucus já era presença na vida de Elza desde que ela se separara de Garrincha. Um flerte, um namoro e, algum tempo depois, uma vida em comum de que Elza lembra com muito carinho. "Ele foi mais que um grande amigo nessa época. As coisas começaram a melhorar na minha carreira, desde aquela ajuda preciosa de Caetano. E, musicalmente, o Glaucus também foi um parceirão." Foi ele quem produziu seu disco de 1985, *Somos todos iguais*, que traz a famosa versão de Elza e Caetano para "Sophisticated Lady", um clássico de Duke Ellington. E nesse mesmo disco, sua maravilhosa colaboração com Cazuza, "Milagres" – o atestado do seu renascimento para a nova geração do rock que surgia com sucesso no Brasil. Mas, para além da música, Glaucus foi mesmo um grande companheiro. "Não posso dizer que foi uma grande paixão, ainda mais depois de tantos anos com Mané. Mas ele me dava um conforto enorme, me apoiava e eu sabia que estaria sempre ao meu lado."

No dia do acidente, não foi diferente. Longe do filho, enquanto almoçavam, Elza lembrou com Glaucus de um episódio que tinha acontecido naquela semana mesmo. "Meu filho foi me acordar de madrugada, dizendo que não queria dormir mais no quarto dele. Tentei conversar: 'Por que não, meu amor? Seu quarto é lindo, a gente fez com tanto carinho pra você!' Mas ele insistia que queria dormir comigo. 'Eu tô com medo', Juninho respondeu. E, aí, eu me assustei. 'Você com medo, meu filho, um homem tão forte? Quem é que está sempre me defendendo na rua? Não é você!' Mas Juninho fazia cara de choro e repetia que estava com medo. Seu corpo começou a tremer e quando ele pediu: 'Mãe, deixa eu ficar contigo, dormir aqui com você, só hoje?', eu não pude recusar."

Elza e Glaucus conversaram sobre outras coisas, outros shows, novas parcerias que tinham pela frente – na semana seguinte, por exemplo, ela iria para o estúdio gravar uma faixa no novo disco do Lobão. Até que eles ouviram a notícia no rádio. "Difícil de lembrar hoje exatamente o que eu ouvi, mas me lembro de falarem de um acidente, de que meu filho tinha falecido no local." Seu registro da informação nem era correto: bombeiros ainda passariam a noite procurando pelo menino, cujo corpo só foi encontrado no dia seguinte pela manhã. "Fui pra casa, não dizia nada com nada, me tranquei no quarto e só pensava: ele só tinha ido a Pau Grande ver as irmãs, lembrar do pai... e ficou por lá."

Momentos trágicos não eram novidade na vida de Elza. Ela, bem mais jovem, já tinha vivido a morte de dois filhos. Mas perder Garrinchinha era algo impensável, uma crueldade do destino que ela jamais imaginou que pudesse acontecer. "Eu pensava que o Juninho iria ficar comigo a vida toda. Da minha vida tão maluca e, ao mesmo tempo, tão apaixonada com o pai dele, com meu Mané, ele era a lembrança mais linda e carinhosa. Um presente! E não era só pra mim: Carlinhos, meu filho mais velho, era doido com ele. Dilma também. Glaucus se encantou com ele como se fosse filho de verdade. Talvez por esse amor todo, e eu tenho medo de dizer isso até hoje, eu achava que alguma coisa aconteceria com ele. Eu tinha muito medo, por exemplo, toda vez que ele ia atravessar a rua. Fazia o possível pra não deixar ele sozinho nunca – eu sempre pedia para os irmãos cuidarem dele, quando eu não estivesse por perto. Eu ficava, sim, apavorada e achava que ele tinha uma carga muito pesada do pai..."

Aquele telefonema feliz de Garrinchinha acabou sendo a despedida entre mãe e filho. "Não quis ver o Juninho morto. Não quis ir ao enterro. Aliás, eu não tinha condições. Já tinha sido assim com todas as pessoas que eu amava e que morreram. Depois, eu acho até que me arrependi – eu tinha que ter dado um adeus pro meu filho. Teve gente que me cobrou, mas eu não conseguia nem explicar à época que eu realmente não tinha nenhuma condição de ir ao cemitério. Eu queria era guardar aquela imagem alegre, vibrante, aquele menino tão lindo que corria usando a mesma camisa de listras pretas e brancas que era a paixão do pai", lembra ainda emocionada. O choque foi tão grande que Elza teve de ser sedada. "Eu tomei muitas injeções, me deram uma enxurrada de remédios, acho que fiquei completamente dopada naquele dia. Mas eu sabia que tinha de ficar de pé logo, tinha de acordar de tudo aquilo, se eu quisesse ir em frente." E foi assim que, logo depois da morte do filho, Elza estava no estúdio, gravando com Lobão.

O episódio contado pelo próprio Lobão é um dos mais emocionantes do, em geral, debochado e lúcido (uma combinação maravilhosa e única que só o autor é capaz) *Guia politicamente incorreto dos anos 80 pelo rock*. O cantor já tinha convidado Elza para participar da faixa "A voz da razão" – mais um reconhecimento de um ícone da geração roqueira à artista que foi tão importante para sua formação musical. Por problemas técnicos, como Lobão conta no seu livro, a gravação tinha sido adiada, mas, quando soube da morte de Garrinchinha, Lobão nem pensou que contaria mais com a presença de Elza. Mas eis que surge ela, "adentrando o estúdio para o assombro de todos nós", nas palavras do cantor.

"Fui pra gravar, porque a Elza não se deixa derrubar", afirma ela. "É um compromisso que eu tenho comigo mesma. A dor era só minha e era eu que tinha que resolver. Era uma coisa que eu deveria enfrentar – eu comigo mesma. E o jeito que eu achei para fazer isso naquele momento foi me curar com música." E foi exatamente esse ritual que Lobão descreveu no seu livro: "Não havia muita coisa a dizer e, sem transição, Elza me pede um favor, que eu lhe dê um tempinho, que coloque uma fita na máquina e emenda: 'Com aquela sua música que diz 'A favela é a nova senzala...', porque eu preciso cantar em cima dela. Não precisa me ensinar a letra. Eu só quero cantar, livre. Só cantar.'"

Seu pedido foi atendido e, ao ouvir a música, Elza se recolheu no escuro e começou a improvisar, transformando a cena no que Lobão chamou de "a coisa mais emocionante e comovente que uma expressão musical já me causou ou me causará". Mais impressionante ainda: depois desse desabafo, Elza estava pronta para dar o melhor de si em "A voz da razão". Chamou Lupus – o apelido carinhoso que sempre usou para falar com Lobão – e disse: "Quero gravar junto contigo, olho no olho." A faixa, um samba-rock inspirado, que alterna suavidade e exaltação, mesmo falando sobre o fim de um relacionamento, empresta à voz de Elza versos de uma conotação inesperada, sobretudo para ela que vivia o luto do filho. "(Certas coisas) estão pra lá da consciência, estão além da inocência, do amor." Ali estava o inexplicável – aquilo que ela estava sentindo – posto em palavras pelo poeta, numa estranha e inesperada conexão com sua musa.

A coragem de se apoiar na música para driblar a dor ainda iria mais longe. No mês seguinte ao da morte de seu filho, Elza estava animando bailes de Carnaval no Rio de Janeiro. Foi a atração maior do Baile do Pão de Açúcar daquele ano e levou também ao delírio os foliões do Baile do Scala – um dos mais famosos e disputados da época – cujo tema era inspirado nos personagens da novela ultrapopular *Roque Santeiro*. A própria Elza escolheu um modelito verde de lantejoulas no armário imaginário da Viúva Porcina, a protagonista da trama vivida por Regina Duarte, para rasgar a noite cantando de "Maracangalha" a "Mamãe eu quero".

Seria um dos "milagres" que ela cantava na música que Cazuza tinha feito especialmente para ela, meses antes da sua perda? "Cazuza era uma força misteriosa, uma inspiração, alguém de quem você queria ficar perto, aproveitar a vida ao lado dele, um parceiro incrível", lembra Elza sobre essa amizade que começou a crescer desde o primeiro encontro. Num vídeo da época de ouro dos clipes musicais do programa *Fantástico*, ele canta no que parece ser um cemitério de automóveis rodeado de pobreza, e ela, numa sofisticada boate da noite carioca – um registro precioso de uma época de excessos. É um blues rasgado – sempre uma marca forte de Cazuza – na voz que nasceu não só para o samba, mas também para qualquer música transgressora. São dessa época participações em vários shows de rock: Elza começou a se ver assediada por artistas que estavam falando com um público que não havia nem nascido, quando ela já era uma artista consagrada da MPB. Shows aqui, fantasias de punk acolá – Branco Mello, dos Titãs, querendo até produzir um álbum só para ela, um projeto que infelizmente nunca decolou: tinha tudo para ser o momento de uma grande retomada de sua carreira.

Só que essa festa toda, genuína na expressão da sua arte, era só uma fachada. Por dentro, Elza estava acabada, destruída, sem saber para onde ir ou no que se apoiar. A marca deixada pela perda de Garrinchinha não iria embora tão facilmente assim e ela passou a não se reconhecer mais nem na frente do espelho. E aí veio a escuridão – o lado da sua vida sobre o qual até hoje ela tem tanta dificuldade para falar. É desse medo que ela fala no começo deste capítulo, uma longa hesitação que ela usa de anteparo ao se abrir para contar sobre o período em que se envolveu pesado nas drogas.

"Posso falar que conheci, sim, o peso das drogas. Busquei uma fuga nelas – uma fuga que eu sei que é idiota, que não é solução pra nada. Mas foi desespero! Perdi peso, perdi vaidade – eu não me importava nem um pouco com a minha aparência, estava entregue." Difícil acreditar que uma pessoa tão forte como Elza pudesse passar por uma crise dessas, mas o sofrimento pelo qual passava fez com que ela conhecesse seu limite. "Subi os morros, depois da morte do meu filho. Fui mesmo. Fui ver se achava uma saída lá. Subi todas as favelas. Conheci todos os bandidos.

Eu estava procurando – sei lá o que eu estava procurando... Era pó, era o que tivesse. Não tinha bebida, não, nunca teve bebida. Mas eu conheci o peso de todas as outras drogas que você puder pensar", admite Elza. Não é um depoimento fácil. Ao falar dessa sua entrega, seu olhar fica frágil, descontínuo, como se, ao mesmo tempo, ela estivesse se esforçando para lembrar e se esquecer daquilo. "Quem mandava ali não era a Elza, mas a Conceição", diz ela referindo-se ao seu *alter ego* – a "personagem" que toma conta dela em situações de descontrole.

"Eu morri. Ou melhor, eu disse pra mim mesma que tinha morrido – eu era uma Elza que eu queria enterrar. Estava numa tristeza tão profunda que não via mais nada, era só vazio. Fazia amizade com todo mundo que pudesse me levar às drogas. Eu ia com quem subisse o morro comigo." Por trás de shows que ela fazia nas comunidades, estavam noites de total abandono, em que Elza nem voltava para casa. Suas conexões com o tráfico ficaram tão próximas que, depois de uma invasão no morro Dona Marta, a polícia a chamou para depor: eles haviam encontrado fotos suas com o traficante Emílson Fumero, conhecido como Cabeludo. A explicação de Elza foi a mesma que a de seu amigo, o compositor João Sem Braço: shows que faziam de graça para alegrar as comunidades. Segundo seu depoimento para o jornal *Tribuna da Imprensa*, ela estava sofrendo com aquela suspeita: "Não tem nem um ano que perdi meu filho. Só fui ao Dona Marta porque achei que tinha que ajudar aquela gente da maneira como eu posso, que é com a minha arte, cantar."

Além desse motivo nobre, no entanto, havia também a droga. "Ao mesmo tempo em que eu sabia que aquilo não era bom pra mim, eu não conseguia escapar daquele ciclo. Não aguentava aquela ideia de que eu era uma mulher fracassada. Sentia isso, sim: via aquelas pessoas todas na rua, cruzando comigo e olhando com aquela cara de quem diz: 'Coitada, sofreu tanto.' Eu não queria ser a coitadinha – queria justamente fugir dessa imagem, e fui pelo caminho mais fácil. Sabia que eu não era uma coitada, mas estava impotente pra mudar o que estava acontecendo." A franqueza com que Elza encara esse assunto hoje é surpreendente. Mas estar um pouco (não muito) à vontade para falar disso, depois de tantos anos, é prova de amadurecimento: "Eu tinha muito medo de expor isso, meu Deus... O que meus filhos iriam pensar se soubessem isso de mim? Pra eles, eu sou mãe, sou aquela que sempre deu o exemplo, aquela que fez de tudo pra não faltar nada em casa. E de uma hora pra outra eu era essa coisa sem rumo?"

Como num modo de piloto automático, Elza continuava se apresentando. Eram shows pequenos, curtas temporadas em espaços pequenos. Cantou em Pilares, Vila Isabel, em apresentações avulsas pelo Brasil. Era isso que lhe permitia sustentar sua casa e seu vício. Em 1988, lançou um álbum nessa mesma frequência. *Voltei*, com uma Elza moderna na foto da capa, de cabelos longos e lisos, olhando para o infinito, abria logo pedindo passagem, dizendo que dessa vez era "pra ficar". Mas o que ela vivia estava secretamente escondido nos versos de uma faixa chamada "Sem ilusão": "Só quero enxugar o meu pranto, me libertar dos encantos, me sentir mais mulher". O que Elza queria mesmo não era ficar, ou voltar e se reinventar. Ela queria fugir.

"Eu queria sair de tudo, do 'coitadinha', do morro, da falta de esperança, de uma Elza que eu mesma já não reconhecia. Eu ficava sozinha no meu quarto, ia para o espelho e perguntava: 'Gente, eu não sou isso... O que é que eu tô fazendo comigo?'" A rota de escape foi, então, os Estados Unidos. Seu relacionamento com Glaucus já não significava muita coisa – não era isso que a prendia a sua casa. Havia os filhos, é verdade, mas ela, quando pensou em sair do Brasil, tinha a esperança de que fossem morar com ela. Tudo que ela precisava era de um convite para sair – e ele chegou em novembro de 1990. "Foi o grande Carlinhos Pandeiro de Ouro que fez o primeiro convite", conta Elza se referindo ao famoso percussionista brasileiro, que se tornou famoso na escola de samba

Estação Primeira de Mangueira, e seguiu uma carreira brilhante que o levou a se mudar para os Estados Unidos nos ano 1980. "A ideia era fazer três shows em Los Angeles, onde Carlinhos conhecia todo mundo. Tinha um patrocínio da Varig – era uma coisa de só duas semanas." A maior companhia aérea do Brasil na época viu em Elza uma embaixadora ideal para vender o Brasil lá fora. "Fui, mais uma vez, pelo dinheiro. Se estavam me valorizando por lá e no Brasil eu não tinha muita coisa pra fazer, que mal teria em aceitar o convite?" A mala que fez para a viagem não era "de mudança", mas, quando pisou em solo americano e começou a mostrar seu trabalho, os convites começaram a aparecer.

"Encontrei vários músicos que eu já conhecia e de quem gostava por lá – Antonio Adolfo, Márcio Santos, que me ensinou a tocar saxofone... De lá eu fui a São Francisco fazer mais algumas apresentações. Nem pensava em Nova York nesses primeiros dias. Nada foi muito planejado, as coisas foram acontecendo." Na verdade, Elza estava à deriva. Não queria estar no Brasil, isso era certo: "Nada me machucava mais do que alguém que chegasse perto de mim com aquela cara de dó, querendo me chamar de coitada. Eu sabia que não era coitada, mas eu não sabia nem responder a quem achava isso de mim. A única solução que eu vi foi sair do país." Mas Elza também não tinha certeza de que queria ficar nos Estados Unidos. Só que ali, o relativo anonimato, pelo menos, lhe dava o conforto de tentar encontrar um equilíbrio. O que não era fácil.

"Quando cheguei, fiquei na casa de uma brasileira chamada Lina. Era uma pessoa que me recebeu muito bem, mas eu não queria ficar lá. Tinha propostas de show na cidade, mas nada me parecia muito sério, eu queria sair de Los Angeles – e, quando me decidi, a Lina ficou com muita raiva de mim. Mas eu tinha que ir em frente. Um amigo que eu conhecia do Brasil – um cabeleireiro que eu frequentei muito tempo no Rio – disse que tinha me arrumado uma bolsa de estudos em Nova York. Ele tinha um salão lá e disse que poderia me ajudar. Aí, eu fui... ficar muito doida em Manhattan."

Elza não estava exagerando. Descrever sua trajetória na cidade como errante é o mais adequado, já que ela ia fazendo as coisas sem pensar. Para alguém que estava procurando seu eixo, as tentações de uma cidade como Nova York só reforçariam seu desequilíbrio. Nem os shows de relativo sucesso a ajudavam a se firmar. Já no verão de 1991, Elza recebeu elogios nas suas apresentações no SOB's (Sounds of Brazil) – uma casa noturna especializa em música latina. Definição bem abrangente, que ia dos ritmos caribenhos ao nosso samba. Localizada entre duas regiões que estavam emergindo culturalmente na virada da década em Manhattan, Soho e Nolita, o SOB's garantia a quem se apresentava lá uma plateia não apenas de brasileiros, com saudades da sua terra, mas de americanos entusiastas de um gênero que começava a chamar a atenção, a *world music*. A mesma onda impulsionava o "First Annual Brazilian Season" não muito longe dali, no Ballroom, com atrações como Elba Ramalho, Margareth Menezes e Tania Alves – evento no qual Elza também subiu ao palco algumas vezes. Chegou a participar, ainda naquele verão nova-iorquino, de um concerto beneficente (também no SOB's) chamado "The Forest's Echo", para defender, entre outras causas, a proteção da mata amazônica. Porém, num cenário cultural tão efervescente e competitivo quanto o nova-iorquino, firmar-se como uma estrela cativa, que era o sonho de Elza, parecia um sonho bem difícil de se alcançar.

"Minha sorte em Nova York foi que encontrei um anjo da guarda lá, uma mulher chamada Célia, que virou minha comadre. Ela abriu sua casa pra mim quando eu mais precisava, pois eu estava meio perdida por lá. Me procurou depois de um show e nos tornamos muito amigas mesmo. Eu até batizei a filha dela! Célia era a pessoa com quem eu mais gostava de conversar. Eu ficava muito na casa dela. E eu estava muito sozinha – me sentia só mesmo. Ela era uma companhia maravilhosa."

Outra alegria breve foi quando seu filho Gérson foi visitá-la. A relação dos dois nunca foi muito boa, desde que, décadas atrás, tinha sido adotado oficialmente por seus padrinhos. Gérson nunca a reconheceu como mãe. Quando ele manifestou a vontade de ir passar uns dias com ela, Elza, radiante, gastou todo o dinheiro que tinha para comprar uma passagem para ele. E quando Gérson chegou a Nova York, parecia que finalmente eles se reaproximariam. "Foi uma visita maravilhosa. Ele ficou comigo ali no apartamento da Célia, a gente foi para cassinos passear, a gente vivia no cinema. Eu me lembro de ver *Mais e melhores blues* (de Spike Lee, 1990), um filme maravilhoso. E esses dias que passamos juntos me deixaram muito feliz. Era meu filho, gente. Finalmente ao meu lado, meu Gérson. Às vezes ele me via triste e me perguntava se eu estava bem – eu dizia que estava ótima, não queria que meu filho percebesse nada", recorda emocionada. Infelizmente essa aproximação não se transformou efetivamente num perdão. Foi uma reconciliação temporária, que abriu outra ferida em Elza: "A gente tem uma coisa na vida... tem que sangrar, infelizmente, mas sangrar mesmo – ou então, tem que enfiar o dedo na garganta e jogar tudo que está te atrapalhando pra fora. A vida é isso. Ele era meu filho – é meu filho. Eu amo ele, sempre amei." Foi só um momento, mas de um carinho tão grande que mexe com Elza até hoje.

Quando Gérson foi embora, voltou a rotina. Perdida como estava, Elza ia atravessando um dia depois do outro em Nova York, sem nenhum caminho definido. Andava bastante pelo Brooklyn, onde sua amiga Célia morava – e, se ia a Manhattan, era para uma apresentação ou outra. "Ninguém me convidava pra sair e, mesmo se convidasse, eu preferiria ficar em casa. Não passava fome, não, mas o dinheiro que tinha só dava para me sustentar. Nem conseguia mandar muita coisa para as crianças. Eu escrevia muito para os meus filhos, tinha muita saudade. Achei que ia ter algum sucesso lá, mas vi que seria muito difícil. Era terrível – eu não queria viver nem lá nem cá."

Sem rumo, sem projeto, sem um foco, Elza simplesmente ia vivendo. Convidada por outros amigos brasileiros, começou a frequentar igrejas negras americanas e ficou hipnotizada pelo gospel: "Comecei a ir regularmente nos encontros deles e me identifiquei na mesma hora. Acho que tinha a ver com a minha cor, com o canto, aquela alegria, a liberdade da voz, cantar para o divino – isso tudo tinha a ver comigo. Foi uma espécie de libertação espiritual." Era mais uma manifestação espontânea de uma Elza que não tinha compromisso com nada.

Aceitava qualquer convite. Foi assim que foi parar, por exemplo, em Washington, capital americana, em junho de 1990, na primeira visita de Fernando Collor de Mello como governante do Brasil. "Quando me disseram que o tal presidente estava lá, achei que seria uma boa ver ele de perto." Nessas eleições de 1989 – a primeira que elegeria um presidente pelo voto direto desde o Golpe Militar de 1964 –, Elza não teve participação alguma. "Eu mal sabia o que estava acontecendo no Brasil. Fui até Washington mais por curiosidade. Tinha um monte de ônibus saindo de Nova York para lá – e eu embarquei num deles. Fui mesmo só ver quem era, quem estava mandando no Brasil, uma maneira de entender um pouco o que estava acontecendo no meu país. Eu sabia que a eleição tinha sido polêmica, que muita gente era contra. E quando eu cheguei lá vi que estavam se manifestando. Eu mesma não tinha nada a ver com isso – sempre tentei ficar longe de política. Fui com os outros, só conferir. Mas a imprensa me viu e foi uma correria. Os repórteres queriam falar comigo, saber se eu estava lá pra apoiar o Collor. Levei um susto com aquela atenção toda e eu acho que o próprio presidente estranhou, queria saber quem era a pessoa que estava causando aquela confusão toda... No fim, eu nem falei com ele. De longe mesmo vi que ele não tinha nada a ver comigo, não tinha cara de sério. Dormi lá nem me lembro onde e voltei para Nova York no dia seguinte."

Um show que ela estava ensaiando em Nova York acabou sendo uma desculpa para Elza voltar rapidamente para o Brasil. Em agosto de 1991, ela aterrissou no Rio de Janeiro para algumas apresentações de um espetáculo chamado "Passaporte". "Montei esse show lá mesmo e quis trazer para o Brasil. Foi uma parceria maravilhosa com o Nonato Buzar e o Tibério Gaspar." Nonato e Tibério, dois músicos importante da MPB, ajudaram a criar um repertório que misturava Ary Barroso com Lobão, Tom Jobim com Gonzaguinha – e tinha até uma pitada de Cazuza. "Foi também uma boa desculpa pra ver meus filhos. Queria também fazer algum dinheiro pra voltar pra Nova York. Lá eu ganhava dinheiro, sim, mas para o dia a dia. Eu estava apostando que as pessoas no Brasil estariam com saudades da Elza e que isso me renderia uns bons shows. Esse retorno não era definitivo – eu queria mesmo ver como as coisas estavam. Achava que ainda tinha coisas pra fazer nos Estados Unidos. Como sempre, um pé lá e um cá…"

Estreou no Teatro Rival e foi ovacionada: "Era muito bom estar de volta, e me senti um pouco mais segura. Não tinha certeza de que fosse a hora de voltar – e eu tinha mais convites pra apresentações em Nova York. Então, passei mais umas semanas aqui e logo voltei para os Estados Unidos." Elza ainda tinha feito uma grande aparição na quadra da escola de samba Império Serrano, no fim de agosto, reafirmando seu lugar no samba. Passou mais uns dias com seus filhos – a essa altura, adultos crescidos, mas que ela insistia em chamar de "crianças". E, no começo de outubro, já desembarcava de novo em solo nova-iorquino, dessa vez como convidada de honra de um grande projeto: um musical em homenagem a Carmen Miranda, grande atração do sempre importante festival Next Wave, na Brooklyn Academy of Music. Uma criação do músico americano Arto Lindsay, junto com a artista performática Laurie Anderson, companheira de anos de Lou Reed – "Carmen Miranda" era uma grande colagem de músicas e impressões desses artistas sobre a cultura brasileira, com a participação não só de Elza, mas também de Gal Costa, Bebel Gilberto e Naná Vasconcelos, amigo de longa data.

Depois disso, porém, Nova York voltou a ser um pesadelo para Elza. "Perdida como estava, acabei me envolvendo num culto religioso – e até hoje eu não acredito como fui parar nessa. Imagine eu, Elza Soares, sem nenhuma vaidade? Eu andava de qualquer jeito, deixava meu cabelo crescer sem o menor cuidado, duro mesmo. Usava uma saia toda comprida, escondendo as pernas. Blusas largas que você amarrava logo na altura do pescoço, sem mostrar os braços – eu simplesmente não me reconhecia mais. Eu estava muito desorientada. Eu ia nos encontros religiosos sem a menor noção do que estava acontecendo. Foi minha comadre que me apresentou pra tal seita, mas fez isso na melhor das intenções, coitada. Disseram a ela que tinha um brasileiro em Nova York maravilhoso, que estava ajudando muito as pessoas – e que ele queria falar comigo. Eu fui e acabei entrando na onda dele..."

Não houve nenhum conforto espiritual, segundo Elza. Todas as inquietações que a fizeram sair do Brasil, todos os problemas na carreira, a perda de Garrinchinha, tudo continuava incomodando. "Eu estava completamente sem eixo. Entrei nessa loucura e perdi toda a minha vaidade. Eu custei a ver que o cara era maluco, um desvairado – e que todo mundo estava sendo usado por ele." Suas incursões por esse culto renderam uma história que Elza conta com humor, mas que no fundo foi a chave para ela acordar. "A gente ia sempre para o Central Park cantar, dançar, se misturar com as pessoas... Aí, um dia, o tal cara abriu uma Bíblia e disse algo do tipo: 'Jesus falou pra gente chorar, então vamos todos chorar, quem soltar mais lágrimas vai ser atendido primeiro por ele.' Eu não tive dúvidas, abri o maior berreiro! Foi um escândalo, nem sei de onde caía tanto choro. Acho que era tudo o que eu tinha guardado dentro de mim. Eu chorei, chorei, chorei... até achar que eu tinha ficado cega!"

De repente, como Elza lembra, ela não enxergava mais nada. "Virei pra minha comadre que estava comigo e disse: 'Célia, eu não tô enxergando mais nada.' Fiquei apavorada, pois o homem falou que Cristo iria me ajudar e eu estava sendo castigada! Mas aí minha comadre me deu um sacode e falou: 'Elza, cadê suas lentes de contato?' Eu tinha essas lentes verdes, a única coisa que eu podia usar nos cultos e, de repente, elas tinham pulado pra fora dos olhos — e era por isso que eu não via mais nada. Foi como uma revelação! Saí do parque certa de que não iria nunca mais participar de coisa nenhuma com aquele povo."

Elza nunca se sentira tão desvalorizada. "Em Nova York, eu fiz muita merda, mas eu não tinha noção que estava entrando numa roubada." Como uma confissão, ela conta que até chegou a se casar por lá, numa tentativa desesperada de conseguir um *green card* — um documento que lhe permitiria viver legalmente nos Estados Unidos. "Nem me lembro com quem eu casei. Tudo que eu fazia, nessa época, não tinha valor nenhum. Eu vi o cara, um americano, umas duas ou três vezes, mas isso acabou não dando em nada também. Tudo parecia que estava dando errado."

A promessa daquela temporada em Nova York tinha, de fato, desandado. E a gota d'água para Elza voltar de vez para o Brasil foi uma confusão com uma ideia ambiciosa de levantar dinheiro para fazer uma temporada de música brasileira na cidade. Na lembrança de Elza: "Acabei me envolvendo com as pessoas erradas. Usaram meu nome. Fui com pessoas que prefiro nem lembrar pra vários bancos e lá diziam que eu era uma artista famosa no Brasil... Que eu traria um grande público, que investir na minha carreira era um bom negócio. A grana acabou saindo, mas eu nunca vi esse dinheiro. Fui usada e não tinha mais pra onde ir. Tive que voltar." Em notícias da época, alguns brasileiros que a conheceram em Nova York contam exatamente a história oposta: que Elza teria usado o dinheiro levantado para sumir, que teria deixado a cidade cheia de dívidas e que ela seria processada se voltasse aos Estados Unidos. Mas ela se defende: "Fui enganada! Ficou uma situação muito ruim pra mim. Fiz a mala e vim-me embora."

Elza tomou a decisão de deixar os Estados Unidos imediatamente. Largou tudo — até mesmo a promessa do seu *green card*. "Fugi antes de conseguir o tal visto. Eu não tinha mais sossego. Era tudo junto: grana, solidão... Tinha o lado espiritual também que estava despedaçado. Eu tinha medo e nunca gostei de me sentir assim." A verdade era que ela reconhecia que as coisas precisavam mudar novamente e isso já era um sinal positivo para Elza: "Eu não queria mais aquele inferno, longe dos meus filhos, da minha família, sozinha. Estava muito inquieta, chegava até a ter crises de falta de ar. Eu me perguntava: 'O que está faltando?' Senti fundo a ausência de tudo, de cantar no Brasil, de seguir com minha carreira. Até que um dia eu acordei e, mais uma vez, diante do espelho, me perguntei: 'O que você está fazendo aqui?' Comprei a passagem e voltei de vez. Bye, bye, Nova York."

Como ela gosta de dizer, era a Conceição finalmente dando espaço para a Elza acontecer. "Mais que isso", ela completa. "Era eu, Elza Soares, querendo mostrar para as pessoas que eu estava viva. Muito viva!" Mas qual seria a melhor maneira de mostrar para seu público e – talvez mais importante de tudo – para uma ou duas gerações que só viam Elza como uma figura do passado que ela ainda estava ali, pronta para um novo desafio? Seria necessária mais uma década de desacertos para que ela finalmente pudesse vir com essa resposta.

um tombo, uma saia rasgada e a resposta de quem é dura na queda

quando viu a cor do vestido que tinha sido feito especialmente para ela usar naquele show, Elza estremeceu. "Era lindo, mas era rosa", diz convicta. "Nunca achei graça em vestir nada rosa. Não sei se posso chamar de superstição, mas eu não gosto de roupa desta cor. E quando me trouxeram a roupa para provar, senti uma coisa ruim. Por sorte, os sapatos eram lindos – italianos, chiquérrimos. Quando calcei eles pra sair pronta de casa, já nem me incomodava mais estar vestida de rosa. Era um show pago – alguém tinha fechado a casa de espetáculos, contratado meu show e pedido pra eu usar aquela roupa. Uma noite de rosa? Tudo bem!"

A ocasião era um baile tradicional do Rio, promovido pelo Sindicato dos Jornalistas: "Parece que foi ontem" – uma grande festa a fantasia em que todo mundo ia vestido como nos grandes bailes do começo do século XX. Ainda no quarto, Elza deu uma última olhada no espelho, um look que sugeria uma melindrosa e gostou do que viu. Só seria preciso

Iemanjá e Iansã, Dique do Tororó, Salvador – cidade em que Elza gravou boa parte de seu disco *Do cóccix*.

retocar a maquiagem – o que ela fez minutos antes de entrar no palco. O cachê era bom e ela estaria mais uma vez cantando para uma casa cheia: um espaço na Barra da Tijuca que, naquele setembro de 1999, ainda se chamava Metropolitan. Desde sua volta ao Brasil, na década de 1990, não era sempre que aparecia uma oportunidade desse tipo. Elza tinha mais era que comemorar. Mas alguma coisa dentro dela a fazia desconfiar de que nem tudo iria dar certo.

Duas semanas antes do show ela sentira algo estranho. "Fiquei 15 dias trancada dentro de casa, com medo de que fosse acontecer alguma coisa. Era um pressentimento, não sei dizer bem como aquilo mexia comigo, mas eu saía do meu quarto, ia pra sala, pro banheiro, pra cozinha – era como se tivesse alguém atrás de mim, querendo me avisar que uma coisa terrível poderia acontecer comigo. Eu fazia minhas orações e pensava direto nos meus filhos, pedindo misericórdia, que nada acontecesse comigo. Ou melhor, que, se fosse pra acontecer uma tragédia (mais uma!), que fosse em cima de mim, e não em cima deles, que já tinham sofrido demais. Acho que estava mal mesmo da cabeça", desabafa.

Um dos seus maiores amigos e confidentes na época era seu preparador físico. "Eu adorava o Miro, que cuidava do corpinho de todas as estrelas – e do da Elzinha também", brinca. "Ele era como meu irmão e me colocava pra cima. Eu sabia que precisava malhar pra colocar meu corpo em ordem, e o Miro era minha inspiração. Corria bastante com ele, da minha casa no Leme até o Posto 6 – e, quando a gente estava animado mesmo, eu ia até o Leblon! Eu confiava demais nele e, por isso mesmo, contei pra ele essa minha aflição. Ele me acalmou e disse: 'Não fica assim não, deixa que eu vou contigo no show e te ajudo a ficar calma.' Ele foi um querido, amado. Mas eu continuava preocupada."

No dia do show, não foi diferente: Elza acordou aflita. Quando viu a roupa rosa, só piorou. Mas era mais um trabalho – e isso pra ela é sagrado. Sempre foi o palco que exorcizou seus problemas, e aquela noite, no Metropolitan, seria o melhor antídoto para tudo. "O lugar era longe de onde eu morava e durante todo tempo no carro eu fiquei com aquela sensação ruim. Mais de uma vez, achei que a gente ia bater. Por qualquer coisinha eu gritava 'Cuidado!' – e o motorista dizia assustado: 'O que foi Elza?' Respondia que achava que ele estava indo depressa demais ou que o carro que vinha do outro lado havia passado muito perto do nosso. Eu não sabia o que era, mas eu não estava bem."

Junto dela estavam seu empresário, Edson Gomes, e Miro, seu "guru". "Como ele já me conhecia bem, sabia que, sempre que eu tinha um pressentimento, era porque algo poderia mesmo acontecer. Mesmo sem ele falar nada – e até tentar me tranquilizar – eu sabia que ele estava atento. E eu segurava bem forte na mão dele. Quando chegamos ao Metropolitan, entrei no camarim, vi uma maca, aquelas de primeiros socorros, parada ao lado da porta do meu camarim. Achei aquilo ruim, um mau sinal – e Miro mais uma vez me pediu que eu não pensasse naquilo. Enquanto eu dava os retoques finais, ele veio me trazer uma taça de champanhe, que eu, como sempre, recusei. E logo vieram pessoas me buscar dizendo: 'Tá na hora, tá na hora!' Cheguei na ponta do palco – lembro que tinha um cortinão pesado – e aí, no que a cortina se abriu, aquele canhão de luz veio na minha cara, e eu não sei quantos passos dei, mas caí de lá de cima. Não cheguei sequer a abrir a boca. Cheguei e fui direto pra queda. Apaguei!"

O episódio foi mesmo traumático – e Elza tem dificuldades de se lembrar de detalhes. O próprio momento da queda é motivo de confusão. Na notícia publicada no jornal *O Globo*, de 8 de setembro, "o acidente ocorreu no momento em que Elza cantava a música 'Beija-me', acompanhada da orquestra Tupi". Nos momentos que se seguiram, antes mesmo de ser encaminhada para um hospital, ela chegou a dar entrevistas dizendo que teria calculado mal o fim do palco. O que ficou fortemente registrado na memória de Elza, no entanto, foi a própria queda: rápida, surda, dolorida, inesperada. "Caí no fosso. De longe só escutava todo mundo gritando – a música parou e eu ouvia um monte de vozes ao mesmo tempo. Eu estava assustada e perdi os sentidos. Acordei, não sei bem quanto tempo depois, com uma escada que tinham colocado lá embaixo pra me subir. Tinha um monte de gente em volta que pedia pra eu não me mexer, que eles iriam cuidar de tudo. Eu estava longe, muito longe..."

A sensação física de Elza na noite do acidente faz um estranho paralelo com sua carreira errante ao longo da década de 1990. "Foi um período muito sofrido. A morte do Juninho, mesmo anos depois, ainda doía demais em mim. Meu investimento em Nova York não tinha dado certo — aquela ilusão de que lá fora as pessoas iriam me ajudar e que minha arte ganharia novo reconhecimento? Bobagem! Fazer acontecer lá fora era ainda mais difícil do que aqui. Saí de lá com a impressão de que, se puderem te matar pra tirar alguma vantagem, eles te matam. Ou então te botam na cadeia." Elza diz que se envolveu com as pessoas erradas e chegou aqui, em 1992, determinada a não voltar mais para os Estados Unidos.

"Eu tinha que, mais uma vez, recomeçar tudo. E a única carta que eu tinha na manga era o meu show 'Passaporte'. Fiz mais algumas apresentações — minha neta, Vanessa, filha de Dilma, já era uma adolescente e chegou a subir no palco comigo. Eu fiquei tão feliz de tê-la cantando comigo." Mas, por ironia, a própria filha de Elza não olhava com bom olhos a possibilidade de Vanessa abraçar a veia artística da avó. "Ela já estava entrando na faculdade, fazendo informática, e a Dilma ficou bravíssima comigo. Nós até que tínhamos um bom entrosamento — me apresentei junto com minha neta no Rio e teve até um show em Vassouras. Vanessa também me fazia lembrar do Mané, que era doido com ela — apesar de não terem convivido por muito tempo. Pena que nossa parceria nos shows durou pouco."

Tudo, aliás, durava pouco nesse período. Elza não se sentia estimulada a procurar nada de diferente. Musicalmente também estava mais para reciclar sucessos antigos que para inventar coisas novas. Sem gravadora, sem repertório e sem um empresário fixo, ela estava mais uma vez perdida. "Eu não sei onde que eu estava. Só sei que me sentia muito só. Eu sabia que estava cercada de amor, mas não queria pedir socorro pra ninguém. Sempre resolvi meus problemas sozinha, não ia ser naquela hora que eu iria jogar a toalha. Eu mesma tinha que me reconstruir, eu que tinha que procurar meu próprio caminho – e, se aquele que eu escolhesse não desse em nada, eu teria que lembrar de colocar grão de milho na minha trilha pra que eu pudesse voltar e começar tudo de novo."

Elza gosta dessa imagem – a de reconstrução. "Era como se eu estivesse reconstruindo uma casa, comprando um tijolinho de cada vez." O problema era que, usando a mesma metáfora, ela não sabia onde encontrar esses tijolos. "Não tinha nada que me prendia. Quando me dava na telha, ou se alguém me convidasse pra fazer um show lá fora, eu ia sem pensar. Foi assim que eu passei uma temporada em Paris, mas que também não deu muito certo. Fiz um punhado de shows, mas nada relevante. O que mais lembro dessa viagem é que, quando resolvi voltar para o Brasil, quis passar por Roma antes. Não pra me lembrar do tempo em que morei lá, mas pra rever um grande amigo meu, o Raimundo, que todo mundo me dizia que não estava bem. Ele fazia aniversário no dia 5 de maio, e eu resolvi fazer uma surpresa: marquei minha passagem pro Rio com uma escala na Itália só pra dar um beijo nele."

Raimundo foi uma figura importante desde o começo da carreira de Elza, mesmo antes de ela conhecer Garrincha – antes mesmo de ela gravar sua primeira música. "Ele foi o primeiro gay que eu conheci e foi ele que me ensinou o respeito pelo que é diferente. Ele era uma pessoa maravilhosamente humana, me aproximou da comunidade LGBT, que nem se chamava assim na época, e que representa muito pra mim até hoje. Foi com os gays que eu me fortaleci contra os preconceitos que eu vivia como negra. A gente se entende muito bem – e isso é mais uma coisa que eu devo ao Raimundo. Eu confiava tanto nesse meu amigo que largava meus filhos com ele, quando eu ia viajar. Ali, pelo meio dos anos 1990, eu estava sem vê--lo havia um tempão e fui cheia de expectativa para Roma."

Quando chegou à casa onde ele morava, no entanto, Elza percebeu que a reação da amiga que dividia o espaço com ele não tinha sido de alegria. "Eu sentia que eles estavam tentando me preparar pra alguma coisa. Gay e doente... naquela época, só podia ser uma coisa, né? Eu perguntei se ele estava com AIDS. Eles confirmaram... E eu caí no choro", lembra emocionada. Os tratamentos que tirariam do doente aquele aspecto de sentença fatal estavam ainda longe de serem acessíveis para muita gente. Se hoje é possível um portador do HIV ter uma vida saudável e sem maiores complicações com a medicação correta, na década de 1990 era bem diferente, e Elza sabia o que esperar daquela notícia: Raimundo não tinha muito tempo de vida. "Eu estava sentada na sala, esperando ele chegar e, quando ele entrou, foi um choque. Ele estava muito pálido e parecia tão assustado em me ver quanto eu estava diante daquela figura tão frágil. A primeira coisa que ele me disse foi: 'Você não pode me ver assim.' Mas eu não quis nem saber. Fui logo abraçar ele, mas era um abraço tão triste... foi muito difícil. Falei sem pensar que, se ele quisesse que eu fosse embora, era só pedir, que eu iria. E a resposta veio doída: 'Se você pudesse ir embora, eu preferiria.' Nem dormi lá naquela noite. Voltei pro Brasil no dia seguinte. Pouco tempo depois, eu soube que ele tinha morrido."

Era o segundo amigo querido que Elza tinha perdido para a AIDS. "Primeiro foi o Cazuza", conta ela lembrando seu parceiro de noites ensandecidas nos anos 1980, quando, redescoberta pela geração do rock brasileiro, que estava nascendo, fechou uma parceria "de alma" (como ela mesma chama) com o cantor. "Como me afastei de muita gente, depois que meu filho morreu, fiquei anos sem ver o Cazuza. Acompanhava de longe sua situação, mas aí, numa noite de premiação, logo antes de eu ir pra Nova York, encontrei Cazuza no Copacabana Palace, no Rio. Vi sua figura de longe, sentado numa cadeira, nem me pareceu tão doente. Eu corri pra falar com ele, mas, quando fui chegando perto, ele virou a cara pra mim. Não precisava dizer nada, eu tinha entendido que Cazuza, que já tinha cantado comigo eufórico, com aquela beleza e poesia toda que ele tinha, às vezes até em cima de um piano de cauda, alegre, feliz, iluminado, não queria que eu o visse assim. Não questionei! Sabia que estaríamos pra sempre conectados. E tive certeza disso naquela noite mesmo, quando ele, agradecendo uma homenagem, pegou o microfone e gritou bem alto que um prêmio que deram pra outra cantora tinha que ter sido meu. Esse era o Cazuza de quem eu vou me lembrar sempre."

Mas será que a vida de Elza Soares estava condenada a ser só de lembranças? Num show que fez logo depois desse retorno de Paris (com passagem por Roma), ela vinha sem novidades, tentando pegar carona num modismo: o rótulo "acústico", inspirado pela chegada da MTV ao Brasil, no começo daquela década. Era uma cruel ironia para quem havia começado cantando samba com arranjos bem simples, quase quarenta anos antes. Além disso, uma biografia competente e detalhada, escrita pelo jornalista José Louzeiro – autor de livros que marcaram a narrativa cultural do Brasil, como *Lúcio Flávio: o passageiro da agonia* –, estava sendo preparada e prometia ser um dos tais tijolinhos de que ela tanto precisava para se reconstruir. Ela chegou a declarar para o jornalista José Geraldo Couto, em reportagem para a *Folha de S.Paulo*, que 1995 seria o "ano Elza Soares".

Elza Soares: cantando para não enlouquecer – o título da biografia escrita por Louzeiro – só chegaria às livrarias em 1997. A história de Garrincha, porém, chegou antes que a sua às livrarias – e os 17 anos em que sua vida se entrecruzou com a dele também. Ruy Castro, o consagrado autor de *Estrela solitária: um brasileiro chamado Garrincha* (1995), que já havia estabelecido um patamar altíssimo para o gênero com O *anjo pornográfico: a vida de Nelson Rodrigues* (1992), veio expor, em detalhes muitas vezes incômodos, a ferida que Elza, embora não admitisse, não deixava fechar. "Não me lembro de ter lido o livro todo não, não queria ler. Já tinha dado horas de entrevista pro Ruy e sabia tudo que estaria naquela história. Elza com Mané era um capítulo da minha vida que eu não estava preparada ainda para revisitar. Só falei com ele porque ganhei um bom dinheiro pra dar as entrevistas. Pedi R$ 5 mil reais, que valia uma boa grana naquela época. Não tive vergonha não, pedi mesmo! Eu não queria falar de graça, estava muito cheia do Mané."

A repercussão de *Estrela solitária* foi enorme, e Elza inevitavelmente acabou sabendo de vários episódios do livro em que ela era não apenas uma coadjuvante, mas protagonista. De certa maneira, a biografia que Ruy Castro escreveu sobre Garrincha era uma confirmação daquilo que Elza já dizia desde seu casamento, mas que ninguém lhe dava crédito: era ela quem sustentava a relação, que sofria para reabilitar a imagem do craque decadente e que, derrotada pelo alcoolismo, um dia finalmente saiu de campo levando não só seu amor, mas também seu apoio. Nos ricos detalhes costurados pelo autor de *Estrela solitária*, Elza só não se viu representada no amor maior que viveu com o seu Mané. Dona de um coração sempre inquieto, ela seguia namorando, mas nada muito sério – não queria envolvimento. Era como se, já tendo conhecido o grande amor de sua vida, o que viesse depois, para ela, seria só distração. "Eu não comparava os romances dessa época com o que vivi com o Mané, seria uma injustiça. Mas eu também não era a mesma Elza... o que eu podia fazer?"

Quase dez anos depois de seu último álbum – *Voltei*, de 1988 –, Elza finalmente chega com um novo trabalho: *Trajetória*, pela Universal Music. "Era um disco muito bom, trabalhei com músicos especiais, mas hoje, ouvindo ele, eu sinto que não era a Elza que estava ali." *Trajetória* é apenas uma colagem de coisas que ela já tinha feito durante toda sua vida: muito samba, pitadas de malandragem (como na faixa com título de sentido duplo, "Cuidado, Mané"), arranjos convencionais e pouquíssimas novidades. Era um disco que pretendia ser celebrado como "o grande retorno" de Elza, mas que acabou trazendo mais do mesmo e não entusiasmou. Nem a parceria com Zeca Pagodinho – seu colega dos tempos difíceis no fim dos anos 1980, que em 1997 alcançava o Olimpo do samba – chegava a merecer destaque. Uma versão de "O meu guri", de Chico Buarque, era seu momento mais íntimo – que a remetia não só a Garrinchinha, como ao pai de seu filho, numa interpretação que ela enche de ternura. Mas nada além disso.

Parecia que Elza brilhava mais na passarela que no estúdio. Sua participação como rainha da bateria da Caprichosos de Pilares no Carnaval de 1998 foi aplaudidíssima, especialmente pela energia que passava na Sapucaí, jogando beijos e fazendo o gesto de um abraço coletivo que alegrava até a última fila da arquibancada – sem fraquejar, mesmo em cima de um salto de 15 centímetros. Mas o que estava sendo exaltado ali era, mais uma vez, a imagem de sambista. O que seria um grande elogio, se sua cabeça não estivesse num outro universo musical. "Eu já tinha passado por tanta coisa... Parecia que as pessoas só queriam me ver cantando samba, samba, samba... Eu já tinha brincado do tango ao punk! Me apresentei nas casas mais alternativas de São Paulo – Madame Satã, Aeroanta, Radar Tantã... Eu queria cantar outras coisas, mas não me deixavam."

Se era "a velha Elza" que o povo queria – e o que as gravadoras permitiam –, era isso que teriam. Em 1999, Elza lançou, pela gravadora Luna, *Carioca da gema – Elza ao vivo*, que chamou mais atenção pela polêmica que sua gravadora anterior armou por conta de "Sá Marina", que pelo registro precioso, e hoje raro, de um repertório que homenageava de Lupicínio Rodrigues a Milton Nascimento, passando por Jorge Ben Jor, Caetano, Dolores Duran e Jorge Aragão. Na seleção que tinha feito, Elza havia incluído "Sá Marina", como forma de celebrar o trabalho de seu parceiro de anos, Wilson Simonal, que tinha essa canção como carro-chefe. Porém, a música composta por Antônio Adolfo e Tibério Gaspar estava selecionada para um álbum de estreia de Ivete Sangalo, que havia pouco tempo tinha se separado da Banda Eva. A carreira solo de Ivete, hoje uma das artistas mais queridas, carismáticas e poderosas do Brasil, era a grande aposta da Universal – que, só para lembrar, tinha lançado *Trajetória*, de Elza. Com 5.000 cópias de *Carioca da gema* já prensadas, a Universal embargou o lançamento e exigiu que as novas cópias saíssem sem "Sá Marina".

Elza, que trabalhava então com o selo independente Luna, não teve força para entrar nessa disputa com a Universal. Elegante, declarou em entrevista a Pedro Alexandre Sanches, na *Folha de S.Paulo*: "Não vou ficar brigando com uma colega por causa de uma música. Não prejudico a vida de ninguém, assim como não quero ser prejudicada por ninguém. Investi meu próprio dinheiro e parei tudo". Ivete respondeu com a mesma elegância, se solidarizando com Elza e, finalmente, convencendo a Universal a liberar "Sá Marina". Mas também não foi esse o disco que traria Elza de volta. Ela, que sempre tinha sido uma mulher de seu tempo, parecia seguir outra tangente, longe do que estava acontecendo. Tão longe quanto as vozes que ouvia a caminho do hospital Lourenço Jorge, depois de sua queda do palco no Metropolitan.

Uma foto daquela noite mostra Elza entrando numa ambulância ainda maquiada e com os cabelos quase arrumados, como se houvesse mesmo terminado o show. Já havia um tumulto quando chegou no pronto atendimento do Lourenço Jorge – e Elza, que oscilava entre a lucidez e o delírio, sentiu muito medo. "Eu não tinha dor, não, curioso. Na hora da queda, sim, mas no hospital eu não me lembro de sofrer com isso. Mas as imagens eram fortes, assustadoras. Eu tive a sensação de que me botaram numa mesa fria, sem roupa. Eu tinha a sensação de que tinha muita gente em volta de mim e fiquei com vergonha. De repente, olhei pro lado e tinha um cara com a cara toda aberta, todo ensanguentado – horrível. Acho que depois disso me sedaram e, quando eu vi, já estava no Riomar, fazendo tomografias e outros exames."

Nesses primeiros momentos, depois do acidente, apesar do trauma — ou talvez até por causa dele —, Elza não sentia dor. "O que era mais forte era aquela sensação de estar longe de tudo. Só quando acordei no segundo dia é que as costas começaram a doer. Eu estava meio grogue por causa dos remédios, mas lembro que a primeira pessoa que vi foi o Luiz Vieira, cantor maravilhoso que sempre foi muito meu amigo, lá de Copacabana. Ele era meu vizinho, eu tinha, e ainda tenho, um carinho enorme por ele. Quando o Luiz me viu, começou a chorar demais. E aí eu achei estranho — comecei a desconfiar de que as coisas estavam mesmo ruins pro meu lado. Ele veio me abraçar, ainda chorando e, quando me mexi na cama, senti meu corpo esquisito."

Essa sensação de estranheza piorou quando Carlinhos, seu filho mais velho, chegou ao hospital. "Ele desabou num choro na minha frente. Olhou pra mim e disse: 'Mãe!' E eu sabia que, quando ele me chamava de mãe — 99% das vezes ele me chama de Conceição —, é porque estava realmente preocupado comigo. 'Mãe' era só para as situações em que a coisa estava braba mesmo — eu sei disso porque ele sempre foi e sempre será o filho mais agarrado comigo. Mas ninguém me falava ao certo o que estava acontecendo. Foram dois, três, quatro dias no hospital — e eu comecei a desconfiar que estavam me escondendo alguma coisa."

Para tranquilizar Elza, as enfermeiras falavam que aquele tempo de estada era normal. A queda havia sido muito forte e ela precisava de um repouso. O que nem de perto tranquilizava a paciente. "Tinha radiografia todo dia, toda manhã eu entrava naquele tubão pra fazer imagens da minha coluna. Parece que tinha uma mancha preta ali, lembro de ver alguma coisa assim, e eles não queriam me liberar enquanto não descobrissem o que era aquilo. Tinha um médico que era muito bom e carinhoso — uma pena eu não me lembrar seu nome. Foi ele que insistiu pra que eu, aos poucos, tentasse andar." Naqueles primeiros passos, Elza ainda sentia muita dor, mas nada que apavorasse alguém que já tinha enfrentado tantas dificuldades. Menos de uma semana depois de ter sido internada, ela já estava em casa. "Eu tinha duas enfermeiras que me ajudavam, porque eu ainda precisava de cuidados. Tudo doía ainda, mas eu não podia deixar de andar porque o meu maior medo era ficar definitivamente longe dos palcos."

A aflição principal de Elza, naqueles dias depois do acidente, era de que ela não pudesse participar de um megashow em Londres que estava planejado para novembro. "Since Samba Has Been Samba" ("Desde que o samba é samba") era uma extravagância musical, idealizada para marcar, na capital inglesa, os 500 anos do Descobrimento do Brasil. Uma organização chamada Brazilian Contemporary Arts fechou o prestigioso Royal Albert Hall para um concerto beneficente em prol das crianças de rua do Brasil e preparou um show de megaestrelas: Gilberto Gil, Caetano Veloso, Gal Costa, Virgínia Rodrigues, Chico Buarque e, claro, Elza Soares. Ela tinha que ir. "Eu tinha que vencer aquela dor! Tinha que me recuperar, focar na minha saúde. Eu tinha até medo de ler as reportagens que falavam do meu estado, de como eu estava me sentindo, porque era tanto exagero que eu começava a me sentir péssima. Fizeram um estardalhaço tão grande... A sensação, como as pessoas me contavam, era a de que tudo tinha acabado e que eu ia ficar na cama pro resto da minha vida, não ia nunca mais subir num palco."

Errou quem apostou nesse destino: numa sexta-feira fria, Elza estava lá, no meio de um dos palcos mais famosos do mundo, brilhando no elenco de "Since Samba Has Been Samba", numa performance que o então crítico do jornal *The Telegraph*, Mark Hudson, chamou de "um coquetel explosivo de Tina Turner, Celia Cruz, Eartha Kitt e Lulu", misturando nomes consagrados que iam de Cuba (Cruz) ao próprio Reino Unido (Lulu). "Quando Gilberto Gil se juntou a ela para um tema de futebol neoafricano, o teto até se levantou", escreveu ele. Para Elza, o veredito era claro: ela tinha passado em mais um teste. O ritmo de sua agenda precisou diminuir, já que ela estava tentando se poupar. Mas sua "caravana", que novamente começava a pegar fogo, ia em frente.

Aquela previsão de que 1995 seria o ano de Elza parecia se realizar finalmente – só que com cinco anos de atraso. O tão esperado ano de 2000 chegou com expectativas para o mundo todo, mas, para Elza, já estava trazendo frutos. O primeiro deles, totalmente em sua homenagem: *Crioula*. Criado por Stella Miranda, com Zezé Polessa e Elisa Lucinda se revezando no papel principal, ela finalmente recebia um reconhecimento numa forma de arte que foi também praticamente seu batismo nos palcos: o musical. "Fiquei tão emocionada na estreia, especialmente naquela cena em que vi o Mané no chão", lembra Elza. No espetáculo de Miranda, Elza reviveu não só seu amor por Garrincha, interpretado por Tuca Andrada, mas todo seu passado de pobreza. "Não tinha como não chorar. Mas teve também um momento no mínimo curioso, quando eu subi no palco para cantar a música que Chico fez para mim."

Royal Albert Hall (Londres), onde Elza se apresentou, em 1999.

Elza se refere a "Dura na queda", uma canção inédita de Chico Buarque, que ele tinha deixado de fora do álbum *As cidades*. A ideia nasceu do reencontro de Elza com Chico no Royal Albert Hall: algumas semanas depois de eles terem dividido aquele palco, o produtor de Elza, na época, José Gonzaga, e Stella Miranda foram pedir a Chico uma composição para *Crioula*. Como conta Roberta Oliveira, numa reportagem de dezembro de 1999 do *Globo*, Chico lembrou-se de "Dura na queda", que ele não se sentia à vontade para cantar, mas que parecia ter sido feita para Elza. "Aquela letra tinha, sim, tudo a ver comigo. Ela dizia: 'Bambeia, cambaleia, é dura na queda' – aquilo era a minha história. Era linda demais." Os versos finais, então, pareciam mesmo terem sido feitos sob medida para ela:

"Vagueia, devaneia, já apanhou à beça
Mas pra quem sabe olhar
A flor também é ferida aberta
E não se vê chorar."

"Era a minha vida ali na música e no palco também, meu pai, minha mãe, meu filhos, meu Mané, a miséria e a dificuldade que tinha sido o meu começo – tudo estava representado ali. E, quando o espetáculo terminou, foi uma comoção." A plateia do Teatro do Centro Cultural Banco do Brasil se levantou em peso para aplaudir não apenas o que tinha visto no palco, mas a própria mulher que havia inspirado tudo aquilo. "Era bonito à beça e eu tive vontade de subir ali pra cantar com eles. Fui! E quando eu estava na escada, não é que minha saia, que era bem justa, rasgou? Era outra coincidência com a letra do Chico, que dizia: 'Perdeu a saia, perdeu o emprego, desfila natural'. Rimos muito disso, eu e todo mundo que estava ali assistindo."

O tema de Chico era um retrato tão perfeito que Elza não resistiu à ideia de pegar o título da música para batizar também um novo espetáculo, que ela estreou em abril de 2000 – não sem antes provar para o Brasil todo que estava com a saúde (e especialmente a coluna) recuperada, puxando o samba daquele Carnaval para a Acadêmicos do Cubango, de Niterói, e desfilando pela União da Ilha na Sapucaí. De fato, parecia tudo em cima para a estreia de *Dura na queda*. Impulsionada pelo título que havia acabado de ganhar: eleita em 1999 "a melhor cantora do milênio" – atribuído por ninguém menos que a BBC de Londres – Elza entrava numa fase muito fértil, sendo cortejada não apenas como uma grande dama do samba, mas como uma artista que sempre procurava inovar.

O talentoso e criativo cenógrafo e artista visual Gringo Cardia, que já havia deixado sua marca em *Crioula*, interessou-se em dirigir *Dura na queda*. A ele, juntou-se José Miguel Wisnik, músico, compositor e também ensaísta, sempre ligado à vanguarda da música produzida no país desde os anos 1970. A química entre esses três talentos não poderia ter funcionado melhor. "Eu sempre tenho os paulistas do meu lado", brinca Elza se referindo a Wisnik. "Quando ele me chamou pra mostrar seus trabalhos, dizendo estar interessado em trabalhar comigo, eu já sabia que dali só poderia sair coisa boa. Eu tenho muito a agradecer ao Wisnik." Com a direção musical do violonista Josimar Carneiro, Elza escolheu um dos melhores repertórios que havia apresentado até então: de Zeca Pagodinho a Jackson do Pandeiro, de Caetano ao próprio Wisnik. E Chico, sem dúvida: "Eu cantava aquela música 'Dura na queda' com uma alegria que eu não tinha há muito tempo."

Até o coração de Elza ia bem. Num jantar em sua casa, um amigo havia lhe apresentado um garoto de 25 anos chamado Anderson Lugão – e foi paixão fulminante. Como não acontecia desde seu envolvimento com Garrincha, a imprensa debruçou-se sobre a vida sentimental de Elza, explorando, claro, a diferença de 47 anos dos dois. Com Anderson, ela criou não só uma parceria musical instantânea: ele também foi responsável por apresentar a ela a cena eletrônica, o hip-hop carioca e toda uma geração nova que estava revitalizando a música brasileira.

A plataforma para uma reinvenção estava pronta: a modernidade sofisticada de Wisnik com a contemporaneidade trazida por Lugão. O disco que anunciara (mais uma vez) seu renascimento, *Do cóccix até o pescoço*, ainda levaria dois anos para ficar pronto. Mas o caminho estava traçado. "Depois de 50 anos de carreira, eu não queria mais fazer a mesma coisa. Eu não queria ficar reciclando o samba que eu já tinha explorado tão bem. Tinha que olhar pra frente, descobrir outras coisas, usar minha voz de outras maneiras. Eu estava buscando."

Mas havia um aspecto da sua vida que ainda a incomodava – algo que ela fazia questão de não demonstrar: as dores na coluna haviam voltado. Elza, sempre vaidosa, resistia a dar atenção ao assunto. Os analgésicos faziam parte da sua rotina. Ela tinha uma bengala, mas raramente a usava. Cadeira de rodas também, só em último caso. Por insistência dos médicos, começou a usar um colete ortopédico, mas o incômodo – físico, estético e até psicológico – era enorme. Quando se preparava para uma nova apresentação em Londres, na celebração do seu título de "cantora do milênio", o mesmo colete passou a ser um fantasma. Elza chegou a viajar com ele, mas, como contou em entrevista a Álvaro Machado para o Uol, em 2001, abandonou a armação pesada antes de entrar no palco: "Tirei por minha conta o colete, quatro meses antes do que devia. Depois quase desmaiei de dor no camarim, porque ainda não estava curada."

Foi uma noite de dor, mas também de realização. Assim que foi anunciada a escolha dela como uma das vozes do milênio, Elza fez um show, ainda em fevereiro de 2000, no hotel Glória no Rio, que foi transmitido ao vivo pela BBC. Ela havia entrado para uma seleta lista de talentos musicais do mundo todo – que incluía Wynton Marsalis e Ladysmith Black Mambazo. Naquele momento, ela queria celebrar o título com o público inglês e, por conta disso, fez uma apresentação delirante no Shepherd's Bush Empire, misturando seu repertório de *Dura na queda* com alguns sucessos antigos – acompanhada de uma banda modesta de sete músicos, sendo três percussionistas

Show de Elza Soares, em Brasília.

do AfroReggae, da comunidade da Maré, com quem estava fazendo trabalhos sociais, resgatando esses garotos das drogas ao oferecer a arte como alternativa. Elza voltaria para o Brasil coberta de críticas extasiantes. E, entre os incômodos do corpo e a alegria da alma, Elza, claro, escolheu a segunda opção.

Depois do terrível sofrimento no camarim em Londres, era como se as dores tivessem desaparecido. Ela estava tão bem que chegou a aceitar o convite para um espetáculo de dança em 2001: *Folias Guanabaras*, de Ivaldo Bertazzo. O coreógrafo paulistano havia décadas já fazia um trabalho com o que chama de "cidadãos dançantes" – pessoas que descobrem os movimentos a partir do seu cotidiano. Ele viu em Elza uma figura poderosa para o musical que montava com adolescentes do Corpo de Dança da Maré, no Rio de Janeiro. Ao lado de Seu Jorge, que começava a despontar como uma estrela solo, esculpida na banda Farofa Carioca, e da atriz Rosi Campos, Elza encarnava uma deusa poderosa, que hipnotizava a plateia logo de cara, cantando o clássico samba-enredo "O mar". DJ Dolores, um dos mais interessantes renovadores da música brasileira, naquele começo de século, conduzia a trilha sonora.

Em outro número memorável, fazia, junto com Seu Jorge, uma releitura de "A cidade", de Chico Science & Nação Zumbi, que era quase uma reinvenção da música. E, se seu corpo permitisse, até dançava. "Ivaldo é tudo! Ele me fazia cantar com meus movimentos. A princípio eu havia sido convidada só pra cantar no *Folias*. Mas com o Ivaldo todo mundo tem que interagir, né? Não era só ficar parada na frente de um microfone. Era lindo ver aquelas pessoas dançando, e eu ia junto."

Mas o melhor saldo de *Folias Guanabaras* foi a intimidade que Elza criou com Seu Jorge. "Aquele homem majestoso, desfilando comigo pelo cenário, eu fiquei encantada", confessa. Não que seu coração tivesse balançado. O namoro com Anderson, a quem ela já se referia nas entrevistas como "marido", continuava firme. Mas, sempre de olho nas tendências musicais, foi na fonte de Seu Jorge que Elza buscou inspiração para seu disco que já estava sendo preparado com José Miguel Wisnik.

Elza estava pronta e fez um disco totalmente diferente dos que tinha gravado até então – aliás, diferente de tudo que se vinha gravando naquele começo de século XXI. "Boa parte de *Do cóccix até o pescoço* eu gravei em Salvador e me lembro de um dia, numa das últimas sessões, sair pela porta do estúdio e dizer pra mim mesma: 'Esse disco me representa!' Eu queria até que fosse um pouco mais atrevido, mas pra quem estava há tanto tempo infeliz com o que gravava eu achei que ali eu estava passando o recorte que eu queria passar. Eu tinha uma voz, eu tinha o que dizer. E tudo estava ali pra quem quisesse ouvir."

Talvez a faixa mais simbólica *Do cóccix* seja sua regravação de "A carne". Originalmente lançada pelo Farofa Carioca, a composição de Seu Jorge, Marcelo Yuka e Ulisses Capelletti vinha como um soco na voz de Elza. A mensagem sempre foi forte:

"Mas mesmo assim
Ainda guardo o direito
De algum antepassado da cor
Brigar sutilmente por respeito
Brigar bravamente por respeito
Brigar por justiça e por respeito
De algum antepassado da cor
Brigar, brigar, brigar, brigar, brigar
A carne mais barata do mercado é a carne negra..."

Mas, com Elza, a impressão era a de que os versos engajados haviam encontrado sua porta-voz ideal. "Um dia, encontrei Seu Jorge, num show, num Sesc, que se chamava *Balaio*. Falei pra ele que queria gravar 'A carne', e Seu Jorge gostou da ideia. Era uma música meio marginalizada, e ele me deu sua benção, disse que eu poderia fazer o que quisesse com ela – e que Yuka também se sentiria honrado de eu ter escolhido a faixa. Mas eu falei: 'Eu vou gravar do jeito que eu quero, com meu filtro, pode ser?' Seu Jorge riu pra mim e eu sabia que ele tinha me entendido. 'A carne' é forte, mas não tinha tido grande repercussão. Eu não achava que era música só pra um grupo de pessoas ouvir. Era pra todo mundo abrir bem o ouvido e me escutar gritando que a carne mais barata do mercado era a carne negra. Mais do que nunca, eu sabia o que queria."

Aquele sonho de cantar sozinha no estúdio o que lhe viesse à cabeça parece ter sido plenamente realizado na faixa *pot-pourri* "Quebra lá que eu quebro cá": sete minutos de percussão e improvisos geniais. "Dura na queda" abre o álbum como uma estridente comissão de frente. Caetano mais uma vez foi generoso em presenteá-la com "Dor de cotovelo" – de onde sai o verso que dá título ao trabalho. Há reencontros felizes com Jorge Ben Jor ("Hoje é dia de festa") e Luiz Melodia ("Fadas" – que, com seu arranjo surpreendente inspirado no tango, faz, numa piscadela de olhos ao passado, uma referência aos tempos em que cruzou com Astor Piazzolla). "Wisnik me deu ainda uma música linda, 'Flores horizontais', que paixão", lembra Elza se referindo aos versos de Oswald de Andrade (do poema "Oração do mangue") que Wisnik adaptou. E, sobretudo, tinha muita alegria nesse trabalho – e, se alguém duvidar disso, é só ouvir mais uma vez a animada "Eu vou ficar aqui", onde o reencontro de Elza com Arnaldo Antunes, que conhecia desde os tempos dos Titãs, dos anos 1980, ganha o ritmo do Funk Como Le Gusta.

"Eu estava ali celebrando a vida. Era isso que eu queria. No *Cóccix*, eu apresento os sons eletrônicos na minha música. Chega de lançar discos que não faziam diferença. Eu nunca quis ser assim, não ia ser a essa altura da vida que eu iria pensar diferente. Mexi em tudo. E não queria mais parar de mexer." Havia uma sensação de plenitude, que só não era completa por uma questão interna que nunca tinha sido bem resolvida. Sua maior preocupação do passado, a estabilidade dos filhos, era algo que já estava superado. "Eu já podia comprar comida para os meus filhos", brinca se referindo a eles como se fossem crianças – apesar de todos já serem adultos, com suas próprias famílias. "Mas quando é que os filhos deixam de precisar do carinho das mães?", pergunta Elza com ares de filósofa.

"Eu ligo pra eles todo dia, até hoje. Durante muitos períodos da minha vida, sei que fiquei distante deles. Especialmente do Gérson, que foi adotado pelos padrinhos. Eu sempre tentei trazer ele pra minha família, cheguei até a oferecer trabalho a ele, que ele trabalhasse comigo. Não deu certo. Dos filhos, é a relação que vem com menos carinho, mas eu entendo... Os irmãos, Carlinhos e Dilma, ligam sempre pra ele, insistem em falar... Eu chamo Gérson para as festas aqui de casa, mas sei que é difícil, eu entendo o lado dele", desabafa. "Uma vez, ouvi dele algo que me deixou com muita raiva. Ele estava conversando com outras pessoas na minha casa, e ouvi ele questionando por que eu não tinha dado o Carlinhos nem a Dilma nem o Gilson pra ninguém – assim mesmo. 'Ela esqueceu de mim', disse ele. Fiquei furiosa, porque percebi que nem passava pela cabeça dele a dor que foi entregar aquele papel de adoção, que os padrinhos me obrigaram a assinar, ao juiz. Mais de uma vez, depois que eu já tinha dinheiro, tentei trazer ele de volta pra mim. Imagina só: um dia peguei uma Mercedes que eu tinha comprado, pra me exibir, fui até a casa deles pra visitar o Gérson e falei: 'Agora, eu quero ele, agora eu posso sustentar meu filho.' A resposta: 'Ele não é mais seu filho, a gente não pode simplesmente devolver ele pra você.' Como eu sofri... Mas ele já estava muito enraizado mesmo, não tinha muito o que fazer. Eu só podia tentar diminuir seu sofrimento."

Mesmo em momentos de sucesso, com tudo na carreira e na vida pessoal dando certo, como naquele início dos anos 2000, esse era um tema que ela não tinha ainda resolvido bem. E nem sabia se seria capaz de resolver: "Só recentemente senti que eles me retribuíram todo o amor que eu dediquei a eles – menos o Gérson, que não dá o braço a torcer. Meu Deus, como é difícil falar disso. Eu acho que eles me culpavam um pouco, sim, pela vida que tiveram. Mas eu sempre tive esperanças de que eles entenderiam tudo no futuro. O que eu carreguei comigo a vida toda foi essa ideia de que meus filhos não tinham culpa de estarem aqui no mundo. Fui eu que trouxe eles para este mundo. Quem pariu, fui eu. Eu sou a mãe, a mulher forte que tinha que se virar, que tinha que ser o exemplo."

O curioso é que ela estava prestes a se tornar bem mais que esse exemplo que ela tanto desejava ser – não só para sua família, mas também para gerações que começavam a descobrir sua história fantástica. A revolução *Do cóccix* já estava se desenrolando, nos palcos, nos iPods, nas mentes de quem tinha ouvidos para receber a sua arte. E esse era só o primeiro salto para Elza chegar a um destino muito perto do infinito – e se transformar na mulher do fim do mundo. Quem sabe até em Deus...

uma Elza, mil mulheres, do princípio ao fim do mundo

já tinha passado da meia-noite e eu ainda estava esperando para falar com Elza Soares. Dia 18 de março de 2016, o Circo Voador, à sombra dos Arcos da Lapa, lotado para ver Elza desfilar, quase que música por música do sucesso chamado *A mulher do fim do mundo*, que aquela plateia – em sua maioria composta de fãs que não eram nascidos nem quando seu primeiro neto nasceu – sabia de cor. Não era a primeira vez que ela cantava esse repertório para o Rio. Mas, com a mesma animação de crianças que pedem para ver seu desenho animado preferido infinitas vezes, aquele público esperava por sua diva como numa estreia, com uma excitação quase palpável.

Mesmo quem já tinha conferido aquele show lá voltava como numa peregrinação. Para mim, porém, tudo era novidade. Eu já havia escutado o álbum centenas de vezes, repetido seus refrões num múltiplo desse número e estava ligeiramente ansioso para ver Elza no palco. Ou ainda, para encontrá-la antes disso, no camarim. "Você tem que escrever a história dessa mulher", me disse Horácio certa vez, um colega de longa data com quem tenho

Elza Soares, no show *A mulher do fim do mundo*, março de 2016.

uma amizade construída em incontáveis bastidores do rock, pop, samba, funk, glam, rap, soul – e agora Elza, de quem ele fazia a divulgação. Foi a primeira vez que brinquei com a ideia – uma brincadeira que acabou me levando ao centro gravitacional de uma história de vida única, poderosa e inspiradora, que pelos dois anos seguintes me consumiria como um bálsamo, um refúgio, uma inspiração.

Levaria alguns meses até que Juliano Almeida e Pedro Loureiro – os parceiros de trabalho de Elza hoje, a quem ela não cansa de reforçar sua gratidão – e a Editora LeYa me procurassem para oficializar o convite. Como não ficar honrado ao saber que fui o escolhido, por Elza e pelos envolvidos, frente a uma lista de nomes cotados para escrever esta história incrível? O projeto da biografia, na visão de Pedro e Juliano, estaria cristalizado dentro de um plano de carreira muito maior, à altura do que uma artista como Elza sempre mereceu. Naquela noite, quando entrei no camarim, Elza já estava pronta para mais uma performance. O que encontrei foi sua figura radiante, envelopada numa roupa de couro, justa como uma pele corajosa o suficiente para conter aquelas formas; a peruca, num roxo improvável e desafiador, fazia uma moldura perfeita para os traços pretos e foscos das suas sobrancelhas e do batom; a saia de tranças volumosas aguardava no sofá ao lado para cobrir aquelas pernas, também envoltas em couro, e dar a impressão de que ela se sentaria na enorme cadeira que a aguardava no palco não como mais uma atração do Circo Voador, mas como uma erupção de voz e talento – um prazer que ela finalmente podia gozar. Em questão de minutos, Elza estaria exatamente como nesse retrato que imaginei, gritando: "Me deixem cantar até o fim." Mas, me esperando para um beijo, o que saiu de seus lábios foi: "Zeca, eu te amo."

Seu primeiro truque de sedução para com este que teria a enorme responsabilidade de costurar a narrativa de sua trajetória? Ou simplesmente uma demonstração espontânea de afeto? As duas coisas, conforme fui descobrindo nesses meses de convivência intensa – um adjetivo que para Elza é quase um pleonasmo. Saí inevitavelmente desarmado desse encontro breve para reencontrá-la logo depois, já soberana em seu trono no palco. Um rosário de clássicos instantâneos desfilaria na minha frente. Caetano Veloso chegaria para multiplicar a luz que ela emanava. O público redefiniria e ampliaria a definição de delírio. Mas, quando cheguei em casa, a lembrança mais forte daquela noite era o "Eu te amo", dito por aquela mulher que, diante de mim, numa das últimas entrevistas para este livro, me surpreendeu de novo, dizendo: "Filha de Iansã não acredita no amor."

"Sorte que o amor acredita nela", pensei em silêncio, sem dizer nada a ela. Diante de mim, uma mulher que foi amor por muitas décadas. Como aprendi nessa convivência, essa é uma questão menor – 23 de junho de 1930? 1931? 1935? A idade não importa. Era para isto que eu contaria sua história – apenas para colecionar um punhado de informações que você pode juntar dando um Google? Não, se sua história fosse mesmo contada por mim, teria de ser de outro jeito: de uma forma que ela mesma desarmasse o leitor, assim como me desarmou naquela noite. Quem viesse esperando algo muito certinho levaria uma enxurrada de sensações.

Ainda naquele camarim, percebi que teria de ser assim diante dela. E, com esse pacto fechado, seguimos por um caminho de surpresas e descobertas, onde até os fatos mais conhecidos de sua trajetória ganhavam novas narrativas, novas cores, novos contornos. Foi isso que ganhei esse tempo todo: uma figura icônica da cultura brasileira, que me honrou com a escolha para ser seu biógrafo; abriu sua memória com generosidade para dividi-la com seus admiradores; reviveu as passagens mais alegres e também as mais tristes para que elas tivessem um registro; e revelou-se, então, como alguém que eu achava que conhecia tão bem, mas nunca parava de me surpreender – não pela fofoca fácil, o "segredo" ainda não revelado que temperaria sua vida com um escândalo tolo (mais lenha para as fogueiras do preconceito que ela teve incessantemente de enfrentar), mas pela transparência dos seus sentimentos.

A mulher do fim do mundo, março de 2016.

Sentimentos que vinham à tona quando falávamos de amor, de como uma mulher ainda era capaz de descobrir-se feminina, donzela, amada, garota, apaixonada, após décadas e mais décadas vividas: "Eu tenho dificuldade de aceitar os homens que chegam perto do meu coração. Eu tenho que ter as rédeas de uma relação, se não... não dá certo. Se eu resolvo me entregar, aí que eu me perco. Ele me disse que estava apaixonado por mim. Eu disse a ele que também estava, fiz essa besteira. Retribuí o que ouvi automaticamente, virei refém dessa paixão." O "ele" de Elza é referência a Bruno Lucide, seu último marido, que ela conheceu em 2008, quando passou por Itabira, Minas Gerais, terra de Carlos Drummond de Andrade – nosso poeta maior, autor de versos que, coincidentemente, descreviam com precisão aquele momento de paixão:

"Amor é dado de graça,
é semeado no vento,
na cachoeira, no eclipse.
Amor foge a dicionários
e a regulamentos vários."

O primeiro regulamento do qual esse amor fugiu não era novidade. Assim como na sua relação com Anderson Lugão, a diferença de idade entre Bruno e Elza desafiava as convenções – ou melhor, ampliava esse desafio. Os 47 anos que a separavam de Lugão cresceram para 52, quando ela assumiu o namoro com Bruno. Que logo virou uma união civil. "Foi tudo muito rápido", admite Elza.

Bruno apareceu, exatamente, quando seu relacionamento com Lugão começava a esfriar. Elza viveu esses dois amores numa idade em que as mulheres já não esperam mais a descoberta do amor – e menos ainda do sexo. Como tudo na sua vida, ela quis ser diferente, quis ser livre para se entregar... e até para se arrepender. A vida tinha lhe ensinado a tomar um pouco mais de conta do seu coração: "Depois do Mané, aconteceu uma coisa engraçada: eu não conseguia mais ficar muito tempo com ninguém. Eu não fazia mais aquela força pra esticar uma paixão", explica Elza, se referindo ao casamento com Garrincha, quando ela foi até o limite que aguentou para prolongar a relação. Num amor como aquele, ela não acreditava mais. Mas se, aos 60 e tantos anos, um moço bonito quisesse ocupar seu coração por um tempo curto, que mal teria? Lugão estava ali para isso mesmo!

"Fui eu quem trouxe Lugão para minha vida. O Gonzaga, que era meu empresário na época, convidou ele pra um jantar que dei na casa em que morava, na Barra da Tijuca. Eu já estava meio a fim de me misturar com essa turma do rap e ele veio do Vidigal, onde tinha uma cena interessante acontecendo. Veio uma turma, todos músicos, fizeram umas apresentações bem improvisadas. Aí, pensei: 'Esse cara escreve bem, acho que vou aproveitar esse menino.'" O "aproveitar" de Elza, claro, significava algo mais: "Ele tinha um corpo muito bonito, uma pele muito gostosa... o homem era todo gostoso! Sexo com ele era uma maravilha, meu Deus..."

Em troca de um espaço na sua vida, Lugão contribuiu, de fato, para a carreira de Elza. Como ela sentiu desde aquele primeiro encontro, ele foi a alavanca perfeita para Elza se descobrir ainda mais moderna, não só no disco *Do cóccix até o pescoço*, mas também em *Vivo feliz*, lançado em 2003. Ele responde por duas faixas no trabalho – uma delas, "Rio de Janeiro", em parceria com a própria Elza. "Tive que brigar na gravadora, porque ninguém queria colocar o nome dele. Diziam que eu era louca, que iria me arrepender depois, mas falei que tinha dado a minha palavra, que não era uma questão pessoal, só porque eu estava vivendo com ele. Era um compromisso profissional. Eu dizia: 'Deixa o nome do menino, eu gosto das músicas dele.' Eu tinha prometido, né? Então ficou!"

Além disso, ele vivia chegando com outros projetos, que Elza abraçava com um misto de carinho e curiosidade. Como um curta-

-metragem que eles rodaram em 2003, no qual os dois participavam atuando – *Nevasca tropical*, de Bruno Vianna. O mais importante de tudo, porém, foi que ele se mostrou um companheiro fundamental para Elza na primeira crise de saúde séria que ela enfrentou, em 2007. Durante um dos ensaios para aquele que seria seu primeiro DVD, uma dor estranha tomou conta da sua barriga. Algumas horas depois, Elza estava na mesa de cirurgia, tentando driblar um diagnóstico de diverticulite aguda. Assim que chegou à emergência do Hospital São Lucas, no Rio, a inflamação nos intestinos foi detectada e ela foi imediatamente encaminhada para a operação. As notícias sobre seu estado não eram preocupantes – o médico Bernardo Rangel Tura, que acompanhou o procedimento, tranquilizava repórteres e fãs. Mas ela se lembra bem do susto que levou.

"Fiquei muito apavorada, senti pela primeira vez o limite físico do meu corpo. A queda que eu tinha sofrido anos antes não era nada perto daquela dor, e mesmo depois da operação eu sofri com aquilo." Uma complicação justamente nesse pós-operatório só pioraria sua recuperação. "Eu já estava há dias naquele hospital e não aguentava mais, queria tomar um banho decente em casa. Pedi pra me liberarem, eu já estava bem e queria dormir, pelo menos, uma noite na minha cama, tomar uma ducha como eu gostava – e fui! Estava toda feliz em casa, Miro e Lugão estavam comigo. Mas, quando eu estava embaixo do chuveiro, comecei a sentir que minha pele ardia demais bem onde tinha sido o corte da cirurgia. Me sequei rapidinho e, quando fui me deitar, olhei pra minha barriga e não acreditei no que vi: os pontos abriram e eu estava com todas as minhas entranhas pulando pra fora. Tudo que eu tinha ali dentro saiu."

Elza gritou pelo nome de Miro – que havia décadas cuidava da forma física de Elza e estava acompanhando cada passo daquele pós-operatório. Quando ele chegou, já entrou no quarto com os olhos arregalados. "Ele foi correndo ligar pro médico, pra perguntar o que fazer. Disseram pra chamar a ambulância e, enquanto ela não chegava, que envolvessem minha barriga com um monte de gelo embrulhado numa toalha. Eu devo ter piorado as coisas porque de vez em quando dava uns gritos – não era exatamente de dor, não, mas ardia muito e tinha aquela sensação de que tudo queimava. Não tenho problema com sangue, eu encaro o que tiver que encarar. Mas aquela sensação de ver tudo saindo de dentro de você era muito ruim. Me lembro de gritar pro Miro: 'Avisa às crianças que estou morrendo.' Mas ele me conhecia bem – Miro é alguém por quem nutro uma gratidão enorme – e sabia que eu aguentaria. Ele dizia: 'Só você, Elza! Se fosse comigo, eu estaria morto de verdade!' Era o jeito de a gente brincar e esquecer o que estava acontecendo."

Os paramédicos chegaram e, segundo Elza, também devem ter se assustado com o que viram, porque imediatamente começaram a disfarçar e cantar sambas para animar a paciente – que não estava muito a fim de ser animada, só queria ser socorrida. "Eu acho que eles fizeram aquilo pra eu dar uma relaxada. Ficavam: 'Ô mulata assanhada'... Queriam que eu continuasse um verso que eles tinham começado. Mas eu não conseguia. Um deles falou: 'Vou te botar no meu colo.' Eu disse que estava nua – e ele respondeu que não tinha problema, que ia jogar um lençol em cima de mim, até que eu estivesse na ambulância. E, depois de uns minutinhos, eu estava de novo na sala de cirurgia, e essa, sim, me lembro, foi uma operação longa, de mais de 12 horas. Deu trabalho pra eles colocarem tudo aquilo pra dentro de novo. Fiquei entubada, sentia que todo mundo olhava pra mim com uma cara preocupada, mas eu mesma tinha certeza de que sairia daquela situação sem maiores complicações."

Quem vê a pequena cicatriz, um pouco acima do lado esquerdo da virilha, nem desconfia desse trauma todo. E, ao se lembrar do pós-operatório, a imagem de Lugão volta com carinho. "Ele cuidou muito de mim nessa época", admite. "Foi bastante carinhoso comigo. Ele e o Miro me ajudaram demais, me dando apoio. Eu tenho a maior gratidão por eles por conta disso." Mas não havia carinho que pudesse compensar o incômodo da colostomia à qual ela teve que se submeter para tentar ter uma vida normal, depois da diverticulite. Elza queria voltar a fazer shows – e as gravações do seu DVD, adiadas por conta da operação, tiveram que ser remarcadas. Ela foi em frente, naquelas condições torturantes, se apresentando com uma cinta que maltratava sua pele – a bolsa de plástico que coletava material para excreção direto do intestino foi sua ingrata companheira numa batelada de shows. "É das coisas que eu menos gosto de lembrar", admite Elza, que, em geral, não se deixa assombrar por uma memória. "Eu não tinha nem coragem de olhar aquilo. Tinha um enfermeiro que vinha todo dia e trocava aquele saquinho pra mim – era uma tortura! Não era tanto a dor, não, mas o incômodo de saber que aquilo estava grudado em mim o tempo todo. Foram três meses assim – e ainda teve o DVD no meio. Meu Deus! Eu tinha que disfarçar que estava tudo bem porque aquele show iria ficar gravado!"

Quem vê o registro de *Beba-me*, uma das melhores apresentações de Elza, não faz ideia do que ela estava passando, cantando e sambando naquele palco que lembrava uma gafieira revisitada. Mas, numa entrevista ao jornalista Tárik de Souza, no programa "MPBambas" (2009) – que seria também incluída no livro com o mesmo nome –, Elza se lembrou das gravações, no Sesc Vila Mariana, na capital paulista: "Tendo saído há pouco tempo do hospital, fui pra São Paulo gravar, mas ainda fui com uma colostomia. Me enrolaram no micropore. Toda enrolada, cheia de dores. Resolvi botar uma cadeira no palco. Arranjaram uma cadeira de botequim, daquelas bem de boteco. Eu me escorava na cadeira. Era muita dor mesmo, sangrava, doía muito. Mas, se eu disser a você que não tenho coragem de ver o DVD... E também o CD, ouvi muito pouco, cada hora que ouvia o CD eu me lembrava..."

No fim de maio de 2007, Elza voltou ao São Lucas para retirar a colostomia e fazer uma cirurgia de reconstrução do trato intestinal.

"O meu médico, doutor Cláudio Dorico, estava na dúvida se me operava ou não. Ele queria esperar mais um pouco, dizia que eu era muito agitada, rebelde! Mas eu queria ficar livre daquilo logo." Foi, mais uma vez, uma operação delicada, que a obrigou a ficar 10 dias internada – um tempo longo demais para quem tinha um compromisso profissional importantíssimo a cumprir: Elza havia sido convidada para cantar o Hino Nacional na cerimônia de abertura dos Jogos Pan-Americanos daquele ano, sediados no Rio. Era sua chance de mostrar, não só para o Brasil, mas também para o mundo, que ainda era uma das mais importantes figuras da nossa música. E que estava muito bem de saúde.

Seu corpo entendeu o recado. Em pouco mais de um mês, Elza já estava praticamente recuperada quando, num Maracanã lotado, ela cantou à capela, sem nenhum acompanhamento musical, a letra inteira do nosso hino. "Eu ainda estava toda enfaixada – e com algumas dores. Mas fui assim mesmo, chiquérrima. E me enchi de emoção para cantar aquele hino!" Vestida numa seda amarela, com uma pala aplicada de bordados e brilhos verdes, seus lábios num tom metálico que combinavam com os enormes brincos de argola, Elza soltava a voz emoldurada na gigantesca tocha que ainda não havia sido acesa. O único som que se ouvia no estádio, além do seu cantar e do coro emocionado de quem a assistia *in loco*, era o das águas descendo em cascata ao fundo do cenário. Sabendo que Elza vinha de mais um momento de superação, é impossível não assistir a sua performance também como uma celebração pessoal. Ela estava viva, sim, muito viva. E pronta para renovar tudo mais uma vez.

A começar pelo próprio casamento. Em meados de 2008, Elza já estava desencantada com Lugão. "Ele era um garoto muito bom, não tinha maldade, foi parceiro. Mas comecei a achar ele um pouco imaturo pra mim. Tinha a sensação de que ele queria aparecer demais, e chegou num ponto que falei que não dava mais. Eu fiz isso numa boa, sempre achei que ele tinha mais força que eu. Era melhor eu seguir sozinha." Essa solidão, porém, não durou muito tempo: em outubro, Elza já estava com Bruno. "Eu tinha ido fazer esse show em Minas Gerais, e dei uma entrevista para a TV local. Ele fazia parte da equipe que estava lá e, depois que a gente terminou de gravar, tirou o dia todo para ficar comigo. Foi muito atencioso, disso eu não me esqueço. Depois saímos pra jantar, naquela noite mesmo. E aconteceu: eu abri a porta pra ele. Quer dizer, eu acho que ela estava encostada. O Bruno bateu, e eu abri." Dias depois, Bruno já estava no Rio de Janeiro, sendo fotografado pelos paparazzi ao lado de Elza. Era o retorno de mais um circo da mídia que ela conhecia bem, desde os tempos do Garrincha.

Foi uma transição tumultuada. Lugão não aceitou bem a separação e, nos primeiros momentos do namoro dela com Bruno, houve muita discussão – e, pelo menos, uma cena pública. "Um dia, estou em casa fazendo o cabelo, e a menina que estava lá me ajudando olha pela janela e me diz que está tendo uma confusão lá embaixo", lembra Elza, que a essa altura morava numa cobertura em Copacabana. "Ela gritou: 'Para com isso aí!', e só aí me dei conta do que estava acontecendo. Lugão tinha ido tirar satisfação com o Bruno. Quando eu cheguei na janela, vi aquela cena estranha – os porteiros dos prédios do lado olhando, algumas pessoas em volta, e os dois discutindo. Se entendi mais ou menos, o Lugão tinha aparecido ali e começou a gritar meu nome, e o Bruno desceu pra ver qual era a dele. E virou aquela confusão. Foi minha vez de gritar: 'Vamos parar!' Os dois olharam pra cima com cara de quem tinha feito coisa errada. Mas logo a discussão continuou. 'Eu posso falar porque ela é minha mulher', disse o Bruno. E o Lugão respondia: 'Nada disso, ela é minha mulher'... Mas, antes que o bate-boca esquentasse, Bruno subiu e Lugão foi embora. Eu já tinha dado o recado pra ele, pro Lugão, que tinha acabado, que o amor não existia mais... ele não queria entender."

Era um curioso paralelo com uma história antiga, quando Angelita Martinez foi à Urca brigar com Elza por causa de Garrincha.

Vista de Copacabana, residência de Elza, em 2018.

Portanto, mais uma vez ela não dava importância ao passado – nem longínquo (Angelita), nem recente (Lugão). Elza estava a fim de curtir um novo amor. E, para os fotógrafos, as revistas de fofoca e os blogueiros da vida alheia, que começavam a se multiplicar, o romance era fonte inesgotável de especulação. Se, por um lado, Elza queria passar a imagem de uma mulher de mais de 70 anos que não se intimidava ao expor seu desejo, sua libido e seu sentimento, por outro sofria críticas, quando não deboche, por assumir uma relação tão transgressora. "Eu estava feliz, mas nunca acreditei na paixão dele", revela com certo embaraço. "Talvez seja a minha tal dificuldade em aceitar que posso ser amada." Porém, entre ensaios fotográficos em banheiras de espuma, uma tatuagem que ele fez do rosto de Elza no braço – ironicamente com uma imagem que lembra a capa do álbum *Vivo feliz*, que tinha a forte participação de Lugão – e beijos posados em camarins, houve, pelo menos no princípio, uma troca boa de energia.

"Tinha muito sexo, claro, o que sempre é bom. Mas, olhando hoje, eu nem acho que valeu muito a pena. Me apaixonei, sim, como a gente sempre se apaixona – vira criança, fica meio boba. Bruno era muito bonito, me encantei, não posso negar. Tinha uma coisa máscula, via ele de cueca e me arrepiava. E sua juventude me encantava. Aquele frescor... como eu ia resistir? Sou uma mulher, tenho meus desejos – sempre tive. Eu sabia que isso era uma coisa passageira, mas me entreguei. Foi isso." E, nessa fantasia, teve até um projeto de casamento "de conto de fadas" do qual hoje Elza agradece por ter pulado fora. "A revista *Caras* iria produzir, pra fazer uma grande reportagem – seria capa e tudo. A gente se casaria em Veneza, olha, que loucura! Era uma superprodução, e eu fiquei meio deslumbrada. Como eu era idiota..."

No final, todo o projeto ficou tão grande que eles acabaram desistindo. E Elza também já duvidava se era aquilo mesmo que queria. O que não impediu que o casal se unisse oficialmente numa cerimônia civil. A união dos dois foi oficializada, num evento rápido e caseiro, que Elza lembra sem glamour: "Não existe pessoa que gosta mais de dar uma festa que eu. Mas ali não senti necessidade de celebrar nada. Era só pra constar. Uma prima de Bruno, chamada Sabrina, veio para ser testemunha. Chegou o tabelião, assinamos os papéis e pronto. Eu não estava muito a fim de comemorar nada." Elza entrega que, mesmo ainda num clima de paixão, oficializar aquela relação não era seu maior desejo. Mas era uma maneira de formalizar a parceria – ou pelo menos de legitimar a presença de Bruno em suas empreitadas artísticas. A partir dali tudo era "oficial": Bruno era de fato seu marido. E empresário!

Na primeira viagem internacional que fizeram juntos, ele já estava oficialmente nessa função. E enfrentou de cara um enorme problema. Foi durante uma turnê na Europa no finzinho de 2008. Elza havia acabado de se apresentar em Talín, capital da Estônia, e tinha um show marcado no dia seguinte em Helsinque. "Já estava escuro, e a gente ia na direção do porto pra pegar o navio pra Finlândia. Eu me lembro que estava muito frio, gelado, chovia muito, e isso deixou a neve, que caiu o dia inteiro, bastante escorregadia. Eu podia sentir o táxi que nos levava derrapando. De repente, o carro que vinha atrás não conseguiu frear e veio com tudo em cima do nosso. Bateu na traseira, e eu fui pra frente com toda força. Senti na mesma hora que tinha perdido os dentes tudo de novo..."

Elza foi a única vítima grave do acidente. A produção que estava com ela agiu rápido e imediatamente pediu às pessoas que a esperavam em Helsinque que providenciassem um socorro dental. "Meio atordoada, eu fiquei com pena do Bruno. Desesperado, quando me viu sangrando, ele tirou o casaco pra me cobrir, e eu via que o queixo dele batia de frio. Eu queria falar pra ele que não precisava daquilo, que eu estava bem, mas minha boca doía demais." Eles embarcaram rapidamente, e, logo na chegada do outro lado do golfo da Finlândia, já havia uma ambulância os esperando. "Tinham arrumado um dentista que falava um pouco de espanhol", recorda Elza com um certo humor. "Ele puxava papo sobre o Brasil e eu lá... com a boca durona. Quanto mais ele me enchia de anestesia, menos eu conseguia falar. Mas eu não queria saber de conversa. Queria era cantar, naquele dia mesmo." E assim foi: menos de 48 horas depois do acidente, Elza entrava carregada no palco na capital finlandesa. Ninguém desconfiou de nada. "As pessoas que sabiam do acidente não acreditavam que eu estava lá. E acho até que, por tudo o que aconteceu, foi um show maravilhoso. As pessoas aplaudiram de pé."

Você pode até enganar uma plateia, mas difícil é despistar o próprio corpo. Na volta ao Brasil, seu corpo dava sinais de que também tinha sofrido com o acidente. Elza estava bastante fragilizada, mas

Bruno já tinha planejado uma turnê com o nome de *Sapeca da breca*, que estreou em janeiro mesmo, no Teatro Rival, na Cinelândia. Longe de ser um show revolucionário, Bruno pegou algumas canções *Do Cóccix*, misturou com clássicos do repertório de Elza e saiu com ela rodando pelo Brasil, em shows que iam de um lado a outro do país – tanto em capitais quanto em lugares pequenos ou cidades fora do circuito convencional. Elza chegou a se apresentar em Corumbá (MS), em abril daquele ano.

O corpo seguia reclamando, mas os shows não podiam parar. Em novembro, numa apresentação em Belo Horizonte, Elza, que ainda não dispensara os saltos altos apesar de todas as complicações, sofreu uma torção no tornozelo. Logo em seguida, já estava em São Paulo, dia 15, recebendo o Troféu Raça Negra, numa cadeira de rodas. Um show no Dia da Consciência Negra (20 de novembro) já estava agendado, e os fãs especulavam se ela entraria no palco caminhando – perdeu quem apostou contra! Em dezembro, ela já estava em Curitiba para se apresentar no encerramento de um festival chamado "De bar em bar". Era uma agenda que deixaria exausto qualquer ídolo adolescente. Imagine uma mulher de quase 80 anos!

Mas Elza não parava de produzir. Em meados de 2009, surgiram rumores de que ela viria com mais um disco de inéditas. As pessoas do círculo mais íntimo sabiam de um disco que ela mesma tinha produzido com João de Aquino e Dalva Lazaroni. João, grande violonista, compositor e produtor musical, era seu parceiro de longa data – e até hoje é muito próximo dela. Com ele, Elza fez gravações intimistas, emocionantes, com arranjos simples para violão (dele) e voz (dela). O repertório surgiu de um encontro informal, uma vontade de Elza de, mais uma vez, gravar sem compromissos, levada apenas pela música e pela sua intuição. "Sempre fui muito apegada ao João. Ele é um dos maiores músicos com quem já trabalhei, alguém que eu amo de paixão – e foi com ele que gravei coisas que o Brasil não sabe que existem. São trabalhos em que eu pude fazer o que sempre pedi para as gravadoras, mas nunca fui atendida: eu e um violão, sem muita produção, sem muita preocupação se ia dar certo. Saímos gravando as músicas que estávamos a fim de gravar – foi tudo solto e lindo. Um dia vai chegar o momento certo de todo mundo ouvir isso – e vai ter gente que ficará de queixo caído."

Eu soube disso numa de nossas últimas conversas. Elza se encheu de mistério para falar desse trabalho e pediu que Pedro trouxesse um pen drive no qual guardava algo "escondido", tal qual um tesouro. Poucas pessoas tiveram o privilégio de ouvir Elza cantar clássicos que ela mesma havia escolhido e gravado sem pressa com Aquino. E eu estava ali, na sala de Elza, olhando a praia de Copacabana, no fim de uma tarde de inverno carioca, pronto para mais uma surpresa.

Quando a música começou a sair das caixas de som, Elza fechou os olhos. Eu a acompanhei. Veio então a introdução de "Drão", de Gilberto Gil, mas não como a gente já se acostumou a ouvir. O que eu estava conhecendo ali era uma versão que transcendia o amor da canção original para se tornar um tratado de devoção na voz sem enfeites – mas com que poder! – de Elza. "Tem a ver com aquilo, em que eu estava me buscando", explica num tom misterioso, que revela uma vontade de lançar esse trabalho para o grande público, mas também de escondê-lo como um bem precioso.

Mas, se este disco permaneceria um segredo, a imprensa começava a falar de um outro trabalho, *Arrepios* – que parecia ser constantemente adiado. Primeiro foi prometido para o fim de 2009 – em shows de uma temporada curta que ela fez com o mesmo nome. Com a virada do ano, ficou para março de 2010. E depois foi simplesmente esquecido. Como a paixão que Elza tinha descoberto por Bruno. O romance havia perdido fôlego – e sua carreira estava novamente fora dos trilhos. Embora sua agenda de shows estivesse lotada, numa rotina bastante exaustiva, o dinheiro que entrava era pouco. Sua situação não era boa, e Elza sabia muito bem a quem culpar: "Eu tenho raiva de mim, daquela

Elza que deixou tudo aquilo acontecer. Tinha dia que eu chegava em casa exausta, depois de um show, e encontrava um bando de gente na sala – gente que eu não tinha ideia de quem era. Era mais uma festa. Eu ia direto pro quarto e tentava dormir. Não era a vida que eu queria. Mas eu sabia que estava causando um mal enorme pra mim mesma e que uma hora teria que dar um jeito naquilo."

Seu casamento tinha entrado num piloto automático. Uma produtora que haviam criado juntos, a Pivetz, não ia para a frente. Elza estava num daqueles momentos da sua vida – foram tantos! – em que tinha certeza de que algo estava errado e, ao mesmo tempo, não tinha noção do que deveria fazer para mudar as coisas. Sofria em silêncio – e tinha consciência do seu sofrimento. "O erro foi todo meu. Foram equívocos – equívocos que eu mesma criei. Assumo toda a culpa. Eu sabia que minha carreira estava indo pro fundo do poço. Mas, no meu íntimo, em algum lugar aqui dentro, eu sabia que a Elza tinha condições de mais uma vez se levantar."

Para piorar sua situação, as dores na coluna voltaram com força. "Eu dava entrevistas dizendo que estava tudo bem, mas não estava. A festa rolando na minha casa, som alto, bebida, gente gritando – e eu lá no meu quarto, rolando de dor. Era horrível!" Mas Elza não parava – até porque os convites para shows continuavam aparecendo e Bruno não deixava escapar nenhuma oportunidade de fazer mais dinheiro. Em setembro de 2011, surgiu uma oportunidade de uma miniturnê na Alemanha – acompanhada de Muralha, um DJ que é até hoje seu grande amigo e compadre (Elza é madrinha do seu filho). Coisa rápida, só quatro cidades: Berlim, Colônia, Stuttgart e Hamburgo. A longa viagem até a Europa e mais os deslocamentos por estradas deram a sentença à Elza, quando da sua volta ao Brasil: ela teria de operar a coluna, não poderia ir em frente com tanta dor. Um pai de santo brasileiro, que ela havia conhecido numa das escalas na Alemanha, parecia uma esperança: "Ele fazia cirurgias espirituais, e eu estava tão desesperada que fui até ele. Mas não deu em nada. Voltei pro Brasil pior do que tinha saído."

No seu retorno, havia planos de reformular o show que estava fazendo para se apresentar durante o verão de 2012 – também com Muralha. "Eu queria tocar com um monte de DJs, cinco deles no palco – eles seriam os instrumentos dessa turnê. Ia ser uma coisa muito louca." Mas as dores estavam tirando a energia de Elza. "Fui procurar o doutor Flávio Nigri, que todo mundo dizia que era o melhor. Gostei dele, especialmente de sua honestidade, porque logo de cara ele me disse que a operação, que deveria ser feita nas vértebras da região cervical, teria um risco de afetar minhas cordas vocais." Elza não consegue nem medir o quanto isso a aterrorizava. Sua voz, seu instrumento precioso, com o qual havia construído toda uma vida, ameaçada? A questão era difícil. Com aquela dor, não era possível ir em frente. Tentar saná-la poderia trazer um risco irreversível. "A dor ganhou do medo. Era insuportável. Toda noite eu me olhava no espelho e dizia: 'Eu não aguento mais.' A última coisa que eu queria era parar de cantar. Isso era tão importante pra mim que eu fui pra operação pensando positivo – que nada iria acontecer. Uma sobrinha minha tinha passado por isso, mas eu rezei pra que comigo não acontecesse nada."

Foi uma cirurgia relativamente simples, mas, assim que Elza recobrou os sentidos, a primeira coisa que fez foi testar as cordas vocais. "Acordei e logo gritei: 'Mundo!' Foi a primeira palavra que me veio à cabeça. Quando eu ouvi minha própria voz, foi uma alegria. Eu estava boa do gogó, minha coluna ficaria 100%. Eu já queria voltar logo pra casa e retomar tudo." Mas isso significava também encarar o resto da sua rotina da qual ela não estava nem um pouco a fim. Primeiro, tinha sua carreira, que seguia caótica. Segundo, tinha seu casamento, que não andava bem. Se, por um lado, Elza declarava para as revistas que ele era um marido perfeito, que a carregava de um lado para o outro no colo durante esse período de recuperação – o que era verdade –, por outro ela se sentia extremamente sozinha.

"Eu sentia que não estava no comando e isso era horrível. Tinha dias que eu mal conseguia dormir com as festas lá em casa – festas que não tinham nada a ver comigo." Sua relação com o Bruno, ela tinha certeza, já estava no fim.

"Eu ainda não tinha o Ju e o Pedro na minha vida", explica Elza, fazendo sempre questão de agradecer à dupla que recuperou o prestígio e o reconhecimento de sua carreira nos últimos anos. "Eles foram um presente divino – sem eles eu estaria 'lost in space', como eu brinco sempre." Considerando que ela estava sozinha, ou ainda, mal assessorada, é ainda mais impressionante que um disco como *A mulher do fim do mundo* tenha sido gravado. E mais, que tenha tido tanta repercussão. O estouro deste – que é um dos melhores trabalhos da sua carreira e que muitos consideram um dos melhores discos da história da música popular brasileira – é, em grande parte, resultado do trabalho de Juliano e Pedro. Mas a gênese daqueles sons tão incomuns é quase espontânea, como se o acaso tivesse trabalhado mais do que ninguém para que o talento de Elza encontrasse o frescor de uma nova geração de músicos da cena paulistana. Para esse acaso acontecer, Elza precisaria colocar ordem na casa. E tudo tinha que começar pelo coração.

Elza precisava provar para si mesma que já tinha se recuperado da cirurgia – e a melhor maneira de fazer isso, dentro do seu estilo, era mostrar para todo o mundo que ainda estava sambando e cantando. No Carnaval de 2012, aceitou o convite para ser uma das cabrochas do penúltimo carro da Mocidade Independente de Padre Miguel – que homenageava o pintor Candido Portinari. A "filha" dessa escola de samba, como ela carinhosamente se define, retornaria para mostrar que estava novamente com tudo em cima. E brilhou. Foi disso que Elza precisou para ter certeza de que devia continuar sozinha. "Decidi me separar de Bruno. Seguir em frente sozinha. Amor já não havia mais, e eu sentia que era eu mesma quem deveria voltar a tomar conta de mim. Nunca precisei de homem para nada. Não seria a essa altura da minha vida que isso iria mudar."

Como todas as decisões que tomou na vida, uma vez que ela tinha resolvido, não tinha como olhar para trás. A separação oficial da união civil com Bruno só sairia em meados de 2018. Mas foi nesse princípio de 2012 que ela teve uma conversa difícil com Bruno e decidiu seguir sozinha. "Elza não é para amadores", diz ela num tom sério. Quando ouvi isso na entrevista, achei que ela estava fazendo uma de suas brincadeiras. Olhei para ela com um sorriso que ela, excepcionalmente, não me devolveu. "Pode botar aí: 'Elza é para homens fortes.' E eu ando ruim de achar homem assim — pelo menos para conviver. Do meu maquiador ao meu biógrafo, passando, lógico, pelo Ju e pelo Pedro. Quem quer chegar perto de mim tem que me respeitar — e ganhar o meu respeito. Eu não estava me sentindo respeitada e nem amada. Desse jeito, continuar o casamento pra quê?"

O foco, então, era a carreira. José Gonzaga, que havia sido seu empresário nos últimos anos, navegando naquele esboço de renascimento que o álbum *Do cóccix até o pescoço* sugeriu, já não estava mais com Elza. Bruno ainda respondia por alguns compromissos assumidos anteriormente, mas já era passado. Uma nova pessoa, no entanto, chegaria por acaso, como uma promessa para ajudá-la. Juliano Almeida foi à casa de Elza em março de 2012, para convidá-la para um projeto seu, o "Boteco — A Festa", uma noite de samba e chorinho que sempre homenageava um artista importante. Ela aceitou o convite e ambos combinaram que o evento serviria também como divulgação de um novo show, "Deixa a nega gingar", no Teatro Rival, que ela estrearia duas semanas depois do "Boteco". "Eu adorava aquele show, foi uma catarse, um sucesso enorme. Tinha muito samba, sim, e, em alguns momentos, parecia que eu só estava olhando para o passado. Mas não deixei de dar importância aos DJs, que já faziam parte da minha banda — e de puxar pro eletrônico, que era o que eu mais curtia fazer na época."

Juliano foi ao Rival com um grupo representando um possível patrocinador. Encantados com o que viram, eles quiseram propor um patrocínio a Elza. Conversaram com Bruno rapidamente, nos bastidores, e descobriram que não havia nenhuma ideia de transformar aquilo em CD ou DVD. Ali estava uma oportunidade! Um encontro foi marcado para a discussão da ideia. Seria na casa de Juliano, no Leme, por coincidência, na rua Gustavo Sampaio, a mesma rua em que Elza morava quando Juninho morreu.

Quando Juliano abriu a porta de sua casa, no dia da reunião, pensando que iria encontrar Bruno, deu de cara com Elza Soares: "'Não falei que eu iria tomar conta da minha carreira?' Eu vi que o Ju tinha conversado com o Bruno e, quando eu soube que era uma grana alta, assumi o comando. E, logo de cara, já queria que o Ju viesse trabalhar comigo." Convencê-lo disso, porém, não foi tão simples assim. Juliano tinha receio, primeiro pela responsabilidade – ele já era um produtor cultural de sucesso, mas assumir uma artista como Elza seria alcançar um outro patamar. Segundo porque havia uma certa desconfiança com relação ao próprio patrocínio que estava para sair. Juliano conta que, quando o dinheiro foi finalmente liberado, R$ 700 mil, ninguém lhe apresentou um produto, um show, um disco, nada. Se 2012 acabasse e o valor levantado não tivesse sido usado, eles perderiam tudo.

Foi então que Juliano ouviu Bruno falar de um documentário sobre Elza – o segundo a respeito dela em menos de dois anos. Em 2011, ela já havia sido foco de um belo trabalho – assinado por Izabel Jaguaribe e Ernesto Baldan – com o mesmo título desta biografia, *Elza*. Mas outro filme estava a caminho, *My Name Is Now*, um projeto da diretora Elizabeth Martins. Juliano decidiu canalizar parte desse patrocínio para a finalização do filme. O acordo seria que ela entregasse cópias do trabalho, ainda inédito, para a Halliburton – a empresa patrocinadora – até o fim de 2012. Mas o material que chegou em DVD não foi aprovado pelo cliente, e o dinheiro foi devolvido.

O documentário, eventualmente, estrearia no Festival do Rio em setembro de 2013.

O desacerto de informações desse primeiro esboço de parceria entre Juliano e Elza era mais um sinal de que as coisas não iam bem. A promessa de que ela tomaria conta de seus negócios, de sua carreira, parecia fracassar. Mas sua ausência de tudo tinha uma explicação – e até um nome: Lexotan. "Eu sempre fui muito ruim de dormir. Tem noites que dá quatro horas da manhã e eu estou pensando que são 22h. E, nesse período, eu estava muito tensa, muito nervosa, insegura com tudo. Aí, eu tomei mesmo. Me entreguei mais uma vez às drogas – quer dizer, a um outro tipo de droga, né?!, mas que talvez seja até pior."

É curioso ver como Elza percebia as coisas que estavam acontecendo à sua volta, porém ao mesmo tempo parecia, mais uma vez, impotente diante daquela bagunça. De novo, ela admite que a culpa era do Lexotan. "Eu não sou uma mulher deprimida, nunca fui. Mas o remédio me deixava assim. Eu estava novamente hibernando, num casulo. Via tudo, mas não falava nada. Eu sabia que era o Lexotan que estava me deixando assim, mas, ao mesmo tempo, não tinha forças pra tirar o remédio." Quem via Elza, nessa época, não tinha dúvida de que seu comportamento estava bem diferente do normal. Ela andava sempre letárgica, concordando com tudo, fazendo um show atrás do outro, poucos deles memoráveis. Tudo acontecia por inércia. Ou então não acontecia.

Já separada de Bruno e sem muita direção na sua carreira, Elza levaria quase um ano para contatar Juliano novamente. No fim de 2013, ela o procura e, num encontro, abre seu coração: diz que está sozinha, sem Bruno, e que havia assinado um contrato com Glauber Amaral para cuidar da sua carreira, mas que sentia falta de alguém no Rio, ao seu lado, já que Glauber tinha seu escritório em São Paulo. Juliano ainda achava que era responsabilidade demais abraçar uma parceria com Elza, e foram necessários mais dois encontros até que ele aceitasse uma primeira experiência: acompanhá-la, como produtor pessoal, num show em Salvador. "Ele me disse brincado: 'Vamos usar esse show pra gente namorar, se der certo, a gente casa.' E eu topei", conta Elza.

O namoro quase não deu certo. No dia em que chegaram a Salvador, Juliano perdeu a carteira com seus documentos – e os de Elza! Ele entrou em pânico, imaginando que sua grande oportunidade tinha ido por água abaixo... Mas Elza foi magnânima. "Chamei o Juliano, pedi pra ele colocar a cabeça no meu colo, falei pra ele registrar um boletim de ocorrência, pelos documentos, e não ligar mais pra isso, que tudo iria dar certo." Juliano não acreditou na cena, na nobreza da atitude consoladora (e conciliadora) de Elza – que contrastava com a de outros artistas com quem havia trabalhado. Foi o que o fez finalmente aceitar o convite para trabalhar com Elza. Ah! E os documentos foram encontrados: um taxista que os havia levado até o hotel encontrou a carteira e a devolveu na recepção. Que melhor sinal poderia existir de que a parceria iria dar certo?

Já no início de 2014, os dois estavam juntos. Elza faria uma segunda operação na coluna – desta vez na região da lombar. Era mais simples que a anterior, porém não menos preocupante. Mas Juliano já estava ao seu lado e, com a recuperação rápida, logo começaram a pensar em novos projetos. Havia algum tempo Elza vinha pensando em fazer um show com um repertório só com canções do grande compositor Lupicínio, que a lançara na carreira décadas antes, com a direção do maestro Eduardo Neves. A ideia era trabalhar com uma banda só de músicos jovens e resgatar uma imagem bonita dos tempos em que ela cantava no Texas Bar, quando Lupicínio a abordou com o buquê de rosas: o palco teria o chão coberto de pétalas de rosas, e ela cantaria sentada ao lado de uma mesa com um lindo arranjo.

Então, Juliano assinou o cenário – e foi dele, como o pai da ideia, a tarefa de comprar, toda madrugada, mais de mil rosas para enfeitar o palco do Rival. O esforço foi mais que recompensado: o teatro lotou nas duas semanas de temporada, e logo Elza já estava recebendo convites para cantar por todo o Brasil.

Pedro Loureiro entrou na vida de Elza mais ou menos nessa época. Em maio de 2012, ele a contratara para um show numa casa que era sua, em Belo Horizonte, o Alfândega Bar. Logo de cara, encontrou dificuldades com a produção, mas o show, que por pouco não aconteceu, acabou sendo um sucesso! O problema foi que, antes do horário combinado para Elza chegar, Pedro recebeu uma ligação de Bruno, dizendo que ela não estava bem e que, provavelmente, teria de cancelar tudo. Num novo telefonema, uma hora depois, Bruno disse que Elza não queria deixar de ir e que faria o show passando mal mesmo. Elza entrou no palco já de madrugada, com mais de três horas de atraso, acompanhada de seu afilhado musical, J.P. Silva.

O público, percebendo o esforço e a dedicação de Elza, a aplaudiu de pé, muitos com lágrimas nos olhos. Feliz com o resultado, Pedro não deixou de desconfiar da produção: as demandas chegavam a detalhes como o tipo de champanhe que Elza teria no camarim – um desejo, diga-se, realizado em vão, uma vez que Pedro ouviu da própria cantora que desconhecia a razão da champanhe, pois não bebia. Já se percebiam ali indícios de que as coisas não caminhavam bem, de que havia um certo caos na vida, na carreira de Elza. No fim do show, um gesto que surpreendeu Pedro. Depois de pagar o cachê ao Bruno, em dinheiro, conforme ele mesmo havia pedido, Elza recebeu sua parte e, imediatamente, na frente de todo mundo, distribuiu o que havia ganhado para os músicos. Essa aparente desordem na sua vida prática contrastava com sua força musical, que mais uma vez apontava numa direção inesperada. E rica.

Em dezembro de 2014, ela gravou um DVD desse show em Porto Alegre, no Theatro São Pedro, com produção da própria Elza, além de Glauber Amaral, Rene Goya e Carla Joner. Curiosamente, ele só seria lançado dois anos depois: *Elza canta e chora Lupi* teve de

Elza Soares, em 2015.

esperar o sucesso estrondoso de *A mulher do fim do mundo* para chegar finalmente ao seu público. A hora de Elza sacudir tudo, mais uma vez, estava próxima.

Sua aproximação com os "meninos de São Paulo", como ela se refere até hoje a seus parceiros musicais, ia muito bem. "Acho que foi o Wisnik quem me apresentou pro Guilherme Kastrup e eu acabei ficando muito amiga desses garotos. Dele e do Celso Sim, que eu também amo demais! Eles sempre souberam do meu potencial e me chamaram pra um trabalho que eu nem sabia direito o que era." A princípio, eles queriam uma participação de Elza nos vocais para releituras de samba. "Era algo que já estava ligado à Natura Musical. Eu tinha achado os caras interessantes, musicalmente, vi que ia sair coisa boa dali. Mas também não queria que ficasse nessa coisa só do samba – podia até ser uma releitura, mas lá ia a Elza cantar samba de novo?", brinca.

Foi com essa irreverência que ela fez uma contraproposta para Kastrup e Sim: "'Depois de 50 anos de carreira, eu não quero fazer a mesma coisa de novo. Por que vocês não pensam em fazer uma coisa nova? Eu quero bagunçar, quero fazer diferente, poxa!' E foi aí que eles chegaram pra me apresentar um monte de música inédita e eu comecei a gostar da coisa toda." Porém, quando viu os primeiros resultados daquilo que seria *A mulher do fim do mundo*, Elza estranhou. "Achei que poderia ser uma coisa meio sofisticada demais, sabe aquelas coisas metidas a besta, que ia falar só com um grupinho de gente, mas não chegaria em todo mundo. Mas fui ouvindo mais, fui gravando mais... Senti finalmente que aquilo tinha um potencial e resolvi entrar de corpo e alma naquelas músicas. Quis virar aquilo tudo de cabeça para baixo."

O resultado saiu melhor do que ela esperava. "Ouvi tudo quando ficou pronto, virei pros meninos e disse: 'Esse disco não é pra rodar, não. Esse disco é muito pra esse país!' Eu achava mesmo que ninguém ia entender a loucura que era *A mulher do fim do mundo*. Tinha um pouco a ver com as mensagens que coloquei no disco. Eu queria me mostrar daquele jeitinho mesmo: abusada, atrevida. E eu não sabia se o Brasil estava preparado pra ouvir a Elza falando de negro, de gay, da porrada, da violência. Lá estava eu, depois de tantos anos, fazendo um trabalho inédito. Quem estava pronto para me ouvir?"

Num raro erro de cálculo, o que Elza não previa era que o Brasil estava, sim, prontinho para ouvir exatamente aquelas mensagens, se elas chegassem da maneira correta para o público certo. "Quando o pessoal da Natura ouviu o disco, eles tiveram a certeza de que era um projeto maior – que não era só uma curiosidade musical moderna, mas um trabalho meu, da Elza, voltando com tudo." Mas será que estava mesmo?

Apesar de todo o seu brilho e poder, porém, A *mulher do fim do mundo* correu o risco de naufragar semanas depois do lançamento. Um trabalho tão poderoso como esse teria caído no esquecimento se Elza não tivesse acordado. Com Bruno definitivamente afastado de todos os aspectos da sua vida – inclusive o profissional –, Glauber com os dias contados (ela não renovou seu contrato em maio de 2015) e Juliano, por enquanto, como seu produtor pessoal, sem ter ainda encontrado a motivação maior para assumir a carreira da cantora, Elza estava precisando urgentemente de alguém que cuidasse de seus compromissos. Gonzaga e Juliano tentaram pensar em quem poderia assumir este papel, que num primeiro momento ficou a cargo de Gonzaga, mas durou apenas uma semana. Juliano, então, foi em busca de um nome do mercado. Entra em cena Jorge Eduardo Chamon. "Não foi uma boa escolha", Elza é a primeira a admitir. "Mas eu tinha que ter alguém pra tirar minha vida financeira do buraco. E pra trabalhar o disco que eu achava que era um dos melhores trabalhos da minha vida. Acabou sendo ele mesmo."

Juliano acompanhava tudo de longe. Pedro, que se aproximava cada vez mais de Elza, com ideias de projetos para sua carreira – e com a promessa de uma amizade de confiança –, também assistia a tudo impotente. Sua aproximação, um pouco como a de Juliano, aconteceu devagar. Depois do primeiro show no Alfândega, Elza convidou Pedro para assistir a *Elza canta e chora Lupi* no Net Rio. Pedro saiu de Belo Horizonte e por pouco não viu Elza: Glauber o encontrou na porta do teatro e disse que os convites haviam acabado. Não fosse um pipoqueiro que, talvez emocionado com a expressão de decepção de Pedro, o colocou para dentro, o segundo encontro nem teria acontecido. No fim da apresentação, uma multidão queria falar com Elza no camarim, mas, quando a porta se abriu, Juliano puxou Pedro para dentro – e foi a primeira vez que os três se reuniram. Ficou acertado que, no dia seguinte, Elza o esperaria para um almoço na casa dela.

Como Jorge não era o nome ideal para cuidar da carreira de Elza, numa espécie de ensaio para um começo de relacionamento, ela pediu a Pedro sugestões de outros nomes, e, finalmente, expôs alguns pontos: "Eu te chamei aqui pra me assistir, pra almoçar, e porque você tem um presente pra me dar. Aquele anjo me disse isso." Pedro entendeu imediatamente a mensagem – era uma referência a mais uma visão de Elza que ele mesmo tinha presenciado na sua casa de espetáculos, Alfândega, que ela passara a frequentar desde a noite em que se conheceram.

Elza tinha um círculo de amigos queridos na capital mineira: Vander Lee, Maurício Tizumba, Pedrinho Madeira, Diego, Júlio e Adriana Bemquerer. Gostava tanto deles que, às vezes, saía do Rio, mesmo sem um compromisso específico na cidade mineira, apenas para passar a noite (e a madrugada) com o grupo. Numa dessas vezes, Elza resolveu ir embora um pouco mais cedo e, quando Pedro foi deixá-la no carro, ele a ouviu chamar: "Menino, vem aqui?" Elza segurou na mão dele e perguntou: "Cara, quem é esse anjo de lenço colorido que aparece sorrindo pra mim sempre que venho aqui? Fica sobre a sua cabeça, tem pele clara e o rosto marcado, como se quisesse que eu olhasse pra você!"

Pedro imediatamente entendeu que Elza estava falando de sua mãe, uma figura importantíssima na sua vida, falecida havia pouco mais de um ano. A relação dos dois era muito próxima, de carinho e inspiração – o próprio bar era um projeto em que ela dera toda a força ao filho. O curioso era que Pedro nunca havia falado de sua mãe para Elza, nem sequer mostrado uma foto – e é bom lembrar que esse episódio aconteceu muito antes da febre do Instagram. Mesmo assim, a imagem era forte na descrição de Elza e, segundo ela, Pedro tinha uma missão – o tal "presente" mencionado no almoço e que mexeria com sua carreira.

De volta a Belo Horizonte, Pedro ficou pensando por dias nas palavras de Elza. Semanas depois do almoço, certa noite, Elza ligou para ele e, sem dizer nada, simplesmente cantou: "Você é lindo mais que demais, você é lindo, sim." Elza plantou ali seu (en)canto, e havia muita coisa por vir. Juliano pediu a Pedro ajuda para fechar um show de Elza em Belo Horizonte. Era da turnê *A mulher do fim do mundo*. Eles estavam com dificuldades para encontrar quem bancasse o cachê pedido por Jorge – que então estava trabalhando com Elza. Pedro conseguiu fechar por um valor acima do que era habitualmente negociado. Jorge ficou impressionado com toda a condução e produção do show, tanto que decidiu convidar Pedro para fazer parte da equipe, a princípio como diretor de marketing. Em pouco tempo, Pedro já cuidava não só do planejamento estratégico, como também da imagem da cantora nas redes sociais, que estava abandonada. No Facebook, por exemplo, no lugar de divulgações de shows e artigos sobre ela na imprensa, suas postagens traziam mensagens políticas confusas – e que em nada refletiam o pensamento de Elza. Era preciso uma estratégia maior para uma artista daquele porte. Pedro, antenado com a importância dos discursos e das mídias digitais, começou a trabalhar no reposicionamento da imagem da cantora. Juliano seguia cuidando de Elza. Quando os dois assumissem, de fato, a gestão da carreira da cantora, as estratégias e os fazeres estariam sob a batuta de ambos, numa relação de pura sinergia.

Elza seguia com a determinação e a seriedade que a caracterizam. Dois shows representaram uma grande virada na sua carreira: um no Auditório Ibirapuera, São Paulo, em outubro de 2015; e outro no Teatro Oi Casa Grande, no Rio, em dezembro do mesmo ano. Mas Pedro e Juliano percebiam que a mulher e artista que tanto admiravam ainda estava distante da plenitude que merecia. O estado de Elza era um dos maiores obstáculos a ser vencido. Ela não parava com os remédios (Lexotan) e sua saúde estava muito frágil.

Foi nessa época que *A mulher do fim do mundo* começou a ser indicado para tudo quanto é prêmio, e a partir desse sucesso jornalistas e o próprio público de Elza começaram a perceber o quão transformador era aquele trabalho. Faltava muito pouco para Elza receber o reconhecimento que merecia havia muito tempo. Mas, para isso, era fundamental que ela largasse o Lexotan: "Eu estava afogada em injeções, estava lesada mesmo, tinha plena consciência do meu estado. Nunca deixei de observar tudo. Por isso, quando decidi que não tomaria mais o remédio, parei na mesma hora. Disse pra mim mesma: 'A partir de hoje eu não sou mais Lexotan. Quero parar e vou parar agora'", confessa.

A decisão veio logo depois que Elza optou por não renovar seu contrato com Jorge. Ela finalmente achou que as coisas tinham chegado num limite. Juliano e Pedro assumiram, então, a carreira e a vida de Elza em tempo integral. Um projeto maior começou a ser desenhado, pensando na sua carreira como um todo – em 360 graus. Surgiram não só a ideia desta biografia, mas também a de um filme (em produção); de um musical (que estreou no Rio em 2018 com sucesso e que partiu para excursionar o Brasil); de mais um disco de músicas inéditas; e de tudo o mais que sua energia inesgotável pudesse imaginar. Com ações na internet e noutras redes sociais, Elza renova seu público – boa parte de seus fãs atuais a conheceram agora, pelo sucesso da *Mulher do fim do mundo* – e desmonta de vez as críticas de que sua carreira estaria esgotada. Ela simplesmente renasce. Sim, mais uma vez. E agora é para desafiar até a morte.

E, como sempre, Elza é generosa o suficiente para dividir os méritos dessas mudanças com seus empresários – Pedro e Juliano. Na verdade, para além de uma trajetória profissional bem-sucedida, o que existe é uma parceria com muito afeto e amor. "Quando eles finalmente aceitaram tomar conta de mim, eu falei: 'Agora vai dar certo.' E foi da água pro vinho. Eles que fizeram a Elza ser essa mulher respeitável. Parei de tomar remédios, tenho um disco maravilhoso, dois anjos cuidam de mim e minha família está comigo. Agora as coisas vão acontecer!"

17
quem não tem idade tem o quê?

Central Park, Nova York, 5 de agosto de 2017. No mesmo lugar onde, anos antes, perdeu as lentes de contato e achou que tinha ficado cega pela vontade de Deus, uma Elza bem diferente subia ao palco do Brasil Summerfest para fazer um show que seria aclamado como um dos melhores que aquele parque já vira. "Como uma lenda", segundo o jornal *The New York Times*. Como uma diva, para os que a seguiam por muito tempo. Como um farol para as gerações que a conheceram décadas depois de sua primeira gravação de "Se acaso você chegasse". Como mais um "Z" para este que agora conta sua história – desta vez, de *Zeitgeist*, alguém do seu tempo. Se não o próprio espírito do tempo.

Elza canta soberana. Está feliz! *A mulher do fim do mundo* é um grande sucesso, algo maior do que poderia imaginar. E ela canta sorrindo por dentro. Está sentada, mais uma vez. Já não faz um show de pé desde a turnê de *Do cóccix até o pescoço*, no começo dos anos 2000. A evolução, ou melhor, a degeneração de seus movimentos acontecia ao vivo, nos palcos em que vinha se

Elza Soares, no show *Deus é mulher*, 2018.

apresentando desde o início do século XXI: depois de *Cóccix*, pediu uma cadeira também em *Beba-me*; desafiou o título de um espetáculo chamado *Deixa a nega gingar* e cantou quase todo o seu repertório sentada; na homenagem a Lupicínio Rodrigues, que fez em seguida, conseguiu ficar quatro músicas de pé. Quando chega *A mulher do fim do mundo*, isso não é nem mais uma questão: o palco já se abre com ela em seu trono. Sua vaidade fica um pouco afetada, mas ninguém se incomoda com o que vê. O que conta é o que sua voz vem trazer.

De pé ou sentada, lúcida e forte. Esta é a Elza que todo mundo quer ouvir – e que incendeia o Central Park. "Sabia que eu tive que pagar para fazer esse show?", revela, quando eu pergunto sobre a primeira lembrança dessa performance. Um empresário com quem não trabalhava mais já havia fechado a apresentação quase um ano antes. Recebeu por tudo da organização do festival, mas, segundo Elza, não repassou o dinheiro. "E eu ia perder essa chance de cantar no Central Park? Mandei comprar a passagem, reservar hotel... não era hora de parar a Elza", brinca.

O destino até tentou impedi-la de ir. Na noite em que embarcou para Nova York, o voo AA974, apresentou problemas pouco mais de uma hora depois da decolagem – aparentemente por pane numa das turbinas. Todos os passageiros, inclusive Elza e sua equipe – entre eles Pedro e Juliano –, desembarcaram de volta no Rio. Com isso, sua ida teve de ser adiada. "Eu sempre gosto de chegar adiantada, pra descansar e me apresentar no dia seguinte, mas dessa vez não tinha jeito. Depois do susto, fui obrigada a pegar um voo que me deixava em Nova York apenas horas antes de eu entrar no palco. Fazer o quê? Fui assim mesmo." Mais uma vez Elza acreditava no destino: ela sabia que tinha que cantar naquele festival, que isso seria importante para ela... E conseguiu chegar a tempo.

Não só chegou como encantou – a brasileiros e americanos. O músico David Byrne chegou a declarar à *Folha de S.Paulo* (em entrevista a Marcos Augusto Gonçalves) que vê-la no palco tinha sido "inspirador". E acrescentou: "O que ela está fazendo é inovador e atual. E quando se chega nessa idade, você diz o que quer, não precisa hesitar." Toda a crítica era só elogios. Era como se, depois de uma travessia de vida mais que turbulenta, ela houvesse chegado a uma espécie de consagração. Motivo para se orgulhar, certo? Para achar que está por cima, depois de tanto tempo sendo injustiçada, correto? Não exatamente...

"A pele preta e a minha voz/ Na avenida, deixei lá/ A minha fala, minha opinião" – esses versos ganharam o mundo. O premiado álbum *A mulher do fim do mundo* fez com que Elza e sua equipe viajassem o mundo ao longo de duas turnês pela Europa e duas viagens aos EUA, além de levar o show a dezenas de cidades brasileiras.

"Tem uma coisa que eu sinto, às vezes, que não é bem vingança. Como é que eu posso me explicar? Depois de tudo que eu vivi, com tantos altos e baixos, eu me sinto... não é bem vingada que é a palavra. Mas eu me sinto reconhecida. Ali, no Central Park, eu me senti reconhecida! A música estava linda, o trabalho estava perfeito, músicos maravilhosos, as pessoas que eu amo trabalhando comigo... eu tinha finalmente tudo que queria", confessa. Muito justo. A não ser pelo fato de que Elza desejava ainda mais. Seus guardiões, Juliano e Pedro, que a acompanharam a Nova York, estavam só começando a cuidar oficialmente da sua carreira, mas novas ideias já começavam a surgir. Mesmo com todo o sucesso de *A mulher do fim do mundo* – os prêmios se acumulavam, Grammy Latino, Multishow, Prêmio da Música Brasileira –, ela já estava desenvolvendo um novo trabalho.

"Comecei a pensar em *Deus é mulher* na turnê *A mulher do fim do mundo*. Este disco, como eu falo sempre, tinha sido um susto pra mim. Um sucesso enorme no Brasil, nos Estados Unidos, na Europa... Tenho orgulho de cada faixa que gravei nele e gosto delas como são, fortes. Mas eu sentia a falta de uma música mais dançante. É sério!

O repertório do *Fim do mundo* – que, repito, é bom demais – é muito sério. Eu queria cantar umas coisas que as pessoas pudessem dançar, que todo mundo ouvisse, pulasse e gritasse. Queria deixar as pessoas loucas", diz Elza, quase esquecendo – ou fazendo vista grossa – o estado de loucura beirando a devoção com que contagia o público nos seus shows recentes. Ouvindo aquilo, durante a entrevista, não consegui acreditar que ela não se dava conta da energia que rolava nas suas apresentações. "Não tô falando disso, Zeca", me respondeu, quando eu a contestei. "A vibração estava lá, sei disso. Eu só queria mesmo era gravar um novo trabalho – e queria que ele fosse mais 'pra cima'. Falei isso com o Ju e com o Pedro também, que logo se animaram e procuraram uma gravadora. 'Eu quero mais luz, mais celebração', falei para eles. E dali a algumas semanas, eu estava outra vez com o Kastrup e os meninos, escolhendo novas músicas para um disco que ainda nem sabia que iria se chamar *Deus é mulher*."

No fim de 2017, Kastrup apresentou canções que poderiam corresponder a essa levantada de espírito que Elza queria dar. "Ele me trouxe 60 músicas – isso mesmo: 60! E disse pra mim que eu deveria escolher só dez. Respondi na hora que aquilo era pouco – queria, no mínimo, 12. Acabamos fechando em 11. Isso depois de muito trabalho – meu Deus, tinha tanta coisa boa..." O foco de todas elas era uma mensagem maior que Elza queria passar – e que tinha a ver com conciliação. Uma vida inteira vivendo tantas disputas, testemunhando tantas diferenças... agora ela estava a fim de juntar as coisas, de ser essa pessoa capaz de unir todos. Com sua música. Uma espécie de Deus – mulher.

Com uma facilidade ainda maior que no seu trabalho anterior, Elza gravou *Deus é mulher* em apenas algumas semanas – um nome que apareceu já com o disco quase pronto, pescado de um verso da música "Deus há de ser", que Pedro Luís lhe ofereceu e que ela decidiu, na última hora, incluir. "As mensagens estão todas ali, a começar pelos versos de *Deus é mulher*. Se, a essa altura da minha vida,

Deus é mulher, em 2018. Elza com seus empresários: à esquerda, Pedro Loureiro; à direita, Juliano Almeida.

eu, como artista, não puder dar o meu recado, não faz sentido eu estar aqui. Quando lembro que foram 81 lançamentos de discos... eu posso falar o que quiser, eu sei o que estou fazendo e dizendo, não estou aqui com dois discos na minha história e achando que posso fazer a cabeça das pessoas. Por favor, me respeitem – eu tenho dito", declara. E como tem!

Quando ouvi isso, no nosso último encontro, percebi na hora que estava escrevendo um livro que não tinha fim. Estava prestes a encerrar uma etapa importante do processo – nossas conversas, nossos encontros – e me preparava para escrever este último capítulo, quando fui tomado pela ideia de que a grande questão de construir a biografia de alguém que está muito vivo – e que nos faz duvidar mesmo de que um dia irá morrer – é que não é a vida que coloca um ponto final na sua história. Ela deve seguir aberta, esperando o que outra cabeça como a de Elza quiser aprontar. Digo, oferecer.

Não me refiro ao que a própria vida vai trazer para ela. Sua agenda, seus compromissos, seus projetos – tudo isso segue forte. Quando você virar a última página, pode ter certeza de que a agenda de shows dela estará lotada; haverá um filme tentando capturar sua saga; alguém estará montando uma exposição sobre sua trajetória (pense naquela magistral de David Bowie, mais a emoção da de Renato Russo); um júri já terá decidido entregar mais um prêmio inédito a Elza. O que me entusiasma – e coloca um dilema para o autor – é o que Elza segue pensando. Sua mente não tem fim, ao contrário deste livro. Diante desse dilema, o melhor que posso oferecer é um capítulo final que ao mesmo tempo encerre a nossa história e deixe claro que ela não acabou.

Tento, então, captar o que Elza pensa de vários aspectos da vida, para registrar o que ela vai deixar de tudo que passou. Começando, por exemplo, pelo orgulho que sente de ter nascido no Brasil. "Eu viajava, não importava pra onde, e chegava falando que era brasileira. Eu sabia que estava no quintal dos outros, mas queria estar no meu quintal, pegar meu balde d'água, minha vassoura e lavar o meu chão, com meu trabalho e meu talento. Eu amo meu país! E vejo um Brasil feito por um povo sofrido, mas tão elegante, tão corajoso, que é um absurdo a gente passar por isso tudo. Eu tenho a esperança de um Brasil melhor, de uma gente que sofre, que chora, mas que está com a bandeira na mão. Um Brasil em que a gente seja mais reconhecido, mais respeitado."

E, por falar em respeito: "Você vai atrás dele, o tempo todo. Trabalhando, sendo honesta. Você procura andar num caminho reto, abrindo passagem para os outros virem atrás. Meu caminho mesmo, muitas vezes era fechado. Tinha sempre uma porta me trancando. Mas eu ia em frente – e queria que todo mundo fosse assim. Se pudesse, hoje eu seria mil Elzas, abrindo mil caminhos para quem vier depois de mim não passar pelo que passei. Respeito pra mim é dignidade! E eu quero isso pra todo mundo."

Uma dignidade, que segundo Elza, tem que ser conquistada e reconquistada a toda hora. "Não tá nada resolvido. Racismo? A gente enfrenta todo dia. Tem que gritar mesmo." Pode até sussurrar, mas a mensagem tem que ser forte – como na cena que presenciei num de nossos encontros finais, ao chegar a sua sala. Cantando baixinho, vejo Elza rodeada de sete atrizes maravilhosas: Larissa Luz, Nívea Magno, Késia Estácio, Janamo, Khrystal, Veronica Bonfim e Julia Dias. São elas que interpretam sua diva no musical de sucesso *Elza* – mais uma celebração de seu talento, dirigido por Duda Maia, com direção musical de Pedro Luís, que estreou em julho de 2018. Juntas ali, de frente para a câmera da equipe que as entrevistava, elas murmuravam, quase como que cochichando, aquela música tão conhecida: "A carne mais barata..."

Mas havia uma sutil diferença na letra: o verbo do refrão não era mais conjugado no presente, e sim no passado. "No último ano, quando estava fazendo um show em São Paulo, resolvi mudar o que estava cantando. Foi um choque pra todo mundo e eu sabia que viriam reações fortes. Mas pensei: se eu continuar repetindo o verso como ele era, vou estar reafirmando justamente o que a sociedade quer. Disse: 'Chega!' Minha mãe é negra. Minha avó é negra. Minha voz é negra. Mas ela não é a mais barata do mercado — não mais. Nunca foi. Nunca deveria ter sido. Minha carne é cara, é valorizada. Então, quem quiser cantar comigo agora tem que dizer que a carne mais barata do mercado era a carne negra. Era! Se eu gritar que é, nada muda. Era. E essa mudança tem que começar comigo."

Elza se lembra da escrava Anastácia, uma figura quase mitológica para ela, que sempre é representada com uma mordaça. "Deixaram ela muda quando adulta, mas ela também foi uma criança, como eu. Hoje, eu vejo as crianças com um pouco mais de voz, com todo sacrifício, mas com um pouco mais de liberdade de falar e resgatar o sofrimento de quem é negro. Sou eu falando de mim também, da Elza com a lata d'água na cabeça, da fome que eu passei. Se eu puder ter vindo pra libertar a voz dessas crianças, se eu puder representá--las — inclusive a Anastácia —, já fico feliz. Ela não pôde, mas eu posso gritar — ainda. Ainda me deixam gritar, até quando, não sei. Mas, por favor, Zeca, bota meu grito pra fora!"

Obedeço. Mesmo sendo lembrado, por ela mesma, que a ousadia de dizer o que se pensa já lhe custou muito. Mas, hoje, mesmo que o preço seja alto, ela não quer se calar — por nada, sobre nada. No dia em que a socióloga, política e defensora dos Direitos Humanos Marielle Franco foi assassinada — uma morte, em março de 2018, que chocou o país e ainda não foi esclarecida —, Elza soltou um vídeo dando seu recado. "Pedi pra deixarem ela em paz, pra ninguém usar a imagem dela na defesa dos próprios interesses. São tantas Marielles por aí — e ninguém fala. Eu já fui Marielle. Sei o que é isso. No mesmo dia em que eu soltei isso, recebi uma mensagem dizendo que a próxima vítima poderia ser eu. Era um 'cala-boca' covarde. Mais um, de tantos que recebi na vida. E daí? Eu até me divirto com o fato de as pessoas acharem que eu ainda sou uma ameaça — que o que eu falo ainda pode ser perigoso."

Elza faz uma pausa depois desse breve discurso. Olha para cima. Apoia o queixo nas mãos entrelaçadas com dedos sempre adornados em anéis elaborados (e com unhas longas impecáveis) e retoma: "Ah! Quem diria? A Elza aqui, com mais de 80 anos, é sim uma ameaça. Deve ser porque eu falo a verdade, eu não estou aqui pra espalhar besteira. O que eu digo, o mundo tá vendo e ouvindo – e ninguém tem coragem pra falar."

Seu tom, desafiador e gentil – típico de quem tem do seu lado a sabedoria –, lembrou-me Nina Simone, um ícone da música negra americana que Elza descobriu tardiamente. Comento isso e descubro que ela também é agora uma grande admiradora da cantora norte-americana. "Nossos caminhos são tão paralelos que eu não acredito que demorou tanto tempo pra eu conhecer essa figura maravilhosa." Discutimos, então, o excelente documentário *What Happened, Miss Simone?* e lembramos que um dos depoimentos mais fortes é quando Nina responde a um repórter sobre o que considera liberdade. Depois de divagar um pouco e lembrar que, no palco, se sentia bem livre, ela crava: "Liberdade é não sentir mais medo. Se eu pudesse ter tido isso, pelo menos, em metade da minha vida... Sem medo..." Elza concorda: "Eu sei bem o que é isso. Tive medo lá no começo da minha carreira. As coisas, as pessoas, chegam pra te meter medo. Mas aprendi a meter o chifre, a acreditar mais em mim. Passar por cima disso. Toda a vez que eu baqueava, especialmente nos momentos mais difíceis – como, por exemplo, quando eu perdia um filho, e aí você fica mesmo fragilizado –, eu tinha que ser mais corajosa. Não é fácil. Você anda, tropeça... como quando eu cantei no circo. A vida fala 'vai', só que você não consegue. A gente chora. O medo volta. Mas aí você percebe que essas coisas são pequenininhas e que você tem mais força que elas."

A lembrança de uma das passagens mais difíceis e impensáveis na vida de uma mãe – a perda de um filho – nos leva ao episódio da morte relativamente recente de seu caçula, Gilson, em 26 de julho de 2015. "As pessoas pensam que é mais fácil se despedir de um filho quando ele já viveu bastante. Mentira. É tudo dor. É tudo a mesma dor. A gente sabe que todo mundo tem o mesmo caminho, o mesmo fim. O que não faz com que a vida da gente seja mais fácil. É o único momento da vida em que a gente se torna egoísta, não quer aceitar nada do destino. Eu estava no meio do furacão que foi *A mulher do fim do mundo*, quando ele adoeceu. Era um vai e vem de internações que eu até perdi a conta – e eu vivendo um momento tão importante da minha carreira, que exigia tanto de mim." Como em vários momentos de sua vida, nesse Elza também teve uma premonição.

"Uma semana antes de ele morrer, eu estava fazendo um show em Brasília e me senti muito mal, no quarto do hotel, antes de ir para o teatro. Ele estava internado, mais uma vez. Mas chamei os meninos (Ju e Pedro) e pedi que eles procurassem falar com alguém da minha família pra saber dele. Seu estado era o mesmo, mas eu fiquei com aquilo na cabeça: meu filho já estava se despedindo de mim." Quando, dias depois, num fim de tarde, duas netas entram em seu apartamento e olham para a avó, ela já sabia o que elas tinham ido contar: "Perguntei pra Vanessa e pra Virna, que é filha dele: 'É o Gilson, né?' Elas nem precisaram me responder." Como em todas as outras mortes de pessoas queridas que enfrentou, Elza não foi ao velório nem ao enterro. "Não consigo ver aquele corpo deitado, sem vida, de uma pessoa que eu amei tanto – minha mãe, meus filhos. Eu não preciso passar por isso. Prefiro a lembrança daquela pessoa viva, enchendo minha vida de alegria."

Se, com a morte dos outros, Elza assume uma certa distância, a sua ela não tem receio de encarar de frente. "Eu não dou ouvidos a ela, não. Se eu perder muito tempo com a morte, eu perco tempo da minha vida. Uma hora ela chega e o que vai ficar é a essência de quem passou por aqui. Minhas palavras, minha presença, minha maneira de ser. Não quero que fiquem as maldades. Não me entenda mal: não quero dizer que fui boazinha o tempo inteiro. Lembra do que eu já te pedi, Zeca?" Como esquecer? Além de me repetir isso inúmeras vezes nas entrevistas, ela fez o mesmo pedido em rede nacional, quando participamos, meses antes, do programa *Conversa com Bial*: "Não me ponha como santa neste livro!" Assim foi feito. Aqui está, já quase terminando, um retrato de Elza, a partir dos seus relatos. Talvez menos uma biografia do que uma grande história oral, mas fiel ao seu desejo de como ser representada. Elza, finalmente, é o que é: a soma de suas palavras.

"Eu quero que me vejam como uma pessoa que viu verdades, que nasceu de verdade, passou por tudo isso de verdade, e é isso que eu quero passar pros meus filhos e netos. Não quero pensar que minha vida tá acabando. Eu quero é mais um dia. E viver esse dia. Pra onde eu vou? Não sei. Deve ter alguém escolhendo isso pra mim – por que eu devo me preocupar com isso agora?", diz em tom brincalhão.

Que ninguém interprete isso como o pensamento de uma mulher sem fé. "Isso eu tenho muita", afirma Elza. E ela vem de todos os cantos – da Mãe Stella de Oxóssi, figura forte do candomblé baiano com quem ela sempre teve uma conexão profunda desde os tempos de Garrincha, a surpreendentes flertes com o budismo. "Minha mãezinha Stella foi durante muito tempo a única capaz de me acalmar. Sua figura é, pra mim, até hoje, um conforto espiritual. Mas fé é uma coisa maior, né, gente!? Tenho meu São Jorge, com quem tive um encontro – e acredite quem quiser acreditar... Alguns vão me chamar de louca, mas eu prefiro achar que foi uma benção. Sou uma privilegiada. Se, às vezes, sei o que vai acontecer dali a pouco, é porque aprendo a olhar tudo e a tirar minhas conclusões. É assim que o mundo funciona: a gente observa e toma decisões."

Para ela, quem não tem essa humildade de olhar em volta não entende bem o que é a vida. "O que me assusta no ser humano é ele se sentir às vezes maior do que tudo, maior do que a própria criação. Tem gente que diz ter aprendido tudo nos livros – eles são maravilhosos mesmo, uma fonte de sabedoria. Mas existe uma coisa maior, alguém maior, que nos permite inclusive escrever esses livros. E esse alguém é muito importante pra mim, porque sem ele eu não sou nada. Pra estar aqui, tive um Avelino e uma Rosária. E, antes deles, cada um teve seu pai e sua mãe. Eu deixo meus filhos aqui no mundo – e eles deixam os deles. É uma corrente linda e infinita. E por isso eu fico assustada quando um homem sozinho quer ser mais que tudo isso. Eu sou só um ser humano, de carne e osso sofridos. Não me sinto a mulher mais poderosa do mundo. Sinto que sou, talvez, a que pisa mais forte no chão – isso, sim. Pra ter certeza de que estou viva!"

E o que ela quer da vida hoje é relativamente pouco. "Eu quero ter o direito de estar buscando isso ou aquilo. Quero andar, comer, dormir, amar, cantar. Ter isso, pra mim, é que é o verdadeiro poder. Não vale a pena ficar juntando coisas que você depois não vai levar daqui, porque você vai sofrer pra largar tudo isso. Esse mundo é um paraíso que, se bobear, a gente estraga. Tem que saber entrar, aproveitar e sair. Tem que passar com gentileza, cumprimentar todo mundo. Abraçar todo mundo! Porque eu amo a humanidade. Eu faço parte dela."

Ouvir essas coisas diretamente de Elza provoca um estranho efeito em mim. São suas palavras que transcrevo para terminar esta história, mas, ao mesmo tempo, sinto que ela não é mais dona delas. De tão fortes e universais que são suas ideias, acredito estar escrevendo não só um mero depoimento, mas um manifesto maior de Elza. Que é um pouco a expectativa de muita gente que encontrei ao longo deste percurso.

Quando, invariavelmente, nesses dois últimos anos, me perguntavam como estava a biografia, eu respondia logo que ia bem, mas que estava dando trabalho, afinal organizar uma história como a de Elza era uma tarefa hercúlea. Mas por trás dessa pergunta, eu sentia, havia uma curiosidade de saber o que ela tem a dizer, no que acredita – ou, ainda, de que maneira aquela pessoa que me interpelava podia se inspirar ainda mais nela, na Elza que soube aproveitar o "Z" que ganhou no batismo para sair do nada rumo ao zênite. Onde ela acredita que todos nós um dia vamos chegar.

"Não estamos lá ainda, mas temos tudo pra alcançar algo maior. Eu acho que a gente só vive esse transtorno hoje porque o mundo ainda não teve a felicidade de ser comandado por mulheres. Todos nós chegamos aqui pelo sangue das nossas mães. E somos nós que seguimos sangrando. Temos que sangrar. E temos que embalar os homens. Embalar com muito carinho, pegar no colo mesmo e deixar eles sentirem que são filhos. Que são bem-vindos aqui. Temos que ensinar a eles que sejam mais doces e mais gentis. Porque é só com nosso amor que eles vão aprender isso. Eu tenho até um pouco de pena dos homens, que têm que viver com o peso de uma cultura machista. Os homens são a coisa mais maravilhosa do mundo, a mais doce. Meus filhos foram criados para serem assim. A mulher tem que vir com ternura, educar sua cria. Ensinar que a gente chora. Que a gente é feito de lágrima e de sangue. E de amor. Tem esse amor da família, que é fundamental. Tem o amor por um companheiro – que eu ainda não desisti de achar, pois, mesmo que dure pouco, ele é bom, bom demais, enquanto existe. Pode ser apenas de alguns minutos, mas eles são necessários. Talvez o que eu queira hoje seja só viver esses minutos de amor. E agradecer. Sou grata a tanta gente, de Tidinha (Matilde) e Ino (Avelino), meus irmãos que sofreram na infância comigo e sempre estiveram juntos, ao Ju e ao Pedro, dois parceiros maravilhosos. Quero deixar o nome deles brilhando pra sempre. Nunca vou me esquecer de quem tanto me ajudou."

Sinto que essas são suas últimas palavras. Sua vida continua, mas minha jornada com ela tem que terminar para este livro ficar pronto. Não há tristeza nem melancolia. Ela segue com seus inúmeros projetos, com o entusiasmo de quem ainda tem fôlego para inspirar não só muitas gerações, mas outros tantos capítulos de um outro livro. Eu sigo com a modesta esperança de um dia poder escrevê-los com o mesmo fascínio que me guiou para deixar toda esta história pronta para você ler.

Assim, fecho esta biografia não com um ponto final, mas com reticências. Não com a frustração de uma obra inacabada, mas com a gostosa sensação de deixar que a vida de Elza siga em liberdade. A mesma liberdade que sua derradeira frase, que guardo comigo, traz implícita. Já havíamos nos despedido quando, na sua sabedoria espontânea, ela resolve me (nos) oferecer algo que resume a essência de quem percorreu um caminho maior.

"Não tenho idade, Zeca, tenho tempo", diz ela finalmente.

E só me resta pedir ajuda à própria letra que mais uma vez ouço sair da sua boca para dizer meu nome – a mesma letra que guiou toda a sua vida, que transformou ela em Elza – para fechar essa narrativa desejando que ela siga em frente banhada de luz e paz...

Elza Soares, em Brasília, em 2010.

agradecimentos

Somos todos gratos a Elza.

∼ *Não fosse ela ter vivido tudo isso, eu nem teria tantas pessoas a quem agradecer. De sua luz e sua força, veio essa história. Me envolvi como quem gravita em seu universo, aprendi sobre coisas que eu achava que já sabia. Olho, agora, para a vida de um jeito diferente. E faço questão de que minha gratidão seja plural.*

∼ *Começando por Juliano Almeida e Pedro Loureiro, que são os grandes guardiões de Elza, atentos aos detalhes, cientes do tesouro que carregam e extremamente profissionais — uma ajuda sem a qual este livro não existiria, tanto na sua iniciativa, quanto na sua finalização.*

∼ *Reconstruir a vida de uma mulher que diz que seu nome é "Now" e que diz não guardar quase nada do passado teria sido muito mais complicado se eu não contasse com a ajuda de Daniel Perez — muito mais que um fã, quase um documentarista de uma trajetória longa e fulgurante como a de Elza.*

∼ *Minha editora, Maria Cristina Antonio Jeronimo, a quem tive o prazer de conhecer neste trabalho, foi fundamental para me orientar com um raciocínio claro — especialmente numa história que atravessa décadas —, sempre com doçura e sensatez, duas qualidades que, quando encontradas juntas, têm que ser celebradas. Meu muito obrigado a você também.*

∼ *Gratidão infinita a Denis Victorazo, meu primeiro e mais crítico leitor, talvez o único capaz de quebrar minha teimosia com meu próprio texto, me convencendo de que suas sugestões são sempre para melhor. Um obrigado também a Fernanda Scalzo, que com uma frase curta de cinco palavras, lá no início do meu trabalho, me deu a certeza de que estava no caminho certo. E a Clarisse Sette, que reforçou essa certeza já nas últimas etapas.*

∼ *Obrigado a Horácio Brandão, que foi o primeiro a colocar a ideia de contar a história de Elza na minha cabeça.*

∼ *E, finalmente, obrigado a todos os meus amigos de quem precisei me afastar, sobretudo neste período, e que compreenderam que meu amor por eles, mesmo distante, sempre se manterá intacto. Ou talvez esteja até maior, pois agora tenho a oportunidade de oferecer a eles — e a você — uma vida tão fascinante quanto a de Elza Soares.*

— Zeca Camargo

créditos das fotos

FOTO DE CAPA: Daryan Dornelles

FOTOS DO CADERNO COLORIDO
p.1; p.2-3; p.4-5; p.6-7; p.8-9; p.10-11: Daryan Dornelles
p.12-13: Coleção particular
p.14-15: Arquivo O *Cruzeiro*/EM/D.A Press
p.16: Coleção particular

FOTOS DO MIOLO
p.19: Peter Fuss
p.21: Coleção particular
p.27: Jorge Audi/EM/D.A Press
p.31: Coleção particular
p.33: Kanai/Acervo UH/Folhapress
p.36: Coleção particular
p.40-41: Peter Fuss
p.42: Jean Manzon/EM/D.A Press
p.60: Shutterstock.com/Aaron Amat
p.62: FreeImages.com/Aurelia Werneck
p.63: Arquivo /EM/D.A Press
p.65: Shutterstock.com/gallofoto
p.69: Domínio público/Acervo Arquivo Nacional
p.71: Arquivo /JCom/D.A Press
p.74: Acervo UH/Folhapress
p.81: BNDigital
p.88: Mondadori/Latinstock
p.91: FreeImages.com/Paul Preacher
p.97: Mondadori/Latinstock
p.106-107: Mondadori Collection/UIG VINTAGE/Mondadori Editorial/Latinstock
p.108: Mondadori Collection/UIG VINTAGE/Mondadori Editorial/Latinstock
p.111: Arquivo/Agência /Carmen Costa
p.113: Arquivo/Agência
p.122: Coleção particular
p.123: Arquivo /EM/D.A Press
p.128: Arquivo /EM/D.A Press
p.130: Arquivo/Agência
p.136: Arquivo/Agência
p.147: Domínio público/Acervo Arquivo Nacional
p.148: Arquivo/Agência
p.162-163: Arquivo /EM/D.A Press
p.164: Arquivo /EM/D.A Press

p.168-169: Arquivo/Agência
p.176: Acervo UH/Folhapress
p.184: José Carlos Vieira/EM/D.A Press
p.188-189: João Rodrigues/EM/D.A Press
p.194: Geraldo Viola e Roulien Silva/EM/D.A Press
p.196: Akg-Images/Latinstock
p.198: Arquivo /JCom/D.A Press
p.204-205: Domínio público/Acervo Arquivo Nacional
p.208: Paulo Lorgus/EM/D.A Press
p.210: Wikimedia Commons/Fotógrafo desconhecido
p.222: Shutterstock.com/Fabrizio Canneti
p.228: José Nicolau/EM/D.A Press
p.233: José Nicolau/EM/D.A Press
p.235: Coleção particular
p.246: Otávio Magalhães/Agência
p.258: Manoel Pires/Folhapress
p.261: Otávio Magalhães/ Agência
p.270: /EM/D.A Press
p.277: /EM/D.A Press
p.280: Joaquim Firmino/CB/D.A Press
p.286: Arquivo/Agência
p.288: Akg-Images/Latinstock
p.291: Jorge Peter/Agência
p.308: Shutterstock.com/ostill
p.321: fazon1/FotoSearch/Latinstock
p.325: Sérgio Amaral/CB/D.A Press
p.330: Patricia Lino
p.334-335: Patricia Lino
p.343: PerseoMedusa/FotoSearch/Latinstock
p.356: Bárbara Lopes/Agência
p.362: Patricia Lino
p.366-367: Patricia Lino
p.369: Patricia Lino
p.379: Daniel Ferreira/CB/D.A Press

Todos os esforços foram envidados no sentido de garantir o devido crédito aos detentores de direitos autorais. No caso de um detentor se identificar, faremos com prazer constar o crédito nas impressões e edições seguintes.

Copyright © 2018 by Elza Soares
Copyright © 2018 by Zeca Camargo
Copyright © 2018 Casa da Palavra/LeYa
Copyright desta edição © 2019 Casa dos Mundos/LeYa Brasil

Todos os direitos reservados e protegidos pela Lei 9.610, de 19.2.1998.
É proibida a reprodução total ou parcial sem a expressa anuência da editora.

Coordenadores de conteúdo
Juliano Almeida e Pedro Loureiro

Consultor do acervo pessoal
Daniel Perez

Direção editorial
Martha Ribas

Editora executiva
Maria Cristina Antonio Jeronimo

Gerência de produção
Maria Cristina Antonio Jeronimo

Produção editorial
Mariana Bard

Pesquisa iconográfica e de conteúdo
Pedro Krause

Revisão
Vera Feitosa

Capa e Projeto gráfico
Victor Burton

Diagramação e tratamento de imagens
Anderson Junqueira
Adriana Moreno

Dados Internacionais de Catalogação na Publicação (CIP)
Angélica Ilacqua CRB-8/7057

Camargo, Zeca
   Elza / Zeca Camargo. – São Paulo : LeYa Brasil, 2019.
384 p. : il.

   ISBN 978-85-441-0773-7

   1. Soares, Elza, 1937-2022   2. Cantoras - Brasil - Biografia
18-1752   CDD 927.8164

Índices para catálogo sistemático: 1. Cantoras - Brasil - Biografia

Todos os direitos reservados à CASA DOS MUNDOS PRODUÇÃO EDITORIAL E GAMES LTDA.
Rua Frei Caneca, 91 | sala 11 – 01307-001 – São Paulo – SP
www.leyabrasil.com.br

Todos os esforços foram envidados no sentido de garantir o devido crédito aos detentores de direitos autorais. No caso de um detentor se identificar, faremos com prazer constar o crédito nas impressões e edições seguintes.

O alfinete é um amuleto para Elza. Desde sua apresentação no programa de Ary Barroso, Elza tem um sempre consigo, para onde quer que vá.

∼

Este livro foi editado na cidade de São Sebastião do Rio de Janeiro na primavera de 2018. Foram usadas as fontes Requiem e Futura.